ESTUDO DE CASOS

GESTÃO DO AMANHÃ

Ao final de cada case apresentado neste livro, você terá acesso a vídeos complementares de Talk com alguns dos principais empreendedores em inovação corporativa do Brasil, especializados em produtos digitais.

Para ler este código, é muito fácil! Basta apontar a câmera do seu celular para o respectivo QR Code e ter acesso ao conteúdo. Outro meio é baixar em seu celular, smarthphone ou tablet um aplicativo para leitura de QR Code. Abra o aplicativo, aponte a câmera de seu aparelho para a imagem e acesse o Talk.

Temos certeza de que será um material complementar capaz de enriquecer ainda mais os seus conhecimentos e fortalecer as suas diretrizes!

SANDRO MAGALDI | JOSÉ SALIBI NETO

ESTUDO DE CASOS

GESTÃO DO AMANHÃ

O QUE ESTÁ POR TRÁS DO SUCESSO DAS EMPRESAS ESCALÁVEIS

APRENDA COM OS CASOS MAGAZINE LUIZA, MERCADO LIVRE, IFOOD, NUBANK, BEST BUY E DOMINO'S PIZZA

Camelot
EDITORA

Copyright © 2021 Sandro Magaldi e José Salibi Neto
Direitos reservados e protegidos pela lei 9.610 de 19.2.1998.
Nenhuma parte deste livro pode ser reproduzida, arquivada em sistema de busca ou transmitida por qualquer meio, seja ele eletrônico, xérox, gravação ou outros, sem prévia autorização do detentor dos direitos, e não pode circular encadernada ou encapada de maneira distinta daquela em que foi publicada, ou sem que as mesmas condições sejam impostas aos compradores subsequentes.
1ª Edição 2021

Presidente
Paulo Roberto Houch
MTB 0083982/SP

Planejamento e gestão estratégica
Cristiana Salibi, Gabriel Houch, Isabella Magaldi e Leonardo Houch

Diagramação
Shantala Ambrosi

Revisão
Aline Ribeiro e Priscilla Sipans

Capa
José Felipe Pereira Januário

Impresso no Brasil.
Foi feito o depósito legal.

Dados Internacionais de Catalogação na Publicação (CIP)
(eDOC BRASIL, Belo Horizonte/MG)

M188e Magaldi, Sandro.
Estudo de casos: gestão do amanhã / Sandro Magaldi, José Salibi Neto. – Barueri, SP: Camelot, 2021.
15,5 x 23 cm

ISBN 978-65-87817-88-0

1. Administração. 2. Empreendedorismo. 3. Sucesso nos negócios. I. Salibi Neto, José. II. Título.
CDD 658.4

Elaborado por Maurício Amormino Júnior – CRB6/2422

Direitos reservados à IBC – Instituto Brasileiro de Cultura LTDA
CNPJ 04.207.648/0001-94
Avenida Juruá, 762 – Alphaville Industrial – CEP. 06455-010 – Barueri/SP
Vendas: Tel.: (11) 3393-7323 (vendas@editoraonline.com.br)
www.editoraonline.com.br

Para os meus amores Luciana Mancini Bari Salibi e Cristiana Salibi.

JOSÉ SALIBI NETO

Como diz o Emicida, "tudo que nós tem é nós". Não poderia deixar de dedicar este projeto às mulheres da minha vida: Valeska, Mari e... aqui cabe um destaque: seguramente, eu não seria capaz de desenvolver este projeto neste nível se não fosse a Isa. Mais do que todo o amor e admiração paternal, reconheço na Isa a competência e dedicação presentes em quem faz a diferença. Isa, arrebentou! Sempre que testemunhar o sucesso deste projeto, lembre-se do seu protagonismo.

SANDRO MAGALDI

AGRADECIMENTOS

Todas as nossas obras são autorais e nos envolvemos pessoalmente em cada detalhe desde a concepção até o produto final. São, sobretudo, frutos do esforço coletivo de indivíduos que se engajaram em nossa visão sobre cada projeto. Mais do que isso: indivíduos que acreditaram em nosso sonho e o assumiram como seu.

Esse projeto não é diferente dos já produzidos, mas se destaca por um componente adicional: é o primeiro projeto editorial, cuja produção foi assumida de forma autoral, já que está integrado a um contexto mais abrangente, que envolve um programa de conteúdo sobre cases e empresas escaláveis.

Dessa maneira, não poderíamos deixar de agradecer a todos os que se envolveram de corpo e alma em nosso sonho de tornar concreta a missão de produzir um material inédito em todo o mundo, com o objetivo de ensinar como é possível construir um negócio de crescimento escalável por meio do estudo de casos de empresas protagonistas dessa nova era.

Comecemos, então, pelos nossos incríveis parceiros que viabilizaram a produção e edição desta obra, cujo resultado em muito nos orgulha pelo zelo com todos os detalhes do projeto. Agradecemos muito a toda turma do Instituto Brasileiro de Cultura - IBC, representada pelo seu CEO, Paulo Houch, e pelos incríveis Leonardo Houch e Gabriel Houch, que trouxeram provocações que deram um upgrade ímpar ao projeto. O envolvimento dessa galera foi essencial em nossa jornada. Obrigado, pessoal!

Na concepção do conteúdo, agradecemos a participação valiosa da Adriana Salles Gomes, da ASG Conteúdo Editorial. Sua contribuição foi fundamental para termos um material tão rico e valioso.

Não podemos deixar de fazer um agradecimento especial a Afonso Macagnani, que começou conosco nessa jornada dos casos, nos encorajou e brindou com seu conhecimento, fortalecendo nossa convicção sobre as possibilidades desse projeto.

Todos os nossos projetos contam com suporte de conteúdo em vídeo.

Nesse processo, nosso parceiro de sempre é a JPlay, produtora liderada pelo competentíssimo Anselmo Nishiyama e cuja equipe não mede esforços para atender a todas as nossas demandas com prestatividade e um carinho que nos emociona (não podemos citar a todos nominalmente, mas o Bruno e o Renan merecem ser lembrados pela parceria de sempre). O time da JPlay é incrível!

Sensacionais também são os entrevistados que nos brindaram com suas participações em nossos talkshows. Foi uma honra ter a presença de Allan Costa, Arthur Igreja, Guilherme Horn, Romeo Busarello, Sandra Turchi e Sérgio Simões. Só feras!

E, last but not least, não podemos deixar de expressar nossa gratidão pelo time Gestão do Amanhã, a começar pelo querido Marcos Antônio Bernardo da Silva ou, mais popularmente, Marcão. Que incrível é o engajamento e a prestatividade desse querido amigo em tudo o que fazemos. Marcão não poupa esforços e está sempre na área para fazer acontecer. Você é o cara, amigo!

E o que dizer da ala feminina de nosso time? Na real, elas são as verdadeiras responsáveis por fazer tudo isso acontecer. Nós só seguimos sua liderança. Estamos nos referindo a Cris Salibi e a Isa Magaldi. Que privilégio ter a oportunidade de estar junto das pessoas que amamos em nossa missão de causar impacto no mundo da gestão. É óbvio que somos suspeitos, mas essas mulheres são poderosíssimas. Nunca vimos tanta competência e cumplicidade juntas. Meninas, sem vocês, não seríamos nem mesmo a sombra do que somos. Amamos vocês!

Nosso último agradecimento vai para os mais importantes agentes desse processo, aqueles que nos fazem dormir e acordar pensando em como produzirmos algo excepcional, que nos motivam com suas palavras, nos encorajam com suas histórias e nos emocionam com tanto carinho. Você já deve saber a quem nos referirmos, não é? É isso mesmo, nosso agradecimento especial vai para você, leitor, a única razão de estarmos aqui, a verdadeira razão de ser deste projeto.

Obrigado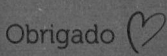

Sumário

Introdução 13

MAGALU
Linha do tempo 24
Case Magalu - Crescendo em ritmo chinês.......................... 25
Estratégia Adaptativa/Inovação Constante........................... 32
Customer Centricity 37
Agilidade 39
Gestão baseada em dados 41
Cultura organizacional 43
Liderança 47
Questões estratégicas para reflexão..................................... 52
Sugestão de dinâmica sobre o caso...................................... 54

MERCADO LIVRE
Linha do tempo 56
Case Mercado Livre - Superando gigantes 57
Estratégia Adaptativa/Inovação Constante 65
Customer Centricity 69
Agilidade 73
Gestão baseada em dados 75
Cultura organizacional 76
Liderança 78
Questões estratégicas para reflexão..................................... 84
Sugestão de dinâmica sobre o caso...................................... 86

IFOOD
Linha do tempo 88
Case IFOOD - Cabeça de Big Tech 89
Estratégia Adaptativa/Inovação Constante........................... 94
Customer Centricity 99
Agilidade 103
Gestão baseada em dados 105
Cultura organizacional 106
Liderança 110
Questões estratégicas para reflexão..................................... 114
Sugestão de dinâmica sobre o caso...................................... 116

NUBANK

Linha do tempo 120
Case Nubank - Propósito inclusivo massivo 121
Estratégia Adaptativa/Inovação Constante 127
Customer Centricity 129
Agilidade 133
Gestão baseada em dados 135
Cultura organizacional 136
Liderança 140
Questões estratégicas para reflexão 144
Sugestão de dinâmica sobre o caso 146

BEST BUY

Linha do tempo 148
Case Best Buy – Facilitadora de tecnologia e saúde 149
Estratégia Adaptativa/Inovação Constante 158
Customer Centricity 163
Agilidade 166
Gestão baseada em dados 167
Cultura organizacional 169
Liderança 171
Questões estratégicas para reflexão 176
Sugestão de dinâmica sobre o caso 178

DOMINO'S

Linha do tempo 180
Case Domino's - No pedestal da pizza 181
Estratégia Adaptativa/Inovação Constante 188
Customer Centricity 193
Agilidade 195
Gestão baseada em dados 196
Cultura organizacional 198
Liderança 199
Questões estratégicas para reflexão 206
Sugestão de dinâmica sobre o caso 208

Bibliografia 210

Introdução

COMO ESTAR PREPARADO para lidar com as complexidades do mundo atual? O que está por trás das organizações mais bem-sucedidas da nova era? Responder a essas indagações está no topo de nossas prioridades desde 2016, quando começamos a pesquisar e produzir conteúdo sobre as transformações pelas quais passa o mundo empresarial. Esse projeto ganhou corpo no início de 2018, com o lançamento da obra *Gestão do Amanhã* (que veio a se transformar em uma das obras de gestão mais vendidas no país). De lá para cá, nossos estudos evoluíram de forma acelerada e complementamos esse pensamento com os livros *O Novo Código da Cultura* e *Estratégia Adaptativa*, em um processo de produção de conhecimento incessante – para acompanhar o ritmo das transformações, até mesmo o modelo de produção de conhecimento teve de evoluir.

Além dos estudos baseados em referências práticas e novas teorias, ficamos conectados de forma ampla e profunda com o ambiente empresarial no Brasil e no mundo. Para ter um entendimento mais claro dos impactos da nova realidade nos negócios, foi necessário analisarmos em detalhes como as organizações estão reagindo a esse novo contexto.

Essa fascinante experiência nos trouxe uma convicção importante: é mandatório trazermos uma nova perspectiva de aprendizado sobre gestão no mundo, já que novas teses e conceitos estão sendo constituídos em tempo real como uma obra em andamento. Essa perspectiva de aprendizado deve, além de adotar novas formulações, conceber a empresa como um dos objetos de estudo principal do modelo, para que seja possível um entendimento correto desse novo mundo.

Essa dinâmica em nada difere do que sempre aconteceu com outras disciplinas. A Medicina se vale de experimentos e da análise minuciosa de novos procedimentos e medicamentos para entender sua validade prática. O Direito valida novas teses que mudam em sintonia com a evolução da sociedade, aplicando-as em processos jurídicos. No mundo da gestão, a lógica é – ou deveria ser – a mesma: a validade de todas as teses e formulações teóricas deve ser observada no campo da batalha, ou seja, na prática das organizações.

Um ponto, no entanto, salta aos olhos nesse novo mundo: o ambiente empresarial tornou-se um celeiro de experimentos que foram formulados dentro de suas fileiras e não necessariamente no ambiente acadêmico ou em consultorias de gestão, duas das fontes tradicionais de formação de conhecimento para esse universo.

A evolução tecnológica trouxe consigo o fomento do empreendedorismo a níveis inéditos na história, já que houve um derretimento das barreiras de entrada para a geração de novas empresas e negócios. Os primeiros navegantes a surfarem essa onda – que logo transformou-se em um tsunami – adotaram seus projetos no empreendedorismo digital que viu florescer as chamadas startups, alcunha utilizada para designar as empresas nascentes de base tecnológica com condições de escalar seu crescimento exponencialmente. Esse termo era simplesmente desconhecido até o início da primeira década dos anos 2000, já que sua aplicação estava circunscrita a um seleto grupo de empreendedores procedentes, principalmente da região do Vale do Silício, a meca do novo empreendedorismo e inovação na Califórnia, Estados Unidos.

Essa nova dinâmica no mercado empresarial resultou na explosão de novos negócios que, pouco a pouco, foram dominando o ambiente. O que chama atenção é que, ao fomentar novos projetos tendo como principal orientação seu crescimento exponencial, esses empreendedores e líderes começaram a experimentar novas formas de gerir suas empresas, abdicando de muito do conhecimento tradicional. A lógica implícita dessa decisão é que, na busca por uma escalada inédita de expansão, seria necessário extrapolar os limites do conhecimento corrente, buscando modelos mais aderentes a um novo padrão de organização.

No começo, como sempre acontece com qualquer projeto de transformação e ruptura com o status quo, houve resistência. Muitos creditavam a adoção dessas novas técnicas à facilidade de serem testadas em ambientes restritos que não se assemelhavam ao contexto das complexas companhias tradicionais. No entanto, empresas que eram meras startups no início dos anos 2000 começaram a ganhar corpo e conquistar espaço inédito no ambiente empresarial. Amazon, Google, Facebook dentre tantas outras startups de outrora se transformaram nas principais protagonistas do ambiente empresarial.

Como não poderia ser diferente, a atenção migrou para essas organizações com vistas a entender o que estava acontecendo. "Subitamente", seus novos modelos de gestão foram descobertos e ganharam espaço no vocabulário corporativo, termos como "modelos ágeis", "gestão baseada em dados", "ambientes colaborativos", dentre tantos outros que não constavam no mapa dos líderes empresariais tradicionais.

Essa nova realidade implica na necessidade de construirmos modelos de aprendizado sobre gestão que não conceba as empresas apenas como receptadoras do conhecimento construído, e sim como protagonistas no processo de aprendizado, já que são as principais matrizes de estudo e reflexão. Atualmente, aprende-se tanto com as empresas quanto com as fontes tradicionais de conhecimento sobre gestão.

Assim que tivemos esse insight, iniciamos um projeto ambicioso de estruturar conhecimento aplicado a partir do estudo de casos de empresas líderes da nova economia que são, em essência, negócios escaláveis. Para isso, paradoxalmente, adotamos uma metodologia tradicional: o método de Estudo de Caso.

O Estudo de Caso é um método científico adotado plenamente em diversas áreas da ciência na construção de conhecimento. No campo da administração, seu uso é contemplado em teses e dissertações como uma das possibilidades de pesquisa acadêmica. Um dos principais estudiosos desse método é Robert K. Yin, autor da obra de referência sobre o tema *Estudo de Caso – Planejamento e Métodos*.

No livro, Yin define o estudo de caso como uma estratégia de pesquisa que responde às perguntas "como" e "por que" e que foca em contextos da vida real de casos atuais. Esse modelo funciona como benchmark, já que, ao observar os passos dados por outra pessoa, grupo ou organização, fica mais simples compreender e fazer previsões para evitar erros de percurso.

O método não trata simplesmente de contar a história de um caso, e sim explorar suas particularidades a partir da trajetória do objeto em estudo para, com o domínio dessas informações, analisar possibilidades e conclusões que podem ser aplicadas e refletidas na realidade do aluno ou pesquisador.

Por isso que estudo de caso é um modelo referencial. Mesmo que as experiências de quem já trilhou um caminho análogo sejam parecidas, cada jornada tem suas singularidades que, ao serem transmitidas adequadamente, permitem que o leitor identifique as similaridades com sua própria realidade, facilitando o processo de aprendizado que sai de uma perspectiva eminentemente teórica e migra para uma visão prática das teses e dos conceitos formulados na disciplina.

Em síntese, o estudo de caso nos ajuda a entender como as teorias se aplicam na vida real.

No mundo da gestão, a utilização do método popularizou-se na década de 1920, quando a Harvard Business School, principal escola de administração do mundo, desenvolveu o Método Harvard como principal objeto de aprendizado para seus programas consagrados educacionais.

Desde então, o modelo é fartamente utilizado no mundo todo, sempre seguindo uma lógica de estudo de caso por meio da apresentação da situação real pela qual passa uma organização, considerando uma problemática que demanda uma tomada de decisão seguida por linhas de análise que envolvem questões, argumentos, hipóteses e conceitos elaborados para gerar reflexões e formular soluções para a situação explorada.

É inegável que esse método responde à nossa indagação inicial sobre como preparar as pessoas para lidar com esse novo ambiente empresarial, já que alia teses e conceitos em profundidade com uma visão prática de sua aplicação. No entanto, temos nos deparado com duas situações que impactam a efetividade desse processo.

Ao longo de décadas, foram construídos milhares de estudos de casos de empresas que eram as protagonistas da sua era. As jornadas das companhias que estão dominando o mundo empresarial é de natureza muito distinta das companhias tradicionais. Com isso, os casos disponíveis têm como preponderância uma realidade bastante distinta da atual e retratam um mundo que não existe mais. Com isso, o processo de identificação com os desafios reais e atuais torna-se difuso, já que os paralelos com a realidade do interlocutor são de difícil interpretação.

Além disso, o mundo acadêmico tem tido perceptível dificuldade em mapear e entender esse novo ambiente empresarial. A velocidade com que novas teses e formulações foram constituídas nas empresas não é a mesma pela qual são refletidas no contexto educacional. Como consequência, os estudos de caso tradicionais adotam métodos de construção de análise que estão datados e requerem novas leituras e formulações.

Em síntese, temos um contexto dominado por estudos de casos de empresas que não estão alinhadas com a contemporaneidade dos negócios, que foram analisados por meio de teses desatualizadas.

De modo algum, almejamos, com essa reflexão, descredenciar o modelo e seus incontestes benefícios e impactos gerados para a evolução do mundo empresarial. Esse sistema continua relevante e recomendável para o processo de aprendizado sobre gestão, já que traz visões essenciais sobre a evolução da disciplina. É mandatório, no entanto, observar que existe espaço para um novo padrão de estudo de caso que enderece esses dois temas: empresas contemporâneas e teses atualizadas.

A base desse nosso projeto foi, justamente, derivada dessa inquietude: e se estruturássemos uma iniciativa que evidenciasse a jornada das empresas protagonistas da nova economia analisadas à luz de todos os modelos de gestão que temos pesquisado e estruturado ao longo dos últimos anos?

Assim nasceu o projeto "Estudo de Casos - Gestão do Amanhã". Nosso principal objetivo é oferecer uma contribuição decisiva para o aprendizado sobre gestão, proporcionando a possibilidade de entendimento das novas teses aplicadas à realidade prática das companhias que estão mudando o mundo. Nossa visão é que, tendo acesso a esse conhecimento, será possível ao leitor construir as bases para ter um negócio escalável.

Para isso, selecionamos 6 empresas escaláveis que serão o foco desta primeira edição:

1. MAGALU
2. MERCADO LIVRE
3. IFOOD
4. NUBANK
5. BEST BUY
6. DOMINO'S PIZZA

Essas organizações foram selecionadas minuciosamente, de modo a permitir um aprendizado complementar derivado das lições de cada uma das suas jornadas.

- A Magalu, por ser o maior fenômeno empresarial dos últimos tempos no Brasil (e talvez no mundo) de migração bem-sucedida de um negócio tradicional para o ambiente digital.
- O Mercado Livre, por se constituir como uma das maiores empresas da América Latina, que iniciou sua jornada na primeira onda da internet, e por se reinventar constantemente, ampliando sua relevância nos mercados onde atua.
- O iFood, uma startup que trouxe uma nova dinâmica a um dos modais mais presentes na sociedade brasileira até então negligenciado pelas empresas: o delivery de alimentação.
- O Nubank, como uma startup jovem que está revolucionando o tradicional mercado financeiro brasileiro por meio de uma proposta de valor única.
- A Best Buy, organização tradicional do varejo americano que já foi dada como morta muitas vezes, mas se reinventou sistematicamente e mostra a relevância de destruir sua estrutura convencional para dar espaço ao novo.
- A Domino's Pizza, uma empresa que mostra como o processo de transformação organizacional e adaptação ao novo ambiente organizacional é possível até mesmo em um negócio tradicional, como o de delivery de pizzas.

Não basta, no entanto, trazer a jornada de novas companhias se a forma com a qual são analisadas permanecer ancorada em uma visão ultrapassada. Tendo em vista esse desafio, fomos buscar um método que se adaptasse à nova realidade.

Já estávamos trabalhando com essa formulação quando Ram Charan e Julia Yang lançaram a obra *The Amazon Management System*. No livro, os autores analisam o sistema de gestão de uma das maiores empresas do planeta (e uma das principais protagonistas da nova era) por meio de uma metodologia intitulada de Building Blocks ou, em tradução literal para o português, Blocos de Construção. Esse método permite uma visão sistêmica da organização, pois, em vez de trazer uma visão funcional da empresa, constrói análises baseadas em competências transformadoras da empresa que se constituem sua principal fonte de vantagem competitiva.

Essa estrutura caiu como uma luva em nossa busca por um modelo mais adaptável à nossa realidade. O grande desafio dos métodos atuais de estudo sobre gestão tem como origem a própria estrutura organizacional consolidada ao longo do século, que tem como base um modelo hierárquico todo verticalizado onde a empresa se organiza em torno de funções que se expressam em áreas como Operações, Financeira, Vendas, Marketing e assim por diante.

Esse modelo – que funcionou muito bem em um ambiente muito mais previsível e estável que o atual –, como demonstramos no primeiro capítulo da nossa obra *Estratégia Adaptativa* onde apresentamos um estudo da evolução da estratégia, culminou com um campo de estudos sobre gestão baseado na especialização.

Uma das demandas mais claras do atual ambiente empresarial é a multidisciplinaridade requerida em um contexto em que as empresas devem atender às necessidades de seus clientes de forma muito mais profunda e ágil do que no passado, já que os níveis de concorrência são maiores e crescentes.

Dessa forma, o modelo de Building Blocks (decidimos manter o termo em inglês, uma vez que já é utilizado globalmente) responde à demanda por uma metodologia mais holística e sistêmica que oferece condições de uma visão integrada, considerando a interdependência de todas as funções e áreas da organização.

No modelo original, os Building Blocks podem ser definidos de forma autônoma, de acordo com a estratégia e as frentes mais relevantes na evolução da companhia. Assim, cada empresa pode ser analisada, conforme suas peculiaridades. Na análise da Amazon, na obra de Charan e Yang, por exemplo, existem 6 Building Blocks, como Obsessão pelo Cliente, Máquina de Inovação, Cultura Day 1, entre outros.

Em nosso projeto, definimos os 6 Building Blocks que toda organização deve utilizar para analisar seu negócio. Essa opção visa facilitar a adoção do método, já que orienta o leitor na sua análise. Além disso, estruturamos cada Building Block de acordo com temas essenciais presentes nas organizações de sucesso nesses novos tempos. Nosso objetivo é oferecer uma bússola que permita a qualquer indivíduo analisar uma organização de acordo com os requisitos mandatórios de adaptação a essa nova era dos negócios.

Com isso, temos os 6 Building Blocks do Estudo de Casos da Gestão do Amanhã:

BUILDING BLOCK 1: Estratégia Adaptativa / Inovação constante

Esse Building Block tem como foco analisar como a estratégia da organização e seu sistema de gestão se relacionam com a inovação constante em seu negócio. Serão apresentadas e analisadas as evidências das principais inovações geradas pela empresa ao longo de sua trajetória (explorando temas como Motor 2 de crescimento, inovações disruptivas, etc.)

BUILDING BLOCK 2: Customer Centricity

Nesse Building Block, será explorado como a organização adota a filosofia Customer Centricity, apresentando iniciativas e evidências concretas de como ela coloca o cliente no centro da sua jornada de criação de valor.

BUILDING BLOCK 3: Agilidade

Nesse Building Block, por sua vez, serão exploradas as evidências de como a agilidade faz parte da estratégia da organização e de seu sistema de gestão. Será analisado se o processo decisório da organização é rápido e assertivo e quais são os métodos de gestão adotados para atingir esse objetivo.

BUILDING BLOCK 4: Gestão Baseada em Dados

Esse Building Block apresentará como o sistema de gestão de informações da companhia impacta o seu negócio, analisando os elementos e tecnologias adotadas nessa estrutura. Também será explorado como esse sistema impacta no processo decisório e na evolução das iniciativas da empresa.

BUILDING BLOCK 5: Cultura Organizacional

Já nesse Building Block, serão analisados os elementos presentes na cultura da organização, explorando os impactos desse sistema na empresa em relação à forma como o trabalho evolui naquele contexto e os impactos para o negócio.

BUILDING BLOCK 6: Liderança
Esse Building Block contará com a análise do modelo de liderança adotado pela organização e o sistema de gestão de pessoas da companhia, bem como suas práticas de atração, retenção e desenvolvimento de talentos.

Com essa metodologia, fechamos a estrutura básica do nosso projeto, na missão de oferecer um modelo poderoso, a fim de incrementar seu conhecimento sobre gestão nos dias atuais: casos de empresas protagonistas da nova era somado ao método adequado a essa realidade.

Organizamos esse material de forma que facilite ao máximo seu aprendizado. Cada capítulo terá como eixo central uma organização. Esse Estudo de Caso será analisado seguindo uma lógica sequencial que contará com diversos módulos de aprendizagem onde você terá:

a) Linha do Tempo
Representação gráfica da evolução da organização para que você conheça os principais marcos da empresa desde sua fundação.

b) História da Empresa
Construímos um eixo narrativo explorando os principais destaques da evolução da empresa, para que você tenha uma visão ampla de como a organização chegou até aqui com seus desafios e suas conquistas; os erros e os acertos.

c) Análise dos Buliding Blocks
Cada organização será analisada, conforme os 6 Building Blocks, apresentando evidências de como ela gerencia e explora cada uma das dimensões do método.

d) Questões Estratégicas para Reflexão
Formulamos questões-chave com potencial de gerar reflexões poderosas presentes em cada Estudo de Caso. Com isso, você po-

derá promover discussões em grupo para entender essa dinâmica na sua organização ou, até mesmo, ter condições de refletir autonomamente sobre essas perspectivas nas situações que desejar.

e) Sugestão de Dinâmica
Para cada caso, você terá uma sugestão de dinâmica que poderá promover com outros indivíduos de sua organização ou em outros contextos, a fim de viabilizar modelos similares em destaque nas organizações estudadas. São 6 dinâmicas formatadas para sua implantação:
- As 4 Etapas para o Desenvolvimento de Indicadores e Metas;
- Os 4 Passos do Roadmap da Transformação Cultural;
- Como estruturar um Squad em 5 Etapas;
- Os 5 Passos da Inovação Base Zero;
- As 7 Etapas do Mapeamento da Jornada do Cliente;
- Os 5 Passos para o Plano de Transformação da Organização.

Nossa proposta é lhe oferecer as condições para que você tenha todas as possibilidades de implantar todo o conteúdo explorado no projeto de maneira prática. Esse é o motivo desses dois últimos módulos, que visam entregar ferramentas práticas para fazer acontecer.

Nessa linha, entrevistamos experts que têm conhecimento e experiência acumulados nos principais tópicos explorados em cada caso. Produzimos TalkShows em vídeos com essas entrevistas, aos quais você terá acesso por meio de um QR Code apresentado ao final de cada capítulo.

Se você desejar se aprofundar sobre cada caso apresentado, estamos compartilhando, na Bibliografia, todas as fontes de nossos estudos. Nessa sessão, você encontrará um material completo repleto de referências sobre cada organização.

Estamos convictos de que o método "Estudo de Casos - Gestão do Amanhã" lhe proporcionará a condição essencial para que você entenda e se aprofunde nos movimentos organizacionais mais poderosos da atualidade. Dessa forma, você terá condições de construir as bases para um negócio escalável com potencial de crescimento exponencial.

A visão prática, por si só, é limitada. A visão teórica descolada da realidade é superficial. Nesse projeto, você terá a união dessas duas dimensões: prática e teoria unidas em um único modelo.

Nossa perspectiva pessoal é que esta obra seja apenas a primeira de muitas, já que, felizmente, existem cada vez mais organizações que estão entendendo os movimentos dos mercados e se adaptando de forma bem-sucedida a esse contexto. Teremos muito mais empresas escaláveis para serem exploradas em nossa metodologia. Quem sabe a sua não será uma delas?

Mãos à obra!!!

Após ter acesso ao conteúdo valioso que toda organização de sucesso deve saber parar criar suas próprias bases, acesse este QR Code e faça um diagnóstico do seu negócio, identificando os pontos que devem ser aprimorados para alcançar um resultado escalável.

Linha do Tempo Magalu

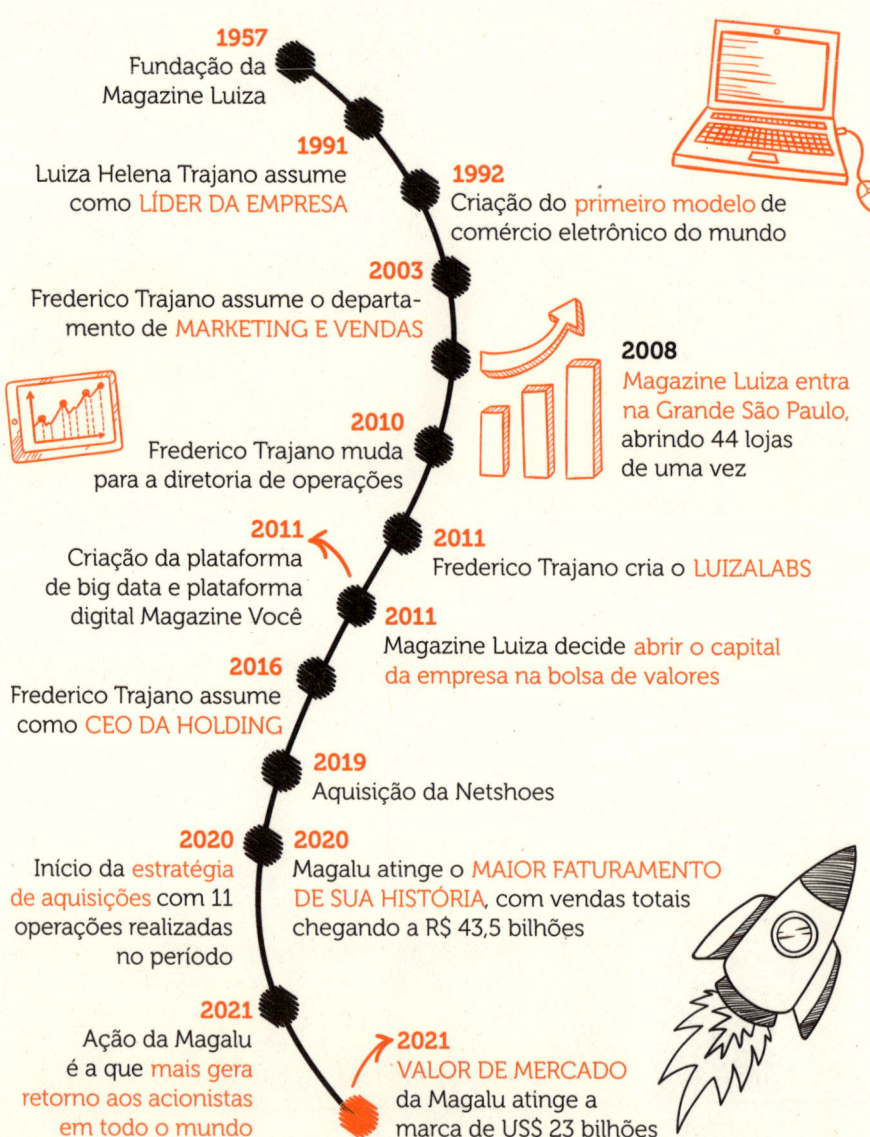

1957 — Fundação da Magazine Luiza

1991 — Luiza Helena Trajano assume como LÍDER DA EMPRESA

1992 — Criação do primeiro modelo de comércio eletrônico do mundo

2003 — Frederico Trajano assume o departamento de MARKETING E VENDAS

2008 — Magazine Luiza entra na Grande São Paulo, abrindo 44 lojas de uma vez

2010 — Frederico Trajano muda para a diretoria de operações

2011 — Criação da plataforma de big data e plataforma digital Magazine Você

2011 — Frederico Trajano cria o LUIZALABS

2011 — Magazine Luiza decide abrir o capital da empresa na bolsa de valores

2016 — Frederico Trajano assume como CEO DA HOLDING

2019 — Aquisição da Netshoes

2020 — Início da estratégia de aquisições com 11 operações realizadas no período

2020 — Magalu atinge o MAIOR FATURAMENTO DE SUA HISTÓRIA, com vendas totais chegando a R$ 43,5 bilhões

2021 — Ação da Magalu é a que mais gera retorno aos acionistas em todo o mundo

2021 — VALOR DE MERCADO da Magalu atinge a marca de US$ 23 bilhões

CASE MAGALU
CRESCENDO EM RITMO CHINÊS

UM MEME CIRCULOU FRENETICAMENTE nos grupos de WhatsApp brasileiros ligados a negócios em abril de 2021: era o rosto de Frederico Trajano, presidente da Magazine Luiza, empresa que nasceu varejista de eletroeletrônicos e linha branca, com os dizeres "Tá olhando o quê? Quer ser comprado?". Era justificável. Acabava de ser anunciada a 17ª aquisição da empresa em 16 meses, o site *Jovem Nerd* e, se contássemos a partir de 2017, eram 20 as aquisições mais estratégicas. A cultura memética estava consagrando a expansão da Magalu – nome oficial que a companhia adotou em 2018. "O crescimento em ritmo chinês já faz parte da nossa estratégia", explicou Fred Trajano em uma entrevista ao site da *CNN Brasil*.

Em 2020, primeiro ano da pandemia de Covid-19 e do isolamento social, a Magalu teve o maior faturamento de sua história, com vendas totais chegando a R$ 43,5 bilhões. Isso representa um crescimento de 60% na comparação com 2019. Parte disso se deve ao contexto pandêmico de quarentena, que fez o e-commerce se expandir em relação ao varejo de lojas físicas. No terceiro trimestre de 2020, por exemplo, as vendas digitais da companhia cresceram 148% na comparação com o mesmo período de 2019, salto esse que fez o canal responder por dois terços das vendas totais (66%). Diga-se que as medidas anticíclicas do Governo Federal na forma de um auxílio emergencial – apelidadas de "coronavoucher" – ajudaram, ao menos em 2020. Porém outra parte teve a ver com os momentos de reabertura das mais de 1.300 lojas físicas da rede, o que permitiu reativar o "poder da multicanalidade", conceito que Fred menciona com frequência. "Com as lojas, conseguimos a combinação desejada de crescimento exponencial, rentabilidade e capacidade de geração de caixa", afirmou ele.

No entanto, as explicações para esse crescimento meteórico não são apenas o contexto, o poder da multicanalidade e a agressividade no M&A (Mergers and Acquisitions - Fusões e Aquisições). A Magalu adaptou sua estratégia ao cenário pandêmico mais rapidamente do que os concorrentes, por exemplo, e fez isso de modo coerente com a estratégia de longo prazo. Esses e outros pontos serão desenvolvidos ao longo deste case study, com as lentes de Gestão do Amanhã.

Embora frequentemente comparada à Amazon, a Magalu assume inspirar-se nos ecossistemas da China – em empresas como Alibaba, Tencent, JD.com e Suning, que escalaram seus modelos de negócio de plataforma com base em M&A e na visão ecossistêmica, como Fred Trajano não esconde. E, se o benchmark da Magalu não é mais a Amazon, e sim o Alibaba, o benchmark de Fred não é Jeff Bezos, mas Jack Ma. Como o CEO da Magalu afirmou, durante uma entrevista ao jornal *Valor Econômico*, em maio de 2021, "Jack Ma está mais preocupado com os sellers do que Bezos, o que bate mais com o que penso". Os sellers são as lojas que vendem por meio de um marketplace, que vêm se tornando clientes cada vez mais importantes da empresa nascida em Franca, no interior de São Paulo. Como Fred explicou na entrevista, ele se identifica mais com a visão holística de negócio que os chineses têm do que com a visão "category killer" dos americanos.

Essa visão está dando certo, segundo um dos indicadores mais apreciados no mercado – o do valor para o acionista. De acordo com o *The 2021 Value Creators*, um levantamento do Boston Consulting Group, a companhia que mais gera retorno aos acionistas no mundo todo, de todos os setores de atividade, é a Magazine Luiza, entre as 2.400 avaliadas. Sua ação gerou um TSR (Total Shareholder Return – Retorno Total ao Acionista) de 226% por ano, em média, de 2016 a 2020. Como base de comparação no segmento de varejo, a canadense Shopify teve retorno médio anual de 113% e a americana Amazon, de 37%. Já as empresas de tecnologia analisadas entregaram TSRs de mais de 50%, na média. Outra comparação: em 2020, o índice *S&P Global 1200 Index*, ligado à Bolsa de Nova York, teve uma valorização de 29%.

O estudo do BCG tem, certamente, um sabor especial para a família Trajano. Nos últimos 15 anos, desde que Fred propôs a estratégia da multicanalidade, em que canais digitais e físicos conviveriam, os investidores têm sido contra essa visão, como ele já disse em várias entrevistas. No entanto, a prova de seu acerto é que concorrentes, como a B2W, também adotam a multicanalidade, reunindo Submarino com Lojas Americanas e Shoptime.

Bem antes do levantamento do BCG, um estudo do banco Credit Suisse sobre o varejo mundial, divulgado em agosto de 2018, já enxergava o potencial da Magalu. O estudo falava em apocalipse do varejo por conta da Amazon e previa, com base no CFROI (Cash-flow Return on Investiment - Retorno do Fluxo de Caixa sobre o Investimento) que apenas sete empresas tradicionais sobreviveriam ao fenômeno disruptivo. A única brasileira entre as sete era a Magazine Luiza. Entre os outros nomes dessa lista estava a chinesa JD.com.

É importante dizer que, ao mesmo tempo que brilhou no front da tecnologia, a Magalu se destacou também pela humanidade, uma vez que foi um dos maiores protagonistas da responsabilidade social empresarial durante a pandemia de Covid-19. Isso se deveu, principalmente, à atuação da presidente de seu conselho de administração, Luiza Helena Trajano, que foi a CEO da empresa de 1991 a 2016 até passar o bastão para o filho Frederico. Ela liderou diversas campanhas: #NãoDemita, contra o racismo estrutural, pela prevenção e combate à violência doméstica (segundo as estimativas, o número de casos vitimizando mulheres dobrou durante a pandemia), pela vacinação em massa, entre outras. A marca Magalu foi a quarta colocada entre as dez que tiveram maior impacto social e ambiental durante a Covid-19, segundo a pesquisa TM20 e Brazil Panels, divulgada em dezembro de 2020, em São Paulo e no Rio de Janeiro, atrás apenas de Natura, Itaú e Ambev. Como tem atuação bastante pulverizada pelo país, é possível que uma amostra nacional fizesse a Magalu subir nesse ranking.

Em maio de 2021, a Magalu era, segundo a revista *Forbes*, avaliada em US$ 23 bilhões, tinha 1.310 lojas e 47 mil funcionários. Este case study repassa a história da Magalu, antes Magazine Luiza, e analisa como a empresa atua em relação aos seis Building Blocks de Gestão do Amanhã.

De loja do interior à transformadora digital no Brasil

Em 2000, Frederico Trajano entrou na rede de lojas comandada pela mãe, assumiu o departamento de marketing e vendas em 2003 e começou a "evangelizá-los" sobre a transformação digital. Nesse período, ele tratou de fazer medo no pessoal – e muito –, como contou numa entrevista de 2014 à revista *Época Negócios*. "Eu falava: gente, vamos acordar, porque esse tipo de inflexão de inovação é que quebra o negócio. Se a gente não migrar, vamos riscar da história uma empresa de 50 anos". Esse poderia ser o início da história da Magalu.

O fato, porém, é que a rede varejista Magazine Luiza nasceu bem antes, em 1957, quando o casal Luiza Trajano e Pelegrino José Donato comprou uma pequena loja de presentes existente em Franca, polo calçadista do interior de São Paulo, chamada "A Cristaleira". Logo, decidiram rebatizá-la e fizeram isso por meio de um concurso cultural promovido por uma rádio local, o que mostra como a interatividade e proximidade com os clientes estão no DNA da marca desde o início. As décadas seguintes, especialmente a de 1970, foram marcadas pela expansão para outras cidades do interior de São Paulo.

Em 1991, Luiza Helena Trajano, sobrinha do casal fundador, assumiu como a líder da empresa – ela trabalhava lá desde os 12 anos, primeiro como balconista de uma das lojas durante as férias. E foi com ela que o negócio deu o primeiro grande salto de crescimento. A empresária transformou a companhia de várias maneiras – pelo marketing, pela gestão de pessoas e pela inovação.

A ousadia do marketing foi uma das principais estratégias. Na gestão de Luiza Helena, a Magazine Luiza passou a investir em grandes e inusitadas promoções, como o "Só Amanhã", no qual são vendidos diversos produtos por um preço bem abaixo do valor de mercado, mas apenas por um dia, e a "Liquidação Fantástica", um saldão realizado nos primeiros dias de janeiro, no qual todos os produtos têm um desconto de até 70%.

Quando ela assumiu, mudou a relação com as pessoas. Uma de suas primeiras medidas foi derrubar as paredes do Escritório Central. "Isso teve o objetivo de simbolizar o fim das barreiras e oficializar a prática da comunicação 'olho no olho' e da desburocratização da empresa", disse à *Época Negócios*. Tornou-se pessoalmente acessível aos funcionários e aumentou seu protagonismo, tanto dando mais autonomia de decisão às lojas, como promovendo iniciativas, a exemplo de espalhar outdoors pela cidade com a imagem dos funcionários de melhor desempenho.

Luiza Helena também foi inovadora. Com as dificuldades do setor varejista nos anos 1990, pensou à frente do seu tempo e criou o primeiro modelo de comércio eletrônico do mundo, em 1992, na época batizado de "loja eletrônica", ou virtual. Eram unidades pequenas, localizadas em cidades pequenas, sem estoque, como se fossem showrooms limitados que serviam como o lugar onde os consumidores faziam encomendas. Em 1999, o conceito de "loja virtual" criado pela marca evoluiria como e-commerce para a internet.

Então, em 2003, Frederico assumiu o departamento de marketing e vendas, como já contamos, e começou a conscientizar a empresa sobre o potencial da internet. A expansão de lojas físicas continuou a acontecer – na verdade, foi uma das fases de maior expansão da história da rede varejista. A Magazine Luiza adquiriu as lojas Líder e a rede Wendel, ambas no interior de São Paulo (na ocasião, mais de 60 pontos de venda foram integrados à empresa de uma só vez). Em setembro de 2008, quando já era a terceira maior varejista do país, finalmente entrou na Grande São Paulo, abrindo 44 lojas de uma vez.

Frederico mudou do marketing para a diretoria de operações em 2010 e, um ano depois, criou um departamento de pesquisa e desenvolvimento (P&D) dentro da empresa, chamado de LuizaLabs, que evoluiu como uma startup de inovação e tecnologia com total independência. O resultado disso veio no mesmo ano; primeiro foi criada uma plataforma de big data, apelidada internamente de "Bob" e, com base nela, a plataforma digital Magazine Você. Esse foi o momento em que a varejista começou a virar uma plataforma de negócios. Usuários das redes sociais podiam vender seus produtos por ali; em dez meses, 380 mil fornecedores foram agregados.

No emblemático ano de 2011, a Magazine Luiza decidiu abrir o capital da empresa na bolsa de valores. Na ocasião, a rede varejista captou R$ 926 milhões no IPO (Initial Public Offering - Oferta Pública Inicial), que registrou demanda de 50% maior que a oferta. A participação da família no capital caiu de 84% para 58%, mas o controle foi mantido. O ramo familiar da Luiza Helena, especificamente, ficou com 17%. O dinheiro que entrou foi usado na reestruturação e expansão da rede pelo país, o que garantiu o sucesso que viria depois.

Em 2013, o LuizaLabs começou a se impor mais na organização, com uma estratégia baseada em APIs (Aplication Programming Interface - Interface de Programação de Aplicações). Em 2014, Luiza começou a preparar a sucessão, primeiro com um executivo profissional, Marcelo Ferreiro e Silva – foi na gestão de Silva que a empresa lançou seu app mobile, desenvolvido no LuizaLabs. Em 2016, depois de dois anos de preparação mais intensa, o filho Frederico assumiu como CEO da holding. Luiza Helena se tornou a presidente do conselho e Silva, o vice-presidente.

Nessa época, o negócio não vinha bem. Em 2015, a empresa apresentou um prejuízo de cerca de R$ 47 milhões e havia questionamentos importantes sobre sua sustentabilidade financeira no longo prazo. Frequentemente, surgiam boatos de que a rede seria vendida para uma de suas competidoras. A própria escolha por Frederico foi alvo de desconfiança, principalmente no mercado financeiro.

Quando assumiu o negócio, a bandeira do novo CEO foi a combinação de lojas online e off-line, no que ele chama de "multicanalidade". Na onda de má vontade vigente, sua filosofia de ser uma "empresa digital com pontos físicos e calor humano" foi desacreditada pelos analistas, mas acabou sendo celebrada. Um símbolo da multicanalidade foi o projeto "Virada Mobile", cujo piloto havia começado em 2015, em que os vendedores de lojas físicas da rede passaram a usar smartphones de última geração para agilizar a venda. Como definiram tanto Frederico como Luiza, a Magazine Luiza digitalizou as lojas físicas, em vez de desprezá-las.

De lá para cá, o ritmo de mudança e expansão da empresa foi frenético. Em 2018, passou a se chamar Magalu. Em 2019, abriu cinco novos centros de distribuição, somando dez no país, e o número total de lojas físicas passou de 1.000, com 150 novas unidades abertas e presença em 819 cidades de 21 estados brasileiros – no front digital, a empresa fez a espetacular compra da Netshoes, um dos e-commerces líderes do Brasil. Seu e-commerce foi se tornando cada vez mais importante, e as lojas físicas foram se consolidando como centros de distribuição, agilizando sua logística – que é um dos maiores gargalos do Brasil. O conceito de "last mile", ou "última milha", encontrou um de seus principais representantes no país.

Em 2020, foram abertas 189 novas lojas e o ritmo de fusões e aquisições se acelerou, o que deu origem ao meme mencionado. Essas aquisições estratégicas, como o CEO da empresa explicou em diversas entrevistas, dividem-se em dois grandes grupos:

- Negócios de varejo (incluindo supermercados) e marketplaces que ampliam base de clientes, recorrência e volume de vendas.
- Negócios que fortalecem infraestrutura, serviços e arquitetura, além de incorporar talentos e acelerar processos de inovação.

Os resultados de todas essas ações podem ser traduzidos em reputação e em números. Falando do aspecto intangível, a empresa entrou na lista da revista *Fast Company* entre as mais inovadoras da América Latina por três anos seguidos – 2018, 2019 e 2020. Abordando o que é concreto, a ação da Magalu disparou: valorizou-se 98% entre 2020 e 15 de julho de 2021, enquanto o índice Bovespa subiu cerca de 9% nesse período. Houve uma pequena queda de realização de lucros no início de 2021, mas nada que tenha alterado a tendência de alta. No entanto, a ligação da Magalu com o Brasil se valorizou e, mais do que isso: efetivou-se a visão de um Brasil inclusivo, tanto para as pessoas como para as empresas. Luiza lidera as iniciativas de inclusão das pessoas, enquanto Frederico responde pela inclusão de empresas, abraçando a causa de fazer a transformação digital dos pequenos varejistas ao trazê-los para sua plataforma, em linha com a estratégia de ecossistema dos gigantes chineses.

Na trajetória ao longo da década de 2010, um dos momentos que permitiram compreender melhor a causa de todo esse sucesso foi uma entrevista dada por Luiza Helena, em abril de 2020, a propósito da pandemia, em que ela disse: "Fui mais empresária em tempo de crise do que fora dela. Sempre busquei soluções e não culpados. Nesse momento, o culpado é um vírus. Vamos buscar solução". A mãe de Luiza Helena a ensinou a ser assim, e ela passou o ensinamento ao filho. É uma família que está permanentemente buscando soluções.

Seis Building Blocks

Depois de repassarmos, brevemente, a história da Magalu, vamos analisar, em detalhes, os Building Blocks do seu sistema organizacional, a saber: (1) estratégia adaptativa/inovação constante; (2) customer centricity; (3) agilidade; (4) gestão baseada em dados; (5) cultura organizacional; e (6) liderança.

ESTRATÉGIA ADAPTATIVA / INOVAÇÃO CONSTANTE

A Magalu inicia a terceira década do século completamente diferente da Magalu que começou a década de 2010. Fred Trajano descreveu, com clareza, qual é a sua estratégia, fundamentalmente diferente daquela adotada antes da sua gestão: a ordem é gerar grandes bases de clientes e de dados, ter clientes com elevada recorrência de compra, possuir tecnologia e logística próprias e promover a integração de vários negócios – varejo físico, e-commerce, marketplaces, serviços, mídia, entretenimento e pagamentos.

Na verdade, podemos dizer que a estratégia de Fred não tinha essa clareza no início, provavelmente nem para ele mesmo; foi se desenhando com o "andar da carruagem", como se diz – e com viagens à China também. Pode-se afirmar que sua estratégia começou a ficar visível em 2015, com uma grande campanha para os funcionários se digitalizarem e adotarem o novo, imbuindo-se do espírito "LuizaLabs". Então, o processo foi sendo modificado. A primeira adaptação foi a inclusão digital dos consumidores, com o aplicativo mobile e a assistente virtual Lu, uma das pioneiras do mercado brasileiro. O serviço Lu Conecta oferecido no site e no app, de configuração de smartphone, instalação de aplicativos e antivírus, e atendimento por telefone 24 horas, também é parte do esforço de inclusão. A segunda adaptação foi a digitalização das lojas físicas, com os funcionários munidos de smartphones – a "Virada Mobile". A terceira adaptação se deu com a disponibilização da plataforma digital para terceiros venderem, os sellers, enquanto a quarta adaptação está ligada à multicanalidade. A Magalu vem fazendo suas vendas de todas as maneiras possíveis – em lojas físicas, virtuais (aquelas lojas físicas sem estoque, do tipo showroom, para encomendas), televendas, e-commerce (na web e no aplicativo mobile), por meio da Magazine Você (em redes sociais), vendas corporativas, etc. Agora, a estratégia é aquela descrita por Fred no início deste bloco.

Outras evidências de que há estratégia adaptativa na Magalu são o propósito transformador massivo (PTM), a robustez da área de tecnologia e inovação e a existência de um motor 1 e um motor 2 de crescimento do negócio.

O PTM da Magalu é mudar a cara do sistema empresarial brasileiro. "Depois de digitalizar a companhia, agora a gente quer digitalizar o varejo brasileiro. Queremos compartilhar tudo aquilo que desenvolvemos para ter um dos e-commerces mais bem-sucedidos do Brasil, numa visão colaborativa, com a cadeia de varejistas e indústrias brasileiras", disse Fred Trajano a CEOs e chairpersons numa reunião da Amcham, em São Paulo, em fevereiro de 2019, conforme publicado no blog da entidade. Ele quer mostrar às empresas como elas podem se tornar ecossistemas de negócios. "A maneira de fazer isso é pensar como plataforma", acrescentou.

A robustez da área de tecnologia e inovação da Magalu se vê pelo número de profissionais – eram mais de 1.500 entre 2019 e o início de 2020, considerando desenvolvedores, arquitetos de software, engenheiros, designers de experiência do usuário (UX), etc. E o número de vagas vem aumentando com frequência – são contratados cem de uma vez, como aconteceu em agosto de 2020.

A orientação estratégica da Magalu tem no seu motor 2 um de seus pilares e, no LuizaLabs, uma de suas tangibilizações mais claras. Duas frentes fundamentais para a evolução da companhia e seu crescimento exponencial foram derivadas dessa reflexão sobre o futuro da companhia e merecem destaque: uma é o aumento do número de sellers, para fazer crescer o negócio de "retail as service", como veremos a seguir. O outro é o SuperApp para os consumidores. As aquisições têm tudo a ver com isso. Primeiramente, vamos nos aprofundar na estratégia com os sellers.

Na conferência para analistas, em abril de 2021, Fred Trajano confirmou a ênfase nos sellers ao informar que, do primeiro trimestre de 2020 para o primeiro trimestre de 2021, o número de sellers do ecossistema subiu de 26.000 para 56.000 e que os 15.000 funcionários das lojas estavam fazendo hunting e farming de sellers – Fred usou esses termos comuns no mundo dos esportes (caçar e plantar) para designar estratégias de atração de atletas já formados e a formação de novos atletas. A ampliação dos sellers pode ser medida, também, pelos SKUs, unidades de produtos estocadas pela Magalu, sejam elas quais forem: subiram de 40.000 em 2016, para aproximadamente 5 milhões de SKUs em 2019 e para 26 milhões em março de 2021.

O foco ampliado nos sellers é comprovado pelos indicadores de desempenho priorizados pela empresa. Se antes todos ficavam de olho na receita líquida de vendas, a partir de 2018, passaram a olhar com muito mais atenção para o GMV (Gross Merchandise Volume – Volume Bruto de Mercadoria), que é uma das métricas mais importantes para uma plataforma de marketplace, por medir a quantidade de transações realizadas. Em 2020, o GMV da Magalu foi de R$ 43,5 bilhões, por exemplo, o que não é o maior GMV do Brasil – a empresa é a terceira colocada nesse indicador, abaixo do Mercado Livre e da Amazon. Mas seu GMV vem crescendo, o que significa que o crescimento dos sellers é um ponto muito importante em sua estratégia atual.

Esse foco também se reflete na variedade e na capacidade crescente de serviços que a empresa se encarrega de lhes oferecer, sejam financeiros, de publicidade e de logística, tecnologia e inovação, que atendem por nomes como "MagaluPay", "Magalu Ads" e "Magalu Entregas", entre outros.

Um exemplo é a compra da Hub Fintech por R$ 290 milhões em dezembro de 2020. Com o negócio, passou a ser dona de uma operação com 4 milhões de contas digitais e cartões pré-pagos ativos, que haviam movimentado R$ 7 bilhões nos 12 meses anteriores. Não foi apenas por dar aos sellers acesso ao sistema Pix. Com a operação integrada aos outros ativos de pagamentos da Magalu, como o "MagaluPay", que já tem 2,7 milhões de contas digitais ativas, o "Magalu Pagamentos" e a "LuizaCred", a capacidade de serviços financeiros prestados a pessoas jurídicas e a pessoas físicas – para que comprem das jurídicas – fica muito ampliada.

Adquirir negócios – como aplicativos delivery de comida (foram três nessa linha) e plataforma de moda e beleza – não é algo que possa dar grandes lucros para a Magalu, como categorias de ticket baixo, na avaliação da empresa; mas atraem novos sellers para o marketplace. Os negócios de publicidade e mídia fornecem ferramentas de marketing para os sellers, enquanto os de logística permitem que as entregas de produtos dos sellers sejam cada vez mais rápidas – o que é algo esperado em grandes cidades, mas costuma ser raro no interior do Brasil. Essa é outra motivação para as aquisições, sobretudo as de delivery de alimentação, que contribuem para o fortalecimento dessa estratégia de logística da empresa, já que se caracterizam por alta recorrência de entregas, o que torna a plataforma mais atraente para um dos modais logísticos mais importantes no Brasil: as entregas via motoboys. O conjunto dessas iniciativas faz jus à campanha "Piscou, Chegou", de entrega rápida. Antes da Magalu, uma compra de supermercado podia levar 15 dias para chegar a alguns lugares remotos, por exemplo.

A publicidade é bem importante de entender. A Magalu entra nos setores de marketing e mídia, onde potencialmente concorre com Google e Facebook, para vender publicidade online aos sellers. É um negócio muito aplicado pelo Alibaba, que nem cobra taxas dos sellers de sua plataforma – sua receita vem do espaço publicitário vendido aos parceiros de ecossistema.

Por fim, vale detalhar a logística, serviço em que a empresa tende a levar boa vantagem sobre a concorrência por meio de suas lojas físicas, que funcionam como centros de distribuição (CDs). "Vamos acelerar os investimentos para converter as lojas em pontos de apoio logístico para os 'sellers' e aumentar o número de CDs", disse Fred, completando que, em toda vez que abrem uma loja, eles aumentam sua capacidade logística. Olhando pelo site da varejista, em 2021, 45% das entregas eram feitas em até 24 horas, quando, há um ano, este porcentual ficava em 5%. Isso não significa – é importante dizer – que a empresa não continue a investir em CDs de grande porte, os convencionais. Já existiam 23 desses centros logísticos por todo o Brasil e, em junho de 2021, foi anunciado mais um, em Guarulhos, município da Região Metropolitana de São Paulo, para começar a funcionar em agosto, com 500 novos funcionários.

Servindo sellers, a Magalu se transforma num operador de retail as a service – a Magalu as a service, como diz Fred. Por que vale a pena? Porque há um imenso potencial de crescimento nos sellers, segundo o CEO da empresa: dos 5,7 milhões de varejistas no país, só 56 mil estavam em seu marketplace em abril de 2021. Pegar uma fatia maior desse número é exatamente a estratégia da Magalu – igual à dos chineses do Alibaba e outros.

Reproduzimos, a seguir, a lista das 20 aquisições estratégicas feitas de 2017 a maio de 2021, publicada no *Estadão*, que vêm atraindo mais sellers ao ampliar as categorias de produtos trabalhadas e oferecer maiores bases de clientes e melhores serviços de apoio:

- **Negócios de varejo, e-commerce:** Netshoes, Zattini, Shoestock, Estante Virtual, Época Cosméticos, Tonolucro Delivery, AiQFome. Aqui é importante entender as apostas em moda, beleza e delivery de comidas.
- **Serviços financeiros:** Hub Fintech.
- **Logística:** Logbee, GLF Logística e SincLog.
- **Infraestrutura e sistemas:** HubSales, Integra Commerce, Softbox, Stoq, GrandChef, SmartHint e VipCommerce.
- **Serviços variados aos sellers de educação em e-commerce, redes sociais e marketing:** ComSchool e Inlocomedia.
- **Conteúdo, mídia e entretenimento:** KaBuM!, Steal the Look, Canaltech, Jovem Nerd (Fred Trajano, pessoalmente, também adquiriu uma participação no Portal Poder360). Vale frisar que a aquisição do e-commerce com foco no público gamer KaBuM!, anunciada em 15 de julho de 2021, não foi apenas a maior aquisição que a empresa já fez, como também a mais ousada. A Magalu pagou R$ 1 bilhão em dinheiro, à vista, e parcelas de R$ 125 milhões em ações a serem pagas em 6, 12 e 18 meses. Em janeiro de 2024, haverá o pagamento final – um pacote de 50 milhões de ações Magalu – como earn-out, uma compensação pelos lucros futuros da empresa. O KaBuM! traz cerca de 2 milhões de clientes ativos, um faturamento anual de R$ 3,5 bilhões e um lucro líquido na casa dos R$ 300 milhões (dados de 2020).

A outra frente que vale a pena ser enunciada é causa e consequência dessa estratégia de aprofundamento do relacionamento com um universo cada vez maior e diversificado de seller: o SuperApp.

A inspiração para essa visão vem igualmente da China: o SuperApp da Magalu quer ser um WeChat brasileiro, oferecendo a promessa de resolver todos os problemas de seus usuários – as compras de produtos e serviços de diversas categorias – num só lugar. O conceito de superaplicativo, que vem correndo o mundo, implica não apenas na variedade de ofertas – que ainda tem muito para crescer – como também em uma estrutura de tecnologia e logística sólida o suficiente para sustentar um grande número de clientes. Um dos slogans de publicidade da empresa – "Tem no Magalu" – já vem prometendo esse "tudo aqui" faz algum tempo. O SuperApp já tinha mais de 20 milhões de downloads no fechamento deste livro, e seu crescimento exponencial continua sendo o grande objetivo.

A inovação constante na Magalu é uma realidade tão introjetada em sua estratégia, que é desafiante acompanhar a velocidade com a qual o negócio evolui. Estratégia e inovação na Magalu fazem parte do mesmo sistema tal qual a tese enunciada na nossa estratégia adaptativa.

CUSTOMER CENTRICITY

O cliente tem influenciado decisões de negócios ao longo de toda a história da Magazine Luiza, desde que a primeira Luiza deixou os clientes escolherem o nome da loja num concurso de rádio. Somam-se a isso o fato de que sua sobrinha, também chamada Luiza, disponibilizou um canal direto do cliente até os proprietários para reclamações, e tudo o que a Magalu tem feito pelos sellers – que são o segundo tipo de cliente dessa plataforma de varejo. Essa centralidade no cliente só vem sendo radicalizada com a digitalização, uma vez que a empresa tem muito mais dados sobre o que o cliente quer.

No entanto, há um detalhe muito importante a destacar: a persona desse cliente inclui o Brasil profundo, seja pessoa física ou jurídica, o que é um importante diferencial da Magalu em relação à concorrência. A empresa quer atender, e estuda como atender melhor, quem mora nos locais remotos do interior ou na periferia das megalópoles, em vez de apenas os consumidores dos maiores centros urbanos, que todo mundo quer. A empresa se dedica ao pequeno e ao microvarejo de todo e qualquer lugar do país – e até a quem, precisando gerar renda de alguma maneira, vira um varejista do dia para a noite. Pode-se falar, portanto, numa customer centricity inclusiva no caso da Magalu.

Isso compreendido, damos alguns detalhes desse foco no cliente.

Nas lojas físicas, destacamos duas ações. Primeiramente, os vendedores com os smartphones funcionam como checkouts, reduzindo o tempo de atendimento de quarenta minutos para cinco minutos. Segundo, há um aplicativo para os vendedores que recupera todas as páginas que os consumidores visitaram no site da Magazine Luiza antes de irem para a loja física, o que permite que os vendedores indiquem produtos e marcas para os consumidores com taxas maiores de acerto, tanto em relação ao produto quanto com relação ao preço – isso se baseia num intenso trabalho do LuizaLabs com algoritmos para oferecer essas soluções para cada cliente, individualmente.

No e-commerce, os desafios são diferentes. Um está em coletar dados dos clientes sem criar atrito e respeitando sua privacidade. A assistente virtual Lu, que é uma inteligência artificial, ajuda no processo de capturar dados dos clientes. Outro é proporcionar ao consumidor a maior conveniência possível para receber o produto comprado, seja retirando-o em loja (no programa Retira Loja), seja com uma entrega rápida, em um dia ou no mesmo dia. Ainda vale citar a Navegação Gratuita, que permite ao consumidor navegar no site e no aplicativo da companhia sem precisar de conexão com a internet.

As métricas adotadas pela companhia para acompanhamento de seus resultados refletem o cliente no centro da estratégia. Entre as mais relevantes estão prazo de entrega e índice de pontualidade, além da facilidade na troca de produtos.

Os esforços de inovação direcionados ao cliente são outro reflexo disso: em 2020, houve a Black das Blacks da Magalu (uma Black Friday estendida por todo o mês de novembro, para evitar aglomerações em lojas e proporcionar maior segurança aos clientes que querem aproveitar esse dia). O programa Cliente Ouro, no SuperApp, também traduz essa centralidade: ninguém precisa ficar preenchendo formulários para ser cliente ouro; basta a pessoa ter feito três compras em dias diferentes nos últimos 24 meses, e ela ganha acesso a muitas promoções.

Poderíamos, também, dar vários exemplos de foco no cliente seller, mas todas as aquisições que vêm sendo feitas já falam por si. Preferimos observar, então, como a Magalu está se tornando, na visão de muitos especialistas, uma "love brand", o conceito de marca amada pelos consumidores desenvolvido por Kevin Roberts, em 2004. Ela mostra respeito por seus clientes e é cada vez mais correspondida. Não houve quem não se encantou com o botão instalado no SuperApp em 2020, para as mulheres poderem denunciar violência doméstica. Principalmente consumidores do sexo feminino ficaram muito tocadas.

Não é apenas por todos os movimentos de Luiza Trajano que já descrevemos, mas também por conta da opção preferencial pelo Brasil que a empresa faz questão de reforçar: "Não vou esperar uma empresa estrangeira ser protagonista digital no Brasil, seja ela chinesa, argentina ou americana", disse Fred, certa vez, referindo-se, inclusive, a outro de nossos cases, o Mercado Livre, que é argentino. A mensagem é: a Magalu quer ser esse protagonista para fazer o dinheiro rodar na economia brasileira e beneficiar toda a população. Até ao cliente investidor brasileiro pode se sentir central nessa estratégia, se pensarmos bem.

AGILIDADE

No dia 18 de março de 2020, as lojas físicas da Magalu foram fechadas por conta das diretrizes sanitárias de isolamento social na pandemia. No dia 19, elas estavam trabalhando como minicentros de distribuição, chamados de "dark stores", para que os pequenos varejistas, muitos dos quais supermercados, pudessem usá-la como armazém e delivery. Esse foi o programa Parceiro Magalu, que teve quase 200 mil inscritos em poucos dias – pessoas físicas, microempreendedores individuais (MEI) e pequenos varejistas podiam se cadastrar de maneira gratuita e permanecer atuando sem cobrança de mensalidade por um período, como ajuda para enfrentar a pandemia.

Esse é o melhor exemplo da agilidade que caracteriza a Magalu na atualidade, até porque itens de supermercado, incluindo alimentos (não perecíveis, por enquanto), são algo bem diferente do restante dos produtos. Embora categorias de supermercado estivessem no horizonte estratégico da companhia, não eram a prioridade de 2020, como disse Fred à revista *Exame*. Foi preciso mudar tudo às pressas, improvisar. Eles tinham a clientela via app e a capacidade de entrega, além dos produtos, cujo armazenamento precisaram organizar.

QUAIS SÃO OS BASTIDORES DESSE CENÁRIO?
Podemos ter uma ideia graças a uma participação de Henrique Imbertti, Diretor de Agilidade Organizacional do LuizaLabs, no Fórum E-Commerce Brasil. Ele conta que implantou os métodos ágeis para facilitar as trocas de informações e o gerenciamento de projetos no LuizaLabs, definindo diretrizes de implantação que ajudaram no processo. É importante ter em vista que o LuizaLabs trabalha em larga escala, com centenas de sistemas distribuídos, e fazendo, de modo frequente, melhorias técnicas e de demandas da área de negócio. E precisa de muita iniciativa, criatividade e empreendedorismo dos seus integrantes, como precisou ocorrer com o pessoal das lojas.

Eis algumas diretrizes de agilidade do LuizaLabs:

1. Criar terreno fértil para a agilidade: ou seja, ela começou por proporcionar a cultura de criatividade e incentivar os colaboradores a inovarem, além de apoiar as lideranças, principalmente na tolerância aos erros.
2. Unificar produto e tecnologia: os dois devem caminhar juntos, sem alternativas.
3. Ter times pequenos e multidisciplinares: squads de 5, 8 ou 10 pessoas com uma missão clara, que devem conseguir resolver as tarefas sem pedir ajuda externa – a capacidade de um squad de tocar um projeto de ponta a ponta é um dos principais fatores de seu sucesso, segundo a observação no LuizaLabs.
4. Ter indicadores de impacto: os indicadores de impacto do que o LuizaLabs faz são dados de NPS (Net Promoter Score - Índice de Satisfação do Cliente), MAU (usuários mensais ativos) e CR (taxa de conversão de vendas).

Imbertti enfatiza fatores de sucesso adicionais para a cultura ágil que funcionaram na Magalu, entre os quais não deixar terceiros conduzirem a transformação ágil; evitar muitas pessoas sem experiência no papel, pessoas com papel duplo ou com o papel errado; aceitar as zonas cinzas (nem tudo é preto e branco); e compreender o contexto existente e que esse cenário pode mudar. Por fim, compartilha um alerta: "O ágil não procura culpados, mas aprendizados".

Tudo isso vale para o LuizaLabs, e para todo o negócio. Até porque a cultura do LuizaLabs tomou conta de toda a organização, como veremos a seguir. Contudo, antes, é bom lembrar o que o CEO da Magalu considera ser ágil. Ele usa o exemplo do trem-bala e do leopardo para ilustrar a diferença entre agilidade e rapidez. O trem-bala é rápido, mas não é ágil. Ele para nas estações, não consegue desviar o caminho. Já o leopardo é ágil, de fato; o animal vê a presa e reage com base nisso. As lojas físicas da rede varejista se transformaram em CDs no dia 19 de março de 2020 como verdadeiros leopardos.

GESTÃO BASEADA EM DADOS

A plataforma Decifrei, lançada em abril de 2021, é uma boa amostra de como os dados são importantes na estratégia de crescimento da Magalu. Desenvolvida em parceria com a Deezer, essa plataforma permite que os usuários descubram quais instrumentos são tocados nas músicas, enquanto as ouvem para que, assim, possam comprá-los. Esse é um tipo de dado que beneficia tanto sellers como compradores. E foi uma maneira diferente de lançar a categoria de instrumentos musicais dentro da plataforma, com mais de 110 mil produtos e mil vendedores de marcas tradicionais do mercado musical, como Gibson, Fender e Shure, entre outras.

A área de dados ganha importância na Magalu continuamente. Em 2011, eram duas pessoas trabalhando nesse departamento; em 2019, já eram 40 profissionais fazendo isso, divididos em oito times (para quem tem curiosidade, são os times de Search, CRM, Recommend Actions, Exploration, Intelligence, DS Tools, Data Engeneering e Business Intelligence. As posições principais das equipes são: analista de dados, cientista de dados, engenheiro de dados, engenheiro de machine learning, desenvolvedor e especialista em base de dados).

Como o Diretor de Tecnologia da Magalu, Daniel Cassiano, explica em palestras disponíveis na internet, a missão da área "é democratizar o acesso aos dados dentro da empresa, para que resolvam problemas de negócio com inteligência e dados".

A estrutura de dados já foi complexa, mas, hoje, alcançou maturidade e simplicidade. Todas as aplicações de dados são centralizadas em um data lake, com a presença de camadas de Machine Learning em escalas. E mais de 4.000 colaboradores da empresa têm acesso irrestrito a isso. "Mudou a cultura da empresa; antes a área precisava solicitar acesso; agora, não, o dado é self-service", como comenta Daniel.

Além de escalar a cultura data-driven por toda a organização, a equipe de dados tem um impacto muito visível em dois pontos nevrálgicos do negócio: mecanismo de recomendação (o Bob, que já citamos) e precificação.

No início, lá pelo ano de 2011, Bob fazia recomendações básicas na loja online, do tipo "as pessoas que viram este produto X também viram estes produtos Y e Z", mas hoje não é assim. Bob são cerca de 40 algoritmos trabalhando em conjunto, personalizando a experiência do usuário em tempo real, modificando as vitrines de produtos e fazendo sugestões de acordo com as preferências de compra, interesse e comportamento. Além disso, Bob faz push para recomendar produtos no app e por e-mail marketing, e interage com os vendedores na loja física, com indicações sobre os clientes deles. Bob é responsável por um incremento de mais de 280% em vendas no aplicativo do programa de fidelidade, com indicadores como margem de lucro e ticket médio, superando aumentos de 100% em relação aos sistemas anteriores.

Outro projeto de forte impacto em que a equipe de dados se envolveu foi a precificação dos produtos no digital. Atualmente, segundo Daniel, 95% das ofertas do e-commerce são precificadas de forma dinâmica por algoritmos pilotados via inteligência artificial (IA). "Agora, não são apenas meia dúzia de variáveis que definem o preço, é uma variedade gigantesca. É possível pensar em qual KPI (Key Performance

Indicator, que, traduzido para o português, significa Indicador-Chave de Desempenho) eu quero mexer, como a margem de lucro, por exemplo, baseado no que tenho acesso de tecnologia e dados hoje", explica.

As plataformas de dados da Magalu se baseiam em soluções open source disponíveis no mercado, que foram customizadas. E há algumas premissas seguidas pela equipe, como "simples é melhor do que complexo"; "acessível é melhor que lindo tecnicamente"; "acurácia é tudo"; "documentação e didática fazem diferença" e, por fim, "governança gera confiança".

CULTURA ORGANIZACIONAL

A cultura que se desenvolveu na Magazine Luiza entre 1991 e 2016 foi a de acolhimento, maternal, de uma família em que os membros são próximos. Uma cultura, sobretudo, de calor humano, que foi materializada com a derrubada das paredes do escritório central de Franca, em 1991, com a intenção de aproximar as pessoas. Era também uma cultura marcada por rituais: os Ritos de Comunhão (os mais famosos eram o das segundas-feiras, em que toda a equipe conhecia as metas e os resultados da empresa, e quando todos cantavam juntos o Hino Nacional).

Apesar da mudança de liderança em 2016 e da transformação paulatina da rede de lojas tradicional em uma empresa de plataforma digital que também tem lojas físicas, a cultura de acolhimento se manteve. Ela se traduz em uma das formas mais utilizadas por seus líderes para definir a Magalu: uma plataforma digital com pontos de vendas físicos e calor humano.

Observe como a questão da humanização continua sendo evidenciada e trabalhada dentro e fora das fronteiras corporativas, como um diferencial em relação a empresas puramente digitais. Esse calor humano foi adaptado com o tempo. A cultura de startup do LuizaLabs ganhou muito espaço. É como se a organização tivesse virado LuizaLabs, no sentido cultural.

Então, nós fomos espiar a cultura LuizaLabs diretamente com seus funcionários, por meio do blog que esse laboratório de inovação mantém no Medium. É uma cultura com artefatos, como o ambiente descontraído com grafites na parede, como há em qualquer startup, e cuja crença principal é a de empreender, ousar, inovar e de correr riscos para fazer tudo isso, entendendo que errar é sempre uma possibilidade e que é necessário aprender com esses erros de maneira sistematizada.

No blog, selecionamos a descrição de um ritual que define muito bem o "jeito LuizaLabs de ser": o Postmortem. Trata-se de uma forma pública de documentar, de maneira detalhada, um erro e as ações tomadas para corrigi-lo, partindo do princípio de que esse aprendizado consiga chegar a outros times também. O documento Postmortem tem seu nome originado da expressão "após a morte" – escrever é importante. Esse documento, escrito coletivamente, registra:

- **Timeline dos eventos:** todos os horários de cada ação tomada, contemplando desde o início até o seu término.

- **Impacto:** as consequências do incidente ocorrido. O nível de detalhamento depende muito da maturidade das métricas de negócio que estão disponíveis. O ideal é ser o mais transparente possível.

- **Causa Raiz:** o que realmente causou o incidente.

- **Solução:** como o problema foi resolvido.

O essencial, nesse balanço Postmortem, é ser o mais transparente e detalhista possível em relação ao erro e à correção.

Como lemos no blog, é assim que "a cultura no LuizaLabs nos permite maximizar aprendizados". Os funcionários dizem que saber que podem testar coisas novas constantemente, de forma responsável, mas sem medo de errar, é algo que incentiva o comprometimento de todos com a inovação.

A cultura de aprendizado está muito presente no LuizaLabs. Ela baseia-se muito em tentar coisas novas, cometer erros sem medo e registrar todo o processo – e isso foi sendo amplificado, ano após ano, para toda a organização. Contudo, na Magalu, também foi acrescentada outra premissa de aprendizado: a pessoa precisa ter experiência em fazer uma coisa ali para poder fazê-la. Para tornar essa prática viável, a empresa oferece suporte para que as pessoas assumam novos papéis, segundo informação do departamento de recursos humanos (RH) da Magalu.

Como as duas culturas – a mais tradicional, do acolhimento, e a mais recente, do aprendizado – se fundiram? Com tempo e paciência. Quando Fred assumiu como CEO da empresa, em 2016, ele começou a transmitir a ideia de que a Magazine Luiza queria pessoas que tivessem autonomia. E entendeu bem rápido que essa mudança do arquétipo cumpridor de ordens para o que tem autonomia demandaria tempo e energia, tanto dos próprios funcionários como dos gestores da empresa. Ele priorizou os funcionários existentes nesse processo, em vez de ficar contratando outros mais jovens e/ou já com esse perfil.

Então, podemos resumir essa cultura resultante por meio das declarações de missão e visão da Magalu. Vale lembrar o que escrevemos no livro *O Novo Código da Cultura*: a cultura organizacional tem uma parte visível – os artefatos, que podem ser um ambiente de paredes derrubadas e/ou grafitadas, e rituais como o Postmortem –, e outra invisível – as normas de comportamento e as crenças mais profundas. Quando as declarações de missão e visão das empresas refletem, de fato, as normas e crenças, elas dão visibilidade à cultura organizacional, e esse é o caso na Magalu.

A missão traz a ideia de uma empresa "inovadora e ousada", assim como a de "visar sempre ao bem-estar comum". A sutileza do último conceito merece ser observada: fala-se muito em bem comum e em bem-estar, mas a Magalu conjuga os dois conceitos, dando um reforço importante ao aspecto coletivo disso.

Já a visão corporativa fala por si só – nós a reproduzimos na íntegra: "Ser o grupo mais inovador do varejo nacional, oferecendo diversas linhas de produtos e serviços para a família brasileira. Estar presente onde, quando e como o cliente desejar, seja em lojas físicas, virtuais ou online. Encantar sempre o cliente com o melhor time do varejo, um atendimento diferenciado e preços competitivos".

O SITE RESUME O "JEITO LUIZA DE SER" DA SEGUINTE MANEIRA:

- **MERITOCRACIA:** é a prática de reconhecimento público e recompensa dos colaboradores que se destacam pelo talento e desempenho.

- **COMUNICAÇÃO:** utilizamos o Portal Luiza, a Rádio Luiza e a TV Luiza para motivar, inspirar e informar os nossos colaboradores dos passos da Companhia e das estratégias de vendas.

- **AUTODESENVOLVIMENTO:** estimulamos os colaboradores a traçarem metas, planos de carreira e/ou a buscarem o próprio crescimento pessoal e profissional.

- **POLÍTICA DE PORTAS ABERTAS:** em 1991, Luiza Helena Trajano derrubou as paredes quando assumiu a superintendência da Companhia, o que possibilitou a contribuição permanente dos colaboradores para a melhoria do clima e dos processos operacionais e estratégicos.

- **PESSOAS EM PRIMEIRO LUGAR:** nossa política de recursos humanos é baseada na valorização das pessoas, bem como no desenvolvimento e na qualidade de vida.

- **LIBERDADE ACOMPANHADA:** os gerentes das lojas da Magazine Luiza têm autonomia para administrar as unidades como se fossem proprietários.

- **CULTURA EMPREENDEDORA:** a Magazine Luiza está focada em princípios como pioneirismo, inovação e velocidade no fazer acontecer, sempre colocando os clientes em primeiro lugar.

- **LIDERANÇA:** motivamos e incentivamos todas as lideranças a atuarem como servidores e educadores.

- **CONSELHO DE COLABORADORES:** os eleitos atuam diretamente com a gerência e os gestores no processo decisório de administração da unidade em que trabalham.

- **DISQUE-PRESIDÊNCIA:** é um canal de comunicação aberto a todos os colaboradores para denunciar, sigilosamente, práticas em desacordo com os valores da Magazine Luiza.

- **GESTÃO PARTICIPATIVA:** as informações estratégicas do negócio são transparentes e acessíveis, para que cada colaborador se torne responsável pelos resultados globais da Companhia.

- **SEMINÁRIO DE POSICIONAMENTO ESTRATÉGICO:** evento que conta com a participação de todas as lideranças de lojas, centros de distribuição e escritórios, e prepara a Magazine Luiza para os desafios do ano.

- **RITO DE COMUNHÃO:** reunião em que a Companhia reitera seus valores, compartilha os resultados da semana, celebra aniversários, conquistas e datas comemorativas, reconhece os destaques e recepciona os novos colaboradores.
- **REUNIÃO MATINAL:** a equipe reúne-se para direcionar, alinhar e mobilizar o grupo para os desafios do dia.
- **CELEBRAÇÃO E AGRADECIMENTO:** as conquistas dos colaboradores são comemoradas e celebradas nos momentos coletivos promovidos pela Companhia.

LIDERANÇA

Como aparece na lista de elementos do "Jeito Luiza de Ser", o perfil de líder da Magalu é o servidor e educador. De fato, é isso que vemos nos quatro princípios que Frederico Trajano afirmou seguir como CEO:

1. Fazer o possível para tornar as pessoas sensacionais (a palavra usada é, realmente, "sensacionais". E isso vale para a cadeia inteira de stakeholders, não só os funcionários. Os fornecedores estão incluídos).
2. Estimular as pessoas a experimentar e aprender rápido. Se o ambiente é incerto, não dá para saber o que está acontecendo. Tem que otimizar. Ser ágil é ter a capacidade de se adaptar a qualquer situação.
3. Fazer da segurança psicológica um pré-requisito. A regra é ter um ambiente que permita a todos fazer experimentos. A sua empresa permite que errem? A Magalu entendeu que, se não permitisse, ninguém iria querer ousar, pois temeria a punição, o que diminuiria a aprendizagem (acabamos de ver isso no subtítulo "Cultura").
4. Ajudar as pessoas a entregarem valor a (quase) todo instante. A confiança, pensa-se na Magalu, é criada a partir do valor. Se não entregar a tempo, pode gerar impacto. O ideal é ver as pequenas fatias acontecendo toda semana.

Na essência da visão de liderança da Magalu está o conceito do aprendizado infinito. Ele é a base para a agilidade da companhia e a evolução contínua de suas inovações.

É preciso lembrar que o conceito de liderança na Magalu é amplo. A descentralização de poder é antiga: a criação do Conselho de Colaboradores, por exemplo, remonta a 1995 – seus membros são eleitos anualmente pelos funcionários que têm poder para influenciar em admissões, demissões, promoções e na resolução de eventuais conflitos entre a equipe. Existe um conselho desses constituído em cada unidade – sejam lojas, centros de distribuição, escritórios administrativos e laboratórios de inovação (há mais de uma unidade do LuizaLabs).

Cabe aos funcionários conselheiros, junto aos gerentes de lojas, avaliar periodicamente a equipe e acompanhar o colaborador com baixa performance, sinalizando os caminhos a serem seguidos por ele, para retomar sua produtividade, postura e comprometimento.

Outros elementos do "Jeito Luiza de Ser" revelam esse caráter descentralizado da liderança, como a liberdade acompanhada e a gestão participativa. A comunicação, em paralelo, é levada particularmente a sério: não apenas pelos veículos que existem internamente, que são comuns em muitas empresas, mas também por coisas como a política de portas abertas e o Disque Presidência. Nele, todo colaborador que for vítima de pressões psicológicas, por parte de sua liderança, pode ligar para este número. Sua identidade é preservada e as denúncias apuradas, sendo tomadas as providências cabíveis. O papel do Líder Comunicador na empresa é um valor central e tem evoluído desde os tempos em que Luíza Trajano assumiu como CEO do negócio.

Outro ponto curioso é que a Magazine Luiza parece ter uma ambidestria da liderança que está no topo, do mesmo modo que tem ambidestria de estratégia de crescimento por meio dos motores 1 e 2. Se Frederico entra com a parte da liderança mais tecnológica e voltada para o futuro, Luiza exerce a liderança mais humana e que preserva as boas tradições. A companhia exerce, na prática, a perspectiva do Líder Ambidestro que zela pela maximização dos resultados de curto prazo da organização, ao mesmo tempo em que investe em iniciativas concretas para sua sustentabilidade futura.

Luíza Trajano ocupa seu papel de líder com maestria não só dentro da companhia, mas também externamente. Numa entrevista ao jornal *Correio Braziliense*, em agosto de 2020, disse que tinha participado de 230 lives em 120 dias desde o início da pandemia, trabalhando quase diariamente das 8h às 22h, para transmitir uma mensagem de união e de luta por um Brasil menos desigual e menos injusto. Desde 2013, ela se expõe e exerce uma militância social no movimento "Mulheres do Brasil", que se torna cada vez mais referência na luta pela equidade de gênero – o que é uma mensagem também para suas funcionárias mulheres –, mas nunca sua militância foi tão intensa como durante a pandemia. Tanto que não foram poucos os que declararam que gostariam de vê-la na presidência da República.

Luiza refutou essa ideia, mas, com sua empresa, deu o exemplo e cobrou atitudes. Deu o exemplo ao reduzir a remuneração dos membros da diretoria executiva e do conselho de administração, para cortar custos e evitar demissões. A remuneração de Fred foi cortada em 80%; a dos conselheiros, em 50%. Deu o exemplo, também, em termos de resiliência. A matéria que o *Financial Times* publicou sobre ela e a empresa, em junho de 2021, sob o título "Como manter a justiça no coração dos negócios", começava lembrando o episódio que ela viveu ao carregar a tocha olímpica na Olimpíada do Rio, em 2016. Ela, já uma senhora com certa idade, caiu. Todos ficaram preocupados, mas ela se levantou e continuou a caminhada. Isso virou um símbolo de resiliência dessa empresária e, sem dúvida, tornou-se um storytelling de liderança que ecoa entre os seus então cerca de 35.000 funcionários (em 2021 já eram 47.000 os que ouviam essa história).

Em termos de políticas de recursos humanos? Bem, a Magazine Luiza e outras empresas da holding, como o Consórcio Luiza, são campeões no levantamento das melhores empresas para trabalhar. Há uma série de programas que visam dar qualidade de vida, capacitação técnica e evolução pessoal, para que as pessoas tenham uma visão de mundo mais ampliada. Por exemplo, a Magazine Luiza oferece bolsas de estudo a todos os funcionários que queiram estudar, num percentual que varia de 20% a 70% do custo total da mensalidade (mais um incentivo que fortalece o conceito do aprendizado infinito).

Algumas palavras da cultura definem muito das práticas do RH, como comunhão, celebração e gratidão, empreendedorismo e aprendizado. Diversidade e inclusão, algo tão próprio de empresas que praticam a Gestão do Amanhã, não estão na lista. Isso não quer dizer muita coisa, no entanto, são contabilizados na máxima de "pessoas em primeiro lugar" e no "bem-estar comum" da missão corporativa, do mesmo modo que a decisão de não demitir, apesar das lojas fechadas.

É sabido no mercado que a Magalu tem benefícios como o cheque-mãe, uma ajuda mensal para mulheres que trabalham na empresa e têm filhos de até 10 anos, para que possam pagar creches e babás. Há outras iniciativas, mas foi em 2021 que a empresa enfrentou seu mais duro teste. Sensibilizada pelo movimento "Black Lives Matter", contra o racismo estrutural na sociedade, que surgiu em função da morte de George Floyd, um negro asfixiado por um policial nos Estados Unidos, a empresa criou um programa de estágios apenas para negros. E foi duramente acusada de racismo reverso. Como Luiza Helena já era a favor de cotas para mulheres em conselhos de administração para aumentar a diversidade, ela ignorou as críticas e seguiu com o programa.

FAROL ALTO NO FUTURO

A multicanalidade, princípio em que são integrados os canais físicos e digitais, levou 15 anos para fazer a fama da Magalu, que lançou seu site de e-commerce em 2000. O modelo foi criado em casa, como seus funcionários gostam de lembrar. Isso revela, sobretudo, a visão de longo prazo da empresa.

"É hora de colocar um farol alto na economia, enxergar as possibilidades de crescimento que estão bem à nossa frente, e não de focarmos no que está dando errado", disse o CEO da Magalu, no início de 2021. Trata-se de uma empresa de motor 1 e motor 2, ambidestra, afinal de contas. Naquele momento, a Magalu tinha cerca de 800 das suas mais de 1.300 lojas no país fechadas por conta das restrições de mobilidade impostas pela segunda onda da crise sanitária.

Essa postura tem caracterizado toda a existência da empresa – focar nas soluções, não nos problemas – e não se alterou durante a pandemia. O farol alto da Magalu, que é a sua visão de longo prazo, ficou muito claro em 2020. A participação com e-commerce no faturamento total do varejo, apesar de ter crescido significativamente com as quarentenas, ainda responde por uma pequena parcela de todo o comércio. Subiu de 3% em 2019 para 6% em 2020, segundo o IBGE (Instituto Brasileiro de Geografia e Estatística).

Há muito território para crescer. Para fazer uma comparação, na China, 20,7% das vendas do comércio eram feitas online em 2019 e, em 2020, esse percentual passou para 24,9%, conforme o site *Statista*. O mais interessante é ver que o prolongamento da pandemia continua acelerando o crescimento, tanto na China como no Brasil. Outro detalhe é que, de acordo com a Associação Brasileira de Comércio Eletrônico, de todas as vendas online no Brasil, 84% são realizadas por empresas que operam marketplaces – como a Magalu.

Em 2021, instituições como a XP Investimentos e o Banco BTG Pactual continuavam a recomendar fortemente a compra de ações da Magalu, com base em suas perspectivas. "A base de nossa tese estrutural positiva permanece centrada em dois pilares: (1) o e-commerce continuará crescendo a uma taxa secular definida para, pelo menos, triplicar até 2025, aumentando a penetração sobre o total de vendas no varejo; e (2) como aconteceu em mercados mais maduros, há uma tendência de consolidação pela frente, com poucos vencedores", explicou um analista do BTG. Em janeiro de 2021, a *Barron's*, revista consagrada no mercado de ações, publicou uma análise de que o varejo não volta ao que era antes da pandemia, tradicional, muito baseado em lojas físicas e em shopping centers – ele falava dos Estados Unidos, mas isso pode se referir muito bem ao mundo inteiro.

Os mercados são enormes no Brasil e ainda são mal explorados na plataforma online, em sua versão marketplace. Por exemplo, os donos dessas plataformas, muitas vezes, cobram taxas muito altas de seus sellers, o que, na visão dos executivos da Magalu, abre espaço para organizações mais eficientes ganharem market share. É isso que a Magalu está enxergando com seu farol alto: uma oportunidade gigantesca.

Tenha acesso ao Talk que realizamos com Sandra Turchi, empreendedora, professora e consultora especializada em marketing digital. Neste Talk, Turchi nos traz sua perspectiva sobre o caso Magalu.

QUESTÕES ESTRATÉGICAS PARA REFLEXÃO

Estruture um grupo de estudo onde todos os participantes deverão ler e estudar o caso. A partir dessa leitura, organize reuniões de cerca de 60 minutos com, no máximo, 8 participantes, para aprofundar discussões como:

1 A orientação estratégica da Magalu tem no seu motor 2 um de seus pilares e, no LuizaLabs, uma de suas tangibilizações mais claras. Promova uma reflexão sobre quais aprendizados podem ser gerados desse mecanismo de desenvolvimento de inovações na Magalu e como esse modelo poderia ser adotado em seu negócio.

2 A Magalu é uma referência no que se refere à integração dos canais de atendimento físicos (as lojas físicas) e digitais no relacionamento com seus clientes. Realize um diagnóstico sobre como acontece essa integração de canais em seu negócio. Existe uma interdependência que permita o acesso alinhado com o cliente, independentemente da forma como ele se relaciona com sua empresa? Como esse processo pode ser aprimorado visando unificar todos os esforços no relacionamento com o cliente?

3 Os efeitos da pandemia demonstraram a capacidade da Magalu em lançar novos projetos e implantar mudanças no negócio com agilidade. Quanto tempo leva para um novo projeto ser executado em sua empresa, considerando desde o momento de sua concepção até sua implantação efetiva? Realize uma reflexão apontando caminhos sobre como seria possível uma redução drástica nesse período visando diminuir o tempo de lançamento de novos projetos e inovações em seu negócio.

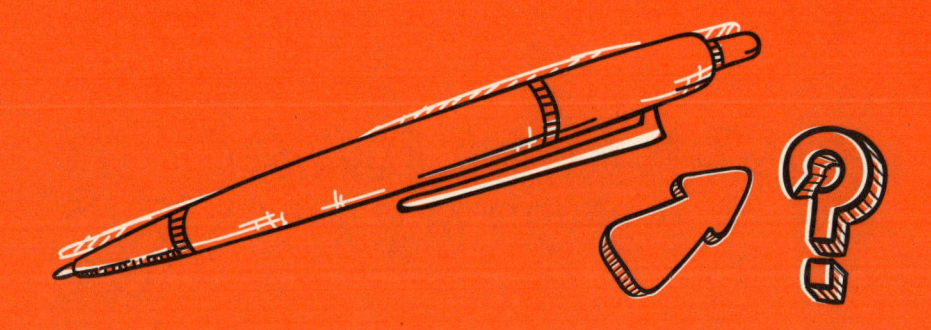

3 Uma das missões da área de tecnologia da Magalu "é democratizar o acesso aos dados dentro da empresa". O objetivo é que todos os profissionais tenham a capacidade de tomar melhores decisões com o suporte de dados e informações qualificadas. Como acontece o acesso a dados em sua organização? Esse acesso está circunscrito a uma área em específico ou é disponível a todos? Reflita sobre qual seria um modelo inclusivo onde todos os dados fossem disponíveis a todos. Qual seria a arquitetura do sistema e o modelo de governança para o acesso a essas informações?

4 Para fortalecer a cultura da Magalu, a organização adota uma série de rituais, como o Rito de Comunhão. Analise todos os ritos apresentados no caso e reflita sobre quais são as mensagens que a empresa visa fortalecer para a cultura da companhia. Identifique os principais rituais de sua organização e quais mensagens emitem para seus colaboradores. Promova uma reflexão para analisar se o modelo atual está alinhado com os objetivos que almeja para sua cultura e quais rituais poderiam ser inseridos ou descartados para fortalecer esse modelo.

5 A Magalu, por meio de seu CEO, Frederico Trajano, definiu os quatro princípios relevantes para a organização. Esses princípios são elementos norteadores de toda a liderança da companhia e definem as diretrizes da empresa. Faça uma análise do significado de cada um desses princípios para a Magalu e reflita sobre como adotar essa estratégia em seu negócio, definindo princípios claros que tangibilizem a visão da sua empresa e funcionem como guias para orientar a ação de todos os líderes e colaboradores.

SUGESTÃO DE DINÂMICA SOBRE O CASO

Os 4 Passos do Roadmap da Transformação Cultural

A transformação da cultura organizacional da Magalu é um dos pilares da evolução da organização. A empresa foi capaz de se reinventar adaptando seu negócio à nova dinâmica do mundo, a partir da reflexão sobre seu sistema de pensamento e suas crenças. Esse processo é essencial para todas as companhias que visam alinhar-se aos novos tempos, e pode ser promovido por meio dos seguintes passos:

1. REALIZE UM DIAGNÓSTICO PARA ENTENDER QUAL É A SUA CULTURA ATUAL. Analise os principais artefatos e rituais da organização, realize pesquisas estruturadas e semiestruturadas com seus colaboradores, parceiros e acionistas, para ter uma visão clara de qual é a essência do sistema de pensamentos da sua empresa.

2. CONSTRUA UMA VISÃO SOBRE A CULTURA DESEJADA. Envolva seus líderes para estruturar a visão dos elementos de uma cultura mais adequada ao local onde sua organização deseja chegar no futuro.

3. REALIZE UMA ANÁLISE ENTRE OS ELEMENTOS EXISTENTES ATUALMENTE EM SUA CULTURA E OS DESEJADOS. Essa análise deve ser promovida respondendo a 3 questões-chave, sempre tendo como foco a evolução rumo à cultura desejada:

  I. Quais elementos da minha cultura devem ser mantidos?
  II. Quais elementos devem ser descartados?
  III. Quais novos elementos devem ser introjetados à minha cultura?

4. ELABORE UM PLANO DE AÇÕES definindo todas as atividades que devem ser realizadas, visando a evolução de sua cultura, considerando as conclusões da etapa anterior. Quais iniciativas concretas devem ser realizadas para fortalecer os elementos desejados, eliminar os indesejados e trazer novas perspectivas para a cultura do negócio?

"Ser o grupo mais inovador do varejo nacional, oferecendo diversas linhas de produtos e serviços para a família brasileira. Estar presente onde, quando e como o cliente desejar, seja em lojas físicas, virtuais ou online. Encantar sempre o cliente com o melhor time do varejo, um atendimento diferenciado e preços competitivos."

Visão corporativa da Magalu

Linha do Tempo Mercado Livre

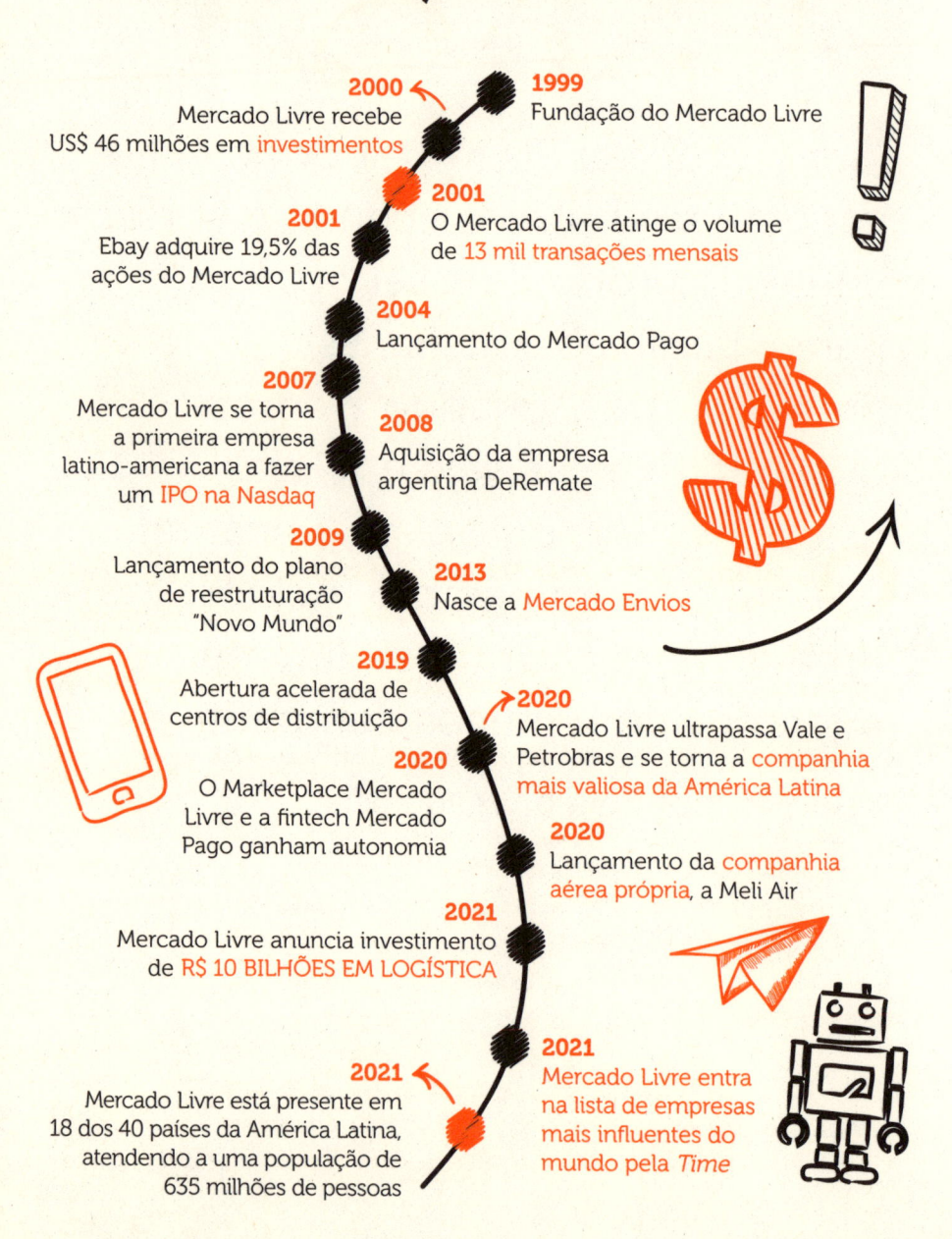

1999
Fundação do Mercado Livre

2000
Mercado Livre recebe US$ 46 milhões em investimentos

2001
Ebay adquire 19,5% das ações do Mercado Livre

2001
O Mercado Livre atinge o volume de 13 mil transações mensais

2004
Lançamento do Mercado Pago

2007
Mercado Livre se torna a primeira empresa latino-americana a fazer um IPO na Nasdaq

2008
Aquisição da empresa argentina DeRemate

2009
Lançamento do plano de reestruturação "Novo Mundo"

2013
Nasce a Mercado Envios

2019
Abertura acelerada de centros de distribuição

2020
O Marketplace Mercado Livre e a fintech Mercado Pago ganham autonomia

2020
Mercado Livre ultrapassa Vale e Petrobras e se torna a companhia mais valiosa da América Latina

2020
Lançamento da companhia aérea própria, a Meli Air

2021
Mercado Livre anuncia investimento de R$ 10 BILHÕES EM LOGÍSTICA

2021
Mercado Livre entra na lista de empresas mais influentes do mundo pela Time

2021
Mercado Livre está presente em 18 dos 40 países da América Latina, atendendo a uma população de 635 milhões de pessoas

CASE MERCADO LIVRE
SUPERANDO GIGANTES

O MUNDO DOS NEGÓCIOS NA AMÉRICA LATINA viveu uma situação inusitada em agosto de 2020: uma empresa de tecnologia, mais especificamente de e-commerce e fintech, ultrapassou duas gigantes das commodities e se tornou a de maior valor de mercado na região: o Mercado Libre, sediado na Argentina e no Brasil, ultrapassou a Vale e a Petrobras e se tornou a companhia mais valiosa da América Latina, com market cap de US$ 60,6 bilhões.

O movimento materializou o impacto digital na tradicional economia da América Latina – e foi a primeira vez que isso aconteceu. Durou pouco, é verdade. Em abril de 2021, embora o market cap do Mercado Libre já estivesse em US$ 80 bilhões, a mineradora Vale ultrapassou a marca de US$ 100 bilhões, consolidando-se como a empresa mais valiosa da América Latina, segundo levantamento feito pela consultoria Economatica – US$ 103,8 bilhões. A Petrobras ficou em quarto lugar (US$ 54,9 bilhões), ultrapassada pela Walmart México (Walmex), que tem investido bastante em e-commerce e é uma forte concorrente do Mercado Libre naquele país (US$ 56,9 bilhões). Seguem-se no ranking a utility de telecomunicações America Móvil, Itaú Unibanco, Ambev, Grupo México (cujo carro-chefe é a mineração de cobre), Bradesco e Marvell Technology Group (esta, na verdade, é uma empresa americana de semicondutores sediada nas ilhas Bermudas). A Vale teve uma boa ajuda da valorização do minério de ferro no mercado internacional, por conta da explosiva demanda chinesa.

Há uma sinalização que não deve ser ignorada nessa dança de cadeiras do ranking Latam de valor de mercado. É fato relevante a ascensão de uma empresa de Gestão do Amanhã numa economia liderada por companhias de commodities e utilities (empresas prestadoras de serviços públicos). E não parece ser uma dança de cadeiras conjuntural, apenas: o Mercado Livre – de agora em diante, usaremos o nome da companhia em português – parece ter se firmado à frente da Petrobras, mesmo quando o preço do barril de petróleo já tinha se estabilizado (depois das fortes flutuações do primeiro semestre de 2020).

A conjuntura que poderia ter favorecido o Mercado Livre é a da pandemia de Covid-19, que acelerou a mudança de hábito de compra dos consumidores em direção ao uso de operações online. Ela certamente explica parte do crescimento explosivo dessa companhia de origem argentina – fundada em 1999 pelo empreendedor argentino Marcos Galperín. Considerando os 18 países em que a empresa atua na América Latina, o número de usuários únicos ativos do marketplace aumentou 78%, batendo em 132,5 milhões, segundo o Statista. E, do ponto de vista do movimento em dinheiro, o GMV (Gross Merchandise Volume – Volume Bruto de Mercadorias) subiu 50%, de US$ 14 bilhões em 2019 para US$ 20,9 bilhões em 2020. GMV é o volume de dinheiro envolvido nas mercadorias negociadas, uma espécie de produto interno bruto de um marketplace.

A principal explicação vai além da Covid, no entanto. Ela tem a ver com a gestão praticada, esta que, entre outras coisas, tem sido bem agressiva nos investimentos de futuro, com destaque para aqueles feitos em capacidade logística. Para dar apenas o exemplo do Brasil, que responde por 55% da operação, em 2020, a empresa investiu R$ 4 bilhões (cerca de US$ 992 milhões) e, em 2021, anunciou investimento de R$ 10 bilhões (US$ 1,8 bilhão) em logística. Já tendo 19 centros de distribuição e uma malha que cobre 79% do território brasileiro (1.800 cidades com 79% da população), a empresa prometeu mais cinco CDs em 2021. E estamos falando de muito espaço de estocagem: só o centro de distribuição de Cajamar (SP) tem 150 mil metros quadrados, o que equivale a 21 estádios do Maracanã. O Meli (a forma carinhosa como a organização se batizou) lançou, ainda, uma companhia aérea própria, a Meli Air, com frota de quatro aviões para o transporte de carga, que se unem aos milhares de veículos próprios e a um ecossistema de fornecedores, entre os quais os Correios. Vale dizer que a capilaridade na logística tem sido trabalhada em vários países, não apenas no Brasil. Na Argentina, a cobertura é de 88% do território e no México, 76%. Vários países ficam na faixa dos 50%.

Seu sistema de Gestão do Amanhã também fica bastante visível na reorganização que veio a público em agosto de 2020. O Meli já se definia como uma constelação de seis empresas principais: Mercado Libre (o nome original é em espanhol), Mercado Pago, Mercado Envios, Mercado Crédito, Mercado Libre Publicidad e Mercado Shops. Mas duas delas ganharam autonomia: o marketplace Mercado Livre e a fintech Mercado Pago. Agora, cada qual tem seu presidente – o brasileiro Stelleo Tolda, sócio-fundador, que preside o e-commerce, enquanto Osvaldo Gimenez preside a fintech. Outras duas empresas do Grupo ainda não ganharam autonomia, mas parecem a caminho de fazê-lo: a de logística, Mercado Envios, e a de financiamentos, Mercado Crédito. Seus vice-presidentes seniores, respectivamente Ariel Szarfsztejn e Martin de los Santos, podem muito bem virar presidentes. É uma reorganização que lembra a feita pela Amazon, de acordo com o artigo *Six stories of Mercado Libre*, da *The Generalist*.

Existe uma preocupação tanto em valorizar cada um dos negócios em particular como em promover sinergia entre eles. Por exemplo, o Mercado Pago já se tornou tão relevante quanto o Mercado Livre. Fundado em 2004, tem um produto interno bruto anual, designado pela sigla TPV (Total Payment Volume – Volume Total de Pagamentos), de US$ 15,9 bilhões – esse é o número de 2020 e representa crescimento de 83,9% em relação a 2019. E pode fazer tudo o que um banco tradicional pode realizar – no Brasil, tem licença do Banco Central para operar tanto como instituição de pagamento, quanto como instituição financeira. Segundo analistas, o negócio tem um futuro promissor, sobretudo devido às várias mudanças regulatórias que vêm ocorrendo no país, como o sistema de pagamento instantâneo Pix (rapidamente adotado como meio de pagamento no e-commerce) e o open banking.

A sinergia entre os negócios ficou evidente na Black Friday de 2020 no Brasil. Foi feito um esforço concentrado para aumentar os investimentos e a colaboração entre as unidades de negócios, para maximizar essa temporada promocional, e lançada a nova interface de usuário chamada Central de Promoção. O esforço combinou soluções de Mercado Livre Publicidade, Mercado Crédito, Mercado Shops e Mercado Envios, e o resultado foi um impressionante crescimento de 130% em relação à Black Friday de 2019. Houve lives com presença de celebridades e descontos de até 80% em função de parcerias com grandes empresas, como a Heineken.

O fato é que, contabilizando todos os seus negócios em toda América Latina, o Mercado Livre teve uma receita líquida que aumentou 73% entre 2019 e 2020, de US$ 2,3 bilhões para US$ 3,9 bilhões, sendo 55,2% desse valor gerado no Brasil e o restante nos outros 17 países onde atua, com especial atenção ao crescimento que se acelera no México, Chile e Colômbia. Em abril de 2021, a *Time* lançou sua lista de empresas mais influentes do mundo. Entre elas, havia apenas duas latino-americanas: a brasileira Nubank (veja seu case study neste livro) e a argentina Mercado Libre, que foi destacada, segundo a revista, por ter "uma gigantesca operação logística e de transporte num continente populoso com muitos desafios impostos pela geografia e pela instabilidade econômica". Meli não superou só os gigantes Vale (por um tempo) e Petrobras. Na revista *Time*, ficou lado a lado com Amazon e Walmart.

Exploremos, então, a história do Mercado Livre e os Building Blocks de sua Gestão do Amanhã.

Um sonho latino-americano

A história do Mercado Livre começou a ser escrita no final da década de 1990, quando o argentino Marcos Galperín respirava o ar do Vale do Silício. Ele era membro de uma família empresária argentina, dona da empresa de couros global Sadesa. Tinha um ótimo currículo de negócios: havia se graduado em Wharton School, a escola de negócios da Universidade da Pensilvânia, e estava na Califórnia como aluno do MBA da Universidade Stanford. Havia trabalhado no banco J.P. Morgan, em Nova York, e na petrolífera YPF, em Buenos Aires. No entanto, o mais importante é que estava obcecado com a ideia de ter uma empresa de leilões como o eBay, que havia sido fundada em 1995. Essa ideia fixa gerou um projeto idealizado em Stanford para um eBay que revolucionaria o comércio na América Latina.

Certo dia, em 1998, um de seus professores convidou o investidor John Muse, fundador do fundo de venture capital HM Capital Partners (na época, HMTF), para ir falar aos alunos. Galperín reconheceu ali uma janela de oportunidades e ofereceu-se para levar Muse de carro para o aeroporto, ao fim da conversa. Enquanto dirigia, o motorista fez o pitch do seu negócio ao passageiro. A abordagem foi certeira, e Muse foi convencido a lhe dar o investimento necessário para o início do projeto. Com os US$ 7,6 milhões vindos da HTMF e da Chase Capital Partners (que também foi uma das primeiras a acreditar no potencial da empreitada), Galperín chamou o primo, Marcelo, desenvolvedor de software, para ser o executivo-chefe de tecnologia, e os dois começaram a construir o Mercado Livre em 1999. Também entraram na sociedade dois colegas do MBA de Stanford que acompanhavam com entusiasmo a história: o brasileiro Stelleo Tolda e o argentino Herman Kazah. Tolda tinha trabalhado nos bancos de investimentos Lehman Brothers e Merrill Lynch, em Nova York, e estava familiarizado com o mercado-chave da região: o Brasil; Kazah atuou na P&G, e abriu mão do projeto pessoal que estava desenvolvendo, uma startup de redes sociais.

Os sócios voltaram a Buenos Aires e montaram a empresa numa garagem – na verdade, duas vagas de estacionamento de um prédio de escritório que eles fecharam com paredes móveis. Falaram com muita gente sobre o projeto e todos os interlocutores os desaconselharam a seguir em frente. "Quanto mais diziam que aquilo daria errado numa região como a América Latina, mais vontade de fazer nós tínhamos", contou Kazah. Tirar energia da adversidade e do fracasso, palavras dele, viraria um pilar importante da cultura da organização, inclusive.

A equipe sabia que precisava agir rápido. Havia outros projetos do gênero; uns 80 projetos, segundo cálculo feito posteriormente. Por exemplo, outro argentino, chamado Alec Oxenford, ex-consultor do Boston Consulting Group, estava na Harvard Business School montando uma startup bem parecida, batizada de DeRemate (em espanhol, remate é leilão). Só que os caminhos de Mercado Libre e DeRemate eram diferentes. Enquanto Meli preferiu construir uma estrutura tecnológica sob medida, usando sistemas de última geração, DeRemate usou software de prateleira. Enquanto Meli buscou conquistar seus clientes um a um, DeRemate adquiriu uma base de clientes pronta, ao comprar o E-Bazar.

Das 20 categorias de produtos que eles poderiam escolher para trabalhar inicialmente, concentraram-se em duas: colecionáveis e computação. Para começar a gerar movimento, o próprio time colocou bens seus à venda no site. Eram poucas as transações nesse início. Mesmo com os desafios iniciais, a perspectiva era promissora e ainda em 2000, o Mercado Livre recebeu mais US$ 46 milhões de investimentos de diversos grupos financeiros.

Então, em março de 2000, aconteceu o estouro da bolha das pontocom. A revista *Time* calculou que, em um mês, perdeu-se mais US$ 1 trilhão com as ações de empresas de internet que desapareceram da bolsa eletrônica Nasdaq, onde essas startups abriam capital. Quase ninguém mais queria saber de empresas de internet, nem funcionários – a maioria das 80 startups rivais perdeu suas equipes, que voltaram para as empresas tradicionais –, nem investidores. Para piorar, a recessão no Japão conteve os investidores de tecnologia do país e os juros nos Estados Unidos cresciam.

A DeRemate, por exemplo, que havia apoiado toda a sua estratégia em crescer de forma acelerada para levantar investimento rapidamente com um IPO (Initial Public Offering – Oferta Pública Inicial) na Nasdaq, não conseguiu mudar de rumo.

O Mercado Livre, cuja estratégia era crescer devagar e sempre, resistiu. Dois meses após o estouro da bolha, Galperín conseguiu captar US$ 46 milhões, com Goldman Sachs, GE Capital e Santander Bank – a comparação com os modelos de negócio de internet sem futuro que vinham formando a bolha favoreceu o Mercado Livre aos olhos dos investidores.

Mesmo com esse êxito, os sócios reconhecem que demorou seis anos para realmente superarem a crise causada pelo estouro da bolha. Em entrevista ao *La Nación*, Galperín classificou o período como o mais complicado da história da empresa, dizendo que esteve perto de fechar mais de uma vez. Lembrou que havia uma medição constante da velocidade de dinheiro gasto, o chamado burn rate, para saber quando isso aconteceria. "Foi um momento terrível", declarou ele.

Em 2001, o Mercado Livre tinha um volume de 13 mil transações mensais, mas conseguiu atrair o eBay, que era uma estrela na época da mesma dimensão que são hoje Google ou Facebook. A organização americana adquiriu 19,5% das ações da empresa e tornou-se seu maior acionista. O eBay havia decidido entrar na América Latina em parceria com um sócio local, e conversou com diversos parceiros potenciais, mas escolheu o Mercado Livre. A startup foi aprendendo muito com o eBay e, nas palavras de Kazah, o eBay também aprendeu algumas coisas com o Mercado Livre. Um movimento importante dessa evolução foi o lançamento, em 2004, do Mercado Pago, uma ferramenta segura de pagamento tanto para uso de pessoas físicas quanto de pessoas jurídicas. Logo, o Mercado Pago se tornou um dos principais concorrentes do PayPal nas regiões onde atuava.

Ao longo do tempo, o eBay foi fazendo ofertas para comprar 100% do Mercado Livre. Kazah contou como foi esse namoro: "o eBay ofertava US$ 100 milhões, nós pedíamos US$ 200 milhões; quando eles resolviam oferecer US$ 200 milhões, nós pedíamos US$ 300 milhões".

Como era necessário mais capital para financiar o crescimento e não havia consenso quanto ao valor, a decisão acabou sendo a de abrir o capital da empresa. Em 2007, ano em que o faturamento da empresa já estava em US$ 80 milhões, o Mercado Livre foi a primeira empresa latino-americana a fazer um IPO na Nasdaq, mercado de ações dos Estados Unidos voltado principalmente a empresas de tecnologia. A ação partiu de US$ 18 e acabou o pregão em US$ 36, o que estabeleceu um valor de mercado de US$ 1,6 bilhão para a companhia.

Se o IPO na Nasdaq foi um grande marco, outro foi o plano de reestruturação "Novo Mundo", lançado em 2009, sem o qual dificilmente o Mercado Livre se tornaria o que é. A ideia era renovar sua infraestrutura tecnológica, passando de um aplicativo a uma plataforma, e a organização, passando de um sistema monolítico a outro composto de várias pequenas células. Como definiu *The Generalist*, o "Meli passou de uma réplica do eBay a um e-commerce completo, com programa de fidelidade

(Mercado Pontos), frete grátis em muitos casos e uma brilhante UX (experiência do usuário)". E, assim, a empresa "disruptou a si mesma, de dentro para fora, tanto na infraestrutura como na organização". Detalharemos mais esse movimento nos Building Blocks sobre estratégia adaptativa.

A logística na América Latina continuava, no entanto, a ser um dos maiores gargalos para o crescimento. Então, o foco dos investimentos foi orientado a essa frente e, em 2013, nasceu o Mercado Envios, que vem mudando o jogo da entrega desde aquela época. É chave nesse esforço a estratégia de fulfillment, em que o Meli responde por toda a logística dos vendedores da plataforma, do início ao fim. Essa estratégia foi oficializada em 2019 com a abertura acelerada de centros de distribuição no Brasil, Argentina e México, e, agora, está se estendendo para o Chile e a Colômbia. O fato de o eBay vender sua participação na operação, em 2016, aparentemente não foi relevante, pois não mudou nada; na verdade, as companhias continuaram boas amigas. Tão amigas que, em 2017, o eBay abriu uma loja oficial sua dentro do marketplace do Mercado Livre, no Chile.

O grande fato que se seguiu na história dessa empresa argentina foi mesmo a pandemia de Covid-19, em 2020, quando a organização, já razoavelmente preparada para crescer, deu um salto absurdo em vendas, como já vimos. A maior evidência desse crescimento talvez seja o fato de, em março de 2021, a empresa anunciar 16 mil vagas novas para preencher na América Latina, o que significa dobrar sua força de trabalho. Contudo, há outras: segundo Rodrigo Perenha apresentou, em uma palestra na Fatec, o Mercado Livre ganhou mais novos usuários em 2020 do que nasceram bebês na América Latina.

Marcos Galperín e Stelleo Tolda continuam na gestão da empresa, mas Herman Kazah saiu em 2011, para, juntamente a Nicolas Szekasy, também ex-executivo do Mercado Livre, fundar a Kaszek Ventures, fundo de venture capital com intensa atuação no mercado brasileiro, tendo em seu portfólio Nubank, Creditas, Gympass e Loggi, entre outras. A tese de investimento veio com a curva de aprendizado no Mercado Livre: a Kaszek investe em negócios que podem eliminar pontos de atrito locais.

É importante notar que o Mercado Livre fez muitas aquisições para alimentar seu crescimento. Entre elas, comprou a própria DeRemate na Argentina, em 2008, o que lhe permitiu se firmar no e-commerce de carros – hoje o site é o demotores.com.ar.

Em agosto de 2018, o investidor e empreendedor Nathan Lustig contabilizava, em seu blog, pelo menos 15 aquisições abrangendo comércio eletrônico, processamento de pagamentos, soluções de software e classificados online. Sem falar no investimento em participações em "dúzias de startups", formando o que ele chamou de "império do e-commerce". Segundo o empreendedor, essa estrutura é uma das razões pelas quais a Amazon não está tendo, na América Latina, o crescimento meteórico que se acostumou a ter. Em 2021, o Mercado Livre estava presente em 18 dos 40 países da América Latina, que tem uma população de 635 milhões de pessoas.

Seis Building Blocks

Chegou a hora de analisar, em detalhes, os Building Blocks do sistema de Gestão do Amanhã do Mercado Livre, a saber: (1) estratégia adaptativa/inovação constante; (2) customer centricity; (3) agilidade; (4) gestão baseada em dados; (5) cultura organizacional; e (6) liderança.

ESTRATÉGIA ADAPTATIVA / INOVAÇÃO CONSTANTE

Se fizéssemos uma timeline das adaptações de estratégia do Mercado Livre, seria algo mais ou menos assim: o Mercado Pago foi lançado em 2004, o Mercado Ads em 2009, o app mobile em 2011, as APIs foram abertas em 2012, o Mercado Envios chegou em 2013, a Mercado Crédito nasceu em 2018, e assim por diante.

Porém, como dissemos, o ano de 2009 talvez seja o principal exemplo de estratégia adaptativa do Mercado Livre. Foi quando a startup lançou o plano "Novo Mundo" para renovar sua infraestrutura tecnológica. Um dos principais sinais percebidos pela organização de que seu sistema demonstrava sinais de envelhecimento eram as reclamações de clientes.

A maneira que encontraram para se reinventar foi se organizar em células que se comunicavam por meio de interfaces para aplicações externas, as APIs (Application Programming Interface - Interface de Programação de Aplicação). Em essência, foi aí que o Mercado Livre deixou de ser um aplicativo e se transformou em uma plataforma. Um novo executivo-chefe de tecnologia, Daniel Rabinovich, veio comandar o processo de transformação lado a lado com Galperín, que se mudou para a sala vizinha à do CTO (Rabinovich se tornaria, em 2020, o número 2 da empresa, o COO).

Internamente, isso significou uma grande transformação: a empresa, que era um sistema fechado, migrou para um aberto, de monolítico a um composto de várias pequenas células de negócios – cada qual com seu próprio time, seu próprio hardware, seus próprios dados e seu próprio código-fonte. E elas interagiam por meio de APIs. Todos os front-ends (as interfaces com os clientes) tiveram de ser reescritos em cima de APIs. Isso não apenas foi uma adaptação em si, como também preparou a empresa para se adaptar, dali por diante, sempre que fosse necessário. A estrutura de plataforma digital é, por definição, uma estrutura flexível e adaptável. Tanto que a plataforma, batizada de Fury, começou servindo ao ecossistema interno, formado pelas empresas do grupo Mercado Livre, e, agora, está incluindo aplicativos de terceiros, que lhe pagam comissão para usar sua vitrine de e-commerce e seus serviços de pagamento (às vezes, também de entrega). O movimento Novo Mundo é um excelente exemplo de estratégia adaptativa do Mercado Livre.

Numa palestra que os três sócios-fundadores, Galperín, Tolda e Kazah, deram na Universidade Stanford, nos Estados Unidos, num encontro de alumni (ex-alunos), Kazah disse que eles não tinham sido inovadores em modelos de negócio: "O que tínhamos era uma ótima equipe e visão de longo prazo", comentou. Isso permite entender como se formou a estratégia adaptativa na empresa argentina, lembrando que uma estratégia adaptativa em geral combina um propósito transformador massivo (PTM), plataforma digital, motores de crescimento 1 e 2 e grande capacidade de inovação – em produtos, serviços, gestão e demais frentes.

A "ótima equipe" era de jovens com muito estudo – tanto que o Meli foi concebido durante um MBA –, relações e experiência internacional em grandes companhias na bagagem, o que lhes deu uma clara noção da importância da tecnologia no negócio. Lembra que dissemos que o Meli, no início do negócio, construiu uma estrutura tecnológica própria, do zero, com as melhores tecnologias disponíveis, mesmo isso demorando mais, enquanto DeRemate comprou um software de prateleira?

Mesmo que essa infraestrutura tenha sido alterada em 2009, o site inicial durou dez anos e o aprendizado em desenvolvê-lo foi imenso. Também houve um entendimento do Mercado Livre de que pelo menos 20% da força de trabalho devia ser direcionada à tecnologia – ao menos, esse era o percentual em 2013; em 2020, tinha subido para 35%.

A visão de longo prazo, por sua vez, tem a ver com o propósito. O PTM dos fundadores do Mercado Livre foi, desde sempre, democratizar – ou liberar, como sugere o nome – o acesso ao comércio na América Latina, tanto para quem compra como para quem vende. Existem dois mercados no mundo em que o comércio eletrônico cresce em ritmo impressionante, segundo as consultorias AMI e Euromonitor: um é o Sudeste Asiático e outro, a América Latina. E, em dezembro de 2020, o relatório Beyond Borders 2020-2021, feito pela AMI em conjunto com o EBANX, dizia que a América Latina tende a empatar com o Sudeste Asiático no pós-pandemia.

Além disso, com a criação do Mercado Pago, esse PTM estendeu-se para democratizar – ou liberar – o acesso aos serviços financeiros nessa região do mundo. A financeira Mercado Crédito que, no Brasil, o Banco Central autorizou a funcionar em novembro de 2020, tem como inspiração a fintech do grupo chinês Alibaba, a Ant Financial, que se tornou a mais valiosa do mundo em 2020, avaliada em US$ 150 bilhões e com um 1,2 bilhão de usuários dentro do aplicativo Alipay.

Diga-se que, ao longo dos anos, o propósito de democratização da empresa na região da América Latina foi desafiado mais de uma vez – por exemplo, quando o Mercado Livre flertou com a atuação no mercado dos Estados Unidos, como contou Kazah. Contudo, eles perceberam que isso era um erro e se concentraram no PTM original.

Uma das bases do motor 2 é a inovação, que acontece nos cinco centros de tecnologia e inovação do Mercado Livre, localizados na Argentina, no Brasil, no México, no Uruguai e na Colômbia – o último foi aberto em junho de 2020. Lembrando o que já dissemos: cerca de 6.000 dos 16.000 colaboradores do Mercado Livre são da área de tecnologia.

As decisões de diversificação de negócios, categorias de produtos e mercados geográficos têm tudo a ver com esse propósito, e vão fazendo o motor de crescimento futuro também. O fortalecimento do ecossistema de serviços financeiros mostra o motor 2 com clareza. O Mercado

Pago só ganha força. Em 2015, lançou a máquina leitora de cartão Point Mini, entrando na chamada "guerra das maquininhas", que vinha ocorrendo no Brasil. Com isso, abriu-se uma frente de concorrência pesada contra PagSeguro e Stone, entre outras – havia planos de a Point Mini sair apenas da seara dos microempreendedores e buscar os grandes players. A atuação financeira foi oficialmente declarada o carro-chefe da empresa, em 2019: "O Mercado Livre tem nos serviços financeiros seu carro-chefe de crescimento no Brasil a partir de 2019, à medida que multiplica a oferta de produtos próprios, como crédito, transferências de recursos e contas salário", como disse Stelleo Tolda à revista *Forbes*. Além da financeira Mercado Crédito, em 2021, foi lançado o cartão de crédito do Mercado Pago.

Em categorias de produtos, é possível reconhecer o motor 2 de crescimento na aposta da empresa nos nichos de carros e automóveis ao longo dos anos. Em 2008, adquiriu, além do já comentado DeRemate.com, o Classified Media Group, dona do site tucarro.com, de classificados de automóveis na Colômbia, Venezuela e Porto Rico, e do site tuinmueble.com, de classificados de imóveis na Venezuela, Colômbia, Panamá, Costa Rica e Ilhas Canárias. Em 2014, adquiriu a VMK, holding dona de sites de classificados de imóveis líderes em seus países – o Portal Inmobiliario no Chile e o Guiadinmuebles no México. Tudo isso deu origem à unidade Mercado Livre Classificados. Há planos de crescimento também nessa área. "Hoje, nossas receitas com esse segmento são concentradas nos anúncios. Agora, vamos passar a ter um canal para que os compradores possam pagar um sinal por meio do próprio Mercado Pago", já afirmou Tolda.

Ainda em categorias de produtos, um dos movimentos que visibilizam isso é a estratégia de lojas oficiais de grandes marcas, varejistas e industriais – neste caso, o Meli viabiliza para empresas industriais o modelo de negócio D2C (Direct-to-consumer - Direto ao Consumidor). Esse é um caso de integração com APIs de terceiros onde a organização utiliza a estrutura da plataforma Mercado Livre para viabilizar sua estratégia de venda direta ao consumidor final. Na categoria "eletrodomésticos", por exemplo, há lojas oficiais de empresas como Philco, Britania, Consul, Electrolux, entre outras. Na categoria "casa, móveis e decoração", podemos citar Marabraz, MadeiraMadeira e NadirFigueiredo; em moda, Adidas; em eletrônicos, Samsung; em carros, Nissan e BMW; em alimentos e bebidas, Ambev, Johnnie Walker, Pringles, Barilla e Bayer.

Outro movimento foi a inclusão de itens de supermercado, já prevista anteriormente no planejamento da companhia, mas que foi acelerada em 2020, em função da pandemia. Como explicou Julia Rueff, diretora de marketplace do Mercado Livre no Brasil, foram feitas divisões por departamentos, como se fossem as fileiras de um supermercado – armazém, bebidas, limpeza, higiene pessoal e produtos para pet. Houve a preocupação em proporcionar ao cliente uma experiência de compra de supermercado que é diferente das outras experiências. Para isso, criaram desde espaços para comunicar ofertas até tecnologias para facilitar a formação do carrinho.

A estratégia adaptativa também fica clara no avanço sobre os mercados da América Latina ao longo dos anos. Em 1999, a empresa foi criada na Argentina e entrou no Brasil, no Uruguai, no Chile e no México. Em 2000, foi a vez de Colômbia e Equador. Em 2004, Peru. Em 2005, Venezuela e Costa Rica. Já em 2006, República Dominicana e Panamá. Houve um hiato até 2015, quando foram abertas as operações da Bolívia e do Paraguai. Em 2016, quatro países integraram o ecossistema de uma vez: Nicarágua, Guatemala, El Salvador e Honduras. Só há dois países não cobertos pelo Mercado Livre na região: Cuba e Haiti, que são mercados mais complexos. Mas nos 18 atuais, o horizonte de crescimento é interessante – a população total da região, no final de década de 2010, era de cerca de 635 milhões de habitantes, e deve crescer até 2058 para 767,5 milhões, o que constitui um bom horizonte de crescimento – e de adaptação de estratégia.

CUSTOMER CENTRICITY

A centralidade no cliente nas decisões do Mercado Livre talvez tenha sido sintetizada numa apresentação de Hernan Kazah na Endeavor: "Nossa filosofia sempre foi a de que é melhor fazer poucas coisas nota 10 do que muitas coisas nota 6". Essa nota tem a ver com a eficiência também, é claro, mas deriva principalmente da percepção do cliente. Tanto que o plano "Novo Mundo", que visou dar maior eficiência ao marketplace, foi decidido com base nas reclamações dos clientes – mais do que em qualquer outro motivo.

Descrever essa orientação é facilitado ao organizamos as iniciativas em blocos para facilitar seu entendimento:

Mercadolivre.com

Não se trata de um marketplace, mas de vários abrigados na mesma plataforma digital. Há os marketplaces de produtos – onde toda a jornada de compra acontece dentro da plataforma –, e os de veículos, imóveis e serviços, que são áreas de classificados. Várias aquisições têm sido feitas apenas para melhorar a experiência do usuário e reduzir o atrito para os clientes, como foi o caso da startup do Vale do Silício Dabee, adquirida em 2015.

Aqui identificam-se dois clientes básicos: os vendedores e os compradores. Entre os vendedores, 67% são pequenas e médias empresas (PMEs), 8% top sellers (grandes vendedores), 20% lojas oficiais e 6% pessoas físicas que vêm por hobby, digamos assim. O que se pode dizer em relação a esse público vendedor é que ele inspirou a criação de uma boa parte do ecossistema do Mercado Livre: o Mercado Pago, por exemplo, dando muito mais facilidade nas transações e, sobretudo, mais segurança, com seu sistema antifraude; o Mercado Envios, para tirar o trabalho do lojista; o Mercado Ads, para o lojista poder anunciar e se destacar; o Mercado Classificados, para atingir vendedores de outras categorias, e assim por diante. Vale notar que o sistema de pagamento instantâneo Pix foi disponibilizado para o vendedor do Mercado Livre Brasil em abril, antes de boa parte dos marketplaces do país. Esse é um movimento importante, já que o Pix acelera o recebimento do dinheiro pelo vendedor.

Quanto ao público comprador, podemos apontar o fato de o site e o aplicativo mobile serem muito amigáveis e os mecanismos, ou as entregas, ficarem cada vez mais rápidas. No entanto, há também os detalhes: por exemplo, o Compra Garantida, que devolve o dinheiro, caso o cliente não goste do produto ou receba a encomenda com algum problema, independentemente da postura do vendedor. Ou o fato de o Mercado Livre ser o único marketplace a permitir que o comprador faça uma reserva de seu carro ou moto a partir de um pagamento de sinal (o serviço se chama Reserva Online), facilitando ainda mais a negociação para quem compra e vende dentro da plataforma.

Mercadopago.com

No caso da fintech, podemos dizer que o portfólio de produtos e serviços oferecidos para clientes pessoas físicas e jurídicas só aumenta, conforme as demandas desses clientes. Para PJs, a oferta vai de soluções de pagamentos que garantem aos lojistas a segurança, passando pelas transações realizadas em diversos sites até as máquinas de leitura de cartão para lojas do mundo físico, as Point Minis. A criação do Mercado Crédito também veio para atender lojistas, viabilizando linhas de captação de investimentos – segundo uma pesquisa, 75% precisam de assistência financeira, mas apenas 18% se qualificam apara pedir empréstimos bancários.

Para PFs, o portfólio também se amplia, de conta digital a cartão de crédito. E, em alguns países, já há uma corretora de investimentos chamada Mercado Fondo.

Mercado Envios

Criada em 2013, essa unidade nasceu centrada nos lojistas. O frete dos produtos do Mercado Livre era de responsabilidade de cada vendedor, o que gerava grande disparidade de preços entre vendedores do mesmo local. Além disso, o rastreamento das compras não era garantido e a experiência do cliente variava de acordo com o vendedor escolhido, como lembrou uma matéria do site StartSe. Isso mudou com o novo negócio, mas ainda estava restrito principalmente ao serviço de imprimir etiquetas para facilitar o despacho nos Correios e fazer a coleta para os vendedores que trabalhavam com um volume maior de mercadorias.

O uso de inteligência artificial (machine learning) foi incrementando cada vez mais o negócio. Essa frente recebeu o impulso de uma agressiva estratégia de aquisições – em 2015, o Mercado Livre passou a controlar a KPL, empresa dedicada à gestão de estoque e de produtos; em 2016, comprou o Axado, plataforma de gestão de fretes que tinha 580 transportadoras integradas e que atende a mais de 2,5 mil lojas virtuais. Dessa forma, o serviço prestado aos seus sellers foi ampliado. A empresa passou a disponibilizar embalagens próprias aos vendedores; a retirada dos produtos em seus endereços; a consolidação da carga e entrega aos compradores finais por meio das transportadoras que prestam serviço para a plataforma. Esse procedimento veio trazer mais comodidade ao vendedor e ao comprador, já que agendamentos de entrega se tornaram possíveis. Com o tempo, falando principalmente do Mercado Livre Brasil, a rede de fornecedores de logística foi crescendo e ficando mais complexa, com o uso de diferentes meios de transporte, resultando na redução da dependência em relação aos Correios e, por tabela, em mais eficiência. Quando o Meli abriu seu primeiro centro de distribuição no país, em 2017, 90% de suas entregas dependiam dos Correios; em 2021, essa dependência havia caído para 10%.

No mesmo ano de 2017, a Mercado Envios criou o Fulfillment Center e ofereceu o serviço fulfillment para facilitar o trabalho de vendedores do site que necessitam de controle completo de estoque e logística. Inclui desde a coleta e o estoque até a separação, o empacotamento e a entrega final dos produtos. Ao mesmo tempo, o Mercado Livre ganhou mais controle sobre o nível de serviço e os prazos de entrega, algo crucial a qualquer e-commerce. Já em 2018, o NPS (Net Promoter Score - Índice de Satisfação do Cliente) era, no mínimo, cinco pontos maior em compras com fulfillment do que aquelas que preteriam dessa modalidade. Em 2020, 75% dos itens vendidos no e-commerce brasileiro foram entregues pela Mercado Envios e mais de 70% das encomendas dos vendedores que contratam o fulfillment, entregues em menos de dois dias. Quando olhamos para toda a região da América Latina, o fulfillment responde por 30% das operações de e-commerce, porque a Mercado Envios atua, por enquanto, em seis dos 18 países – Brasil, Argentina, México, Colômbia, Chile e Uruguai –, mas ele vai se alargar. E assim a experiência do cliente passa a ser controlada até a última milha.

O que era um centro de custo virou um negócio de logística graças à centralidade no cliente. "O Mercado Envios é o segmento no qual temos mais investido", afirmou Stelleo Tolda numa entrevista ao *NeoFeed*.

Mercado Ads, Mercado Shops e Mercado Backoffice

Esses são serviços que surgiram para atender lojistas. Antes chamado de Mercado Livre Publicidade, o Mercado Ads é responsável pela comercialização de publicidade dentro da plataforma do marketplace. A área vende e gerencia campanhas de links patrocinados, banners, Native Ads, Product Ads, Video Banner, projetos de branding e performance. Reúne conteúdo e mídia programática para vendedores do Mercado Livre, microempresas e grandes anunciantes em todos os segmentos do mercado brasileiro. Já o Mercado Shops é uma ferramenta para qualquer pessoa ou empresa criar uma loja online com domínio próprio, layout personalizado e sistema de pagamentos (Mercado Pago) em minutos. A intenção é acelerar o empreendedorismo digital. Quem utiliza Mercado Shops conta, também, com ferramentas de marketing, bem como com funcionalidades de gestão de estoque e vendas.

Por fim, o Mercado Backoffice surgiu quando a empresa KPL foi adquirida pelo Mercado Livre. O serviço consiste em uma plataforma de gestão para e-commerce (um sistema ERP) para que varejistas online possam administrar o seu negócio – a pessoa precisa ter uma operação de varejo com fluxo de mercadorias e vendas. A ERP (Enterprise Resource Planning – Planejamento de Recursos Empresariais) do Mercado Backoffice é útil para a gestão de estoque, controle financeiro (preço de venda, pagamentos e recebimentos) e administração do fluxo de pedidos da loja online. Tudo isso é customer centricity.

Outras evidências da centralidade do cliente no Mercado Livre valem a pena ser compartilhadas. Nos últimos anos, aplicativos de redes sociais, mensagens instantâneas e entretenimento têm sido os mais baixados no Brasil. Quando o e-commerce entra em cena, o Mercado Livre é o destaque – em 2018, 100 milhões de downloads na América Latina. Annie, a plataforma de análise de dados de performance de aplicativos, já mostrou que um em cada quatro dispositivos móveis no Brasil tem o aplicativo do Mercado Livre instalado. Isso mostra recorrência de compra, o que tem a ver com a positiva experiência do cliente com a plataforma. Outra evidência diz respeito ao serviço de atendimento ao cliente e pós-venda da organização, que utiliza vários canais – telefone, WhatsApp, chat, e-mail, redes sociais, etc. Quando se tem em mente que muitas empresas latino-americanas ainda dificultam o contato, essa multicanalidade se destaca.

AGILIDADE

"Agilidade é uma cultura no Mercado Livre, não uma cartilha." O diretor de tecnologia Rodrigo Perenha fez essa afirmação para explicar que as metodologias ágeis são adaptadas, segundo às necessidades dos times no momento, e que nenhuma metodologia é considerada uma bala de prata.

A maioria dos times de tecnologia do Mercado Livre, segundo Perenha, usa Kanban com um pouco de Scrum, ou só Kanban, mas, se um time tem outra preferência, ele tem toda a liberdade de usar. A cultura de agilidade – que o diretor do Meli também descreve como "paixão por agilidade" – começa pelo fato de a organização não ter silos. Os times se organizam em torno de produtos e são multidisciplinares, com profissionais de produtos, de negócios e de tecnologia, que cuidam da concepção aos testes e à execução e sustentação. Isso acaba com a praxe de, quando um erro acontece, as pessoas de execução culparem quem concebeu e vice-versa, algo que existe no gerenciamento de projetos usual (PMO), conforme Perenha.

Outro ponto crucial da agilidade no Mercado Livre são os desenvolvimentos já realizados que podem ser usados por todas as equipes de produtos. Conforme Perenha explicou, normalmente não é preciso desenvolver as coisas do zero; os times vão usando os desenvolvimentos anteriores e pedaços de outros APIs para fazer o que precisam fazer. Os processos são automatizados ao máximo no pipeline de desenvolvimento. "Essa simplicidade e agilidade no desenvolvimento (das soluções) dá espaço para a gente aprender mais – aprender sobre a tecnologia, o produto e o negócio", contou Perenha. O executivo ainda explica que a camada de computação em nuvem existente, sobre a qual falamos há pouco, gerencia as questões de custo e performance, e facilita o acesso aos dados, libertando os desenvolvedores e as equipes para criar suas soluções.

Um dos valores do Mercado Livre que define a cultura de agilidade, segundo Perenha, é o "beta contínuo". Porém precisa ser um beta que não se traduza em fazer MVPs (Minimum Viable Product - Produto Viável Mínimo), mas MLPs (Minimum Lovable Product - Produto Mínimo Amável). Perenha explica assim: não basta que o protótipo seja apenas um produto viável; o produto mínimo tem de ser amado, desejado pelo cliente. Outro valor da cultura de agilidade do Meli é a colaboração. Como disse Perenha: "Sozinho a gente vai mais rápido, mas junto a gente vai mais longe".

E assim as células do plano "Novo Mundo", em 2009, deram lugar à agilidade no Meli.

GESTÃO BASEADA EM DADOS

Para muitos analistas, empresas de e-commerce como o Mercado Livre são, por definição, "data companies". A crescente importância dos dados na operação do Mercado Livre pode ser observada por três lentes.

A primeira lente é a da AWS, a subsidiária da Amazon que é provedora de serviços de nuvem. Um artigo da *Business Wire* nos permitiu entender não só a importância dos dados na operação do Mercado Livre, como a importância do cliente Mercado Livre para a AWS. O texto, de novembro de 2020, diz que a AWS foi selecionada pelo Mercado Livre como fornecedora de nuvem preferencial para transformar a companhia numa organização data-driven (ou seja, orientada por dados) e para melhorar a experiência dos usuários, acelerar o lançamento de novos serviços e dar apoio à sua expansão regional – não só em e-commerce, mas também do Mercado Pago e do Mercado Crédito.

Conforme a matéria, o Mercado Livre está construindo seu próprio Data Lake, o MeliLake, na nuvem da Amazon para depositar os mais de 25 terabytes de dados de transações por dia vindos de vendas, pagamentos, logística/entregas, e torná-los disponíveis às equipes em toda a organização. Entre outros serviços da AWS, o Mercado Livre usará o Amazon Rekognition (serviço de análise de vídeo e imagens) como parte de seu processo de verificação de identidade, para minimizar fraudes, e o Amazon Translate, para automaticamente traduzir as informações do português para o espanhol, e vice-versa. O diretor de vendas da AWS para a América Latina, Jaime Vallés, declara o trabalho preditivo para apoiar o crescimento da empresa como uma das grandes contribuições da nuvem da AWS para o Mercado Livre.

A segunda lente é a do Google Cloud, um dos grandes concorrentes da AWS, que dá igual importância a esse cliente. Em janeiro de 2021, o Google Cloud foi escolhido para dar suporte ao sistema de missão crítica SAP do Mercado Livre – os principais desafios, conforme declaração do Meli, são adaptar sua infraestrutura ao crescimento exponencial do volume de informações e transações da plataforma, implantar o novo sistema SAP (o SAP S/4HANA) e fazer tudo isso sem interromper a operação existente. A ideia é a migração total dos dados da plataforma SAP para Google Cloud, como noticiou o Google Discovery. Rodrigo Ponce, gerente geral do Google Cloud para Argentina e Uruguai, afirmou: "Isso fortalece ainda mais a nossa aliança com o Mercado Livre, que temos acompanhado em projetos de dados, analytics, inteligência artificial, infraestrutura multicloud e nossa plataforma colaborativa".

A terceira lente é a do próprio Mercado Livre. Sebastian Barrios, vice-presidente de tecnologia da empresa, diz que os funcionários da empresa já usam dados nas suas tarefas diárias para tomar decisões melhores e para se manter à frente das tendências de comportamento do cliente. Assim, o Mercado Livre precisa ser um ávido usuário de cloud computing, de modo que seja fácil para os funcionários usarem os dados. O Mercado Livre é multicloud; costuma "chavear" suas nuvens entre AWS e Google, para ter um backup, caso uma delas tenha problema. Por trás do ritmo de 23 compras por segundo que o Mercado Livre vem vivendo, está sua própria plataforma, feita em casa, chamada de Fury, que é o suporte de 5.000 desenvolvedores, 8 mil aplicações rodando simultaneamente em mais de 50.000 instâncias de servidores virtuais, apps com mais de 8 mil deploys (implantações) por dia e 2,2 milhões de solicitações por segundo. A equipe de tecnologia do Meli já era gigante no início de 2021 – quase 6 mil pessoas – e o plano era contratar mais 4 mil.

Apesar de toda essa equipe e do apoio dos fornecedores de nuvem, o Mercado Livre ainda contrata consultorias para projetos pontuais com dados. A Data Business Intelligence, consultoria baseada na Espanha, divulgou o trabalho de dados que fez para a Mercado Ads, por exemplo, para atribuir as conversas ao canal certo, visando aumentar a satisfação dos clientes e ser mais eficiente nas despesas, o que ela fez ao desenhar processos de atribuição baseados em vários algoritmos. Conforme declarado pela consultoria, esse projeto levou a um crescimento de 49% nas transações a partir de publicidade; a um aumento de 65% na geração de receitas a partir de anúncios e a 8% de redução de custos de mídia.

CULTURA ORGANIZACIONAL

A sede que o Mercado Livre ganhou no Brasil, em 2017, em Osasco, na Grande São Paulo, inspirada nos campi corporativos do Vale do Silício, funciona como uma vitrine da cultura da empresa. Tem 33 mil metros quadrados e foi carinhosamente batizada pelos funcionários de

"Melicidade" – uma combinação do apelido Meli com a palavra cidade, remetendo, também, à felicidade, estado de espírito que todos almejam nos seus espaços de trabalho.

A Melicidade tem uma questão prática: está voltada para o futuro do trabalho. As áreas abertas totalizam 22 mil metros quadrados, com jardim, redes de dormir e uma quadra poliesportiva; o mezanino é um espaço para o trabalho compartilhado, e há 140 salas de reunião. A regra é a flexibilidade. Os funcionários não têm horário definido ali e, mesmo antes da pandemia, já faziam um esquema de trabalho híbrido, entre home office e presencial. As estações de trabalho são, em sua maioria, compartilhadas. Contudo, muita gente prefere trabalhar nas áreas externas, que contam com Wi-fi e mobiliário adequados para isso.

A Melicidade materializa o futuro também em sua preocupação com a sustentabilidade, pois tem várias soluções para otimizar o uso dos recursos naturais. Pelo menos metade da eletricidade consumida vem de 1.800 painéis solares localizados no telhado do complexo. A iluminação é 100% automatizada e usa lâmpadas de LED, o que reduz o consumo de energia em 75%. As grandes janelas, que privilegiam a entrada de luz natural nos espaços de trabalho, também levam à economia de energia. Tanques que se abastecem de água da chuva são usados para reduzir o uso de água na irrigação e abastecimento sanitário. O complexo possui contêineres para coleta de resíduos recicláveis e uma usina de compostagem para resíduos orgânicos. A cultura da carona é ativamente incentivada entre os funcionários, para resolver dificuldades de mobilidade. Há restaurante com capacidade para 450 pessoas, academia, salão de jogos, serviços de manicure, massagem e sala de médico, além de arte por todos os lados. Os painéis do artista argentino Timoteo Lacroze, que são vistos até no estacionamento, reforçam a sensação de alegria do local.

A Melicidade é um reflexo quase perfeito de quatro dos seis valores do Meli: criar o maior valor possível para o usuário (que é o que a estrutura faz para quem a usa), trabalho em equipe (algo fomentado o tempo todo na sede em Osasco), excelência de execução (porque as coisas funcionam muito bem na Melicidade) e diversão. Os outros dois valores são a competitividade (empreender assumindo os riscos necessários) e o já citado "estar em beta contínuo" (que tem a ver com a inovação permanente), e são contados pelas histórias e pelos números.

Entre as histórias que ensinam a empreender, tomando os riscos necessários, destacamos duas. Uma diz como o Mercado Livre conseguiu o eBay como sócio, em 2001. O eBay estava falando com várias empresas na região; quando foi visitar a sede do Meli, em Buenos Aires, o pessoal tinha se preparado. Entre outras coisas, todos haviam feito imersão em inglês para poder falar razoavelmente com os americanos. E, como eram muitos jovens, todos usaram óculos sem grau para aparentar maior senioridade e não assustar os americanos. A outra história é a de Galperín levando Muse para o aeroporto, e fazendo seu pitch durante o caminho. O detalhe que ainda não contamos é que Galperín errou o caminho de propósito, para ter tempo de convencer o investidor. Como não era voo comercial, e sim em avião particular, ele não faria Muse perder seu voo. Esse valor embute o risco, e quando o arriscado dá errado? Numa palestra, Hernan Kazah compartilhou como ele define o papel da adversidade na cultura Meli: "Nós tiramos energia da adversidade".

Quanto ao beta contínuo, basta olhar o número de novidades lançadas num ano pelo Mercado Livre. Reportamos várias das grandes novidades aqui, mas há as pequeninas também.

Você já leu sobre a missão e a visão do Mercado Livre, combinadas como propósito transformador massivo, mas vamos formalizá-las de modo separado aqui: a missão é "democratizar o comércio eletrônico e ser uma ponte entre vendedor e comprador"; a visão é "ser a empresa líder em e-commerce na América Latina". Ambas estão profundamente enraizadas na cultura Meli, quase como uma Jornada do Herói, em razão dos muitos problemas políticos, econômicos e sociais que a região impõe a seus moradores, e das próprias idiossincrasias regionais.

LIDERANÇA

O traço principal da liderança do Mercado Livre é a capacidade de apostar, um talento de jogadores de pôquer que sabem correr riscos mantendo a frieza. Pelo menos, é assim que a *The Generalist* descreve o management da empresa argentina. Curiosamente, o texto conta que Galperín foi jogador de xadrez e de rúgbi, mas sua conclusão é de que, nos negócios, ele usa as habilidades do pôquer. Manter a cabeça fria, lembra o site, é essencial ambiente desafiador de instabilidade política e econômica. Aliás, essa reportagem vai cruzando a história do Mercado Livre com seis histórias de realismo fantástico do escritor argentino Jorge Luis Borges, um realismo fantástico sintomático.

Na verdade, essa é uma das características que o *The Generalist* atribui aos líderes do MercadoLivre: saber quando apostar. Segundo o artigo, esse time de liderança demonstra ter uma rara combinação de humildade, criatividade, foco e capacidade de tomar decisão, além de foco no longo prazo. O conhecimento do mercado e do "inimigo" também foi ressaltado pela publicação.

As qualidades de liderança que são enfatizadas dentro da organização têm a ver com as que foram listadas de alguma maneira, mas também as complementam. O líder exponencial deve ser um entendedor da Lei de Moore, letrado em tecnologias; criar o futuro; ousar e tomar riscos; conectar pessoas, empresas e oportunidades; e fazer grandes perguntas. Desde o início do negócio, seus líderes sempre tiveram a visão da importância da construção de um ecossistema de negócios vibrantes. Atuando como Designers de Negócios, definiram as bases do projeto conectando suas 6 frentes, de forma interdependente e autônoma. Essa perspectiva confere a possibilidade de a empresa ter, no futuro, a possibilidade de desmembrar algumas iniciativas para que elas tenham vida própria, como no caso do negócio de logística com o Mercado Envios.

A visão de futuro orientada a um futuro ambicioso está presente desde o nascimento do negócio. Um dia, alguém no Meli perguntou, enquanto se discutia vender a empresa inteira para a eBay: por que não fazer um IPO? E por que não fazer um IPO na Nasdaq?

A alta liderança tem uma rotina de interação com os funcionários bem estabelecida, formal e informal. O CEO tem um chat com os funcionários uma vez por mês e outros líderes seniores replicam esse formato com seus respectivos times uma vez por trimestre. Todas as perguntas são encorajadas no chat. Também são incentivados cafés da manhã informais entre os funcionários e os líderes.

Se fosse preciso escolher cinco palavras para definir as políticas de recursos humanos da empresa, seriam flexibilidade, autonomia, protagonismo, aprendizado constante e colaboração. São esses os comportamentos que o RH busca incentivar com as políticas, benefícios, métricas de desempenho, ambientes – como a Melicidade –, ofertas de aprendizado e eventos. Por exemplo, um marco da área de eventos no Brasil ocorreu em 2017, quando nasceu o Mercado Livre Experience, a partir da união dos dois maiores eventos da empresa – a Universidade Mercado Livre (UML) e a The Developer's Conference (TheDevConf), para potencializar o protagonismo e o aprendizado dos colaboradores e de todos os stakeholders do ecossistema. O aprendizado ocupa espaço central no papel do líder da companhia.

Com essas ações, a empresa foi reconhecida pelo Great Place to Work (GPTW) como uma das melhores para trabalhar no mundo, não só no Brasil. Em outubro de 2018, a companhia obteve a sétima colocação nesse ranking, entre 7 mil empresas analisadas em todo o planeta, entrevistando os 12 milhões de colaboradores pertencentes a essas empresas.

A diversidade, tão característica de empresas com Gestão do Amanhã, é um capítulo à parte na gestão de pessoas da empresa. Começando pela diversidade de gênero, um paper de agosto de 2020 da IFC (International Finance Corporation, braço do Banco Mundial) trazia dados de 2017 que mostravam que, apesar de 42% dos funcionários serem mulheres, apenas 11% das posições de liderança e 14% das posições de tecnologia eram ocupadas por elas, o que foi atribuído à existência de muitas barreiras, desde a educação até a inclusão de mulheres em tecnologia na América Latina. A empresa endereçou o problema de modo concentrado num programa de 18 meses de duração, com múltiplas frentes, calibrando o modelo de recrutamento externo e interno, treinamento formal, mentoria & coaching, e avaliação de desempenho, além de ampliar as políticas amigáveis à família.

O quadro mudou. Em 2019, os dados mostraram que, nos recrutamentos feitos no mercado, os gestores da empresa contrataram mulheres em 72% dos casos. O Mercado Livre foi a primeira empresa da América Latina a financiar o congelamento de óvulos para suas colaboradoras; em 2018, estendeu a licença-maternidade de 90 para 120 dias; deu licença-paternidade de 15 dias e aumentou a flexibilidade para todos nos primeiros seis meses de vida dos filhos. As mulheres passaram a ser 35% nos beneficiados por programas de treinamento formal e 27%

das mentorias e coaching. O resultado foi que o percentual de mulheres em posições de liderança subiu para 28%. Em tecnologia, no entanto, o avanço foi pequeno, ainda, – 15% das posições passaram a ser ocupadas por mulheres. Com base no dado da Unesco de que, na América Latina, apenas 3% dos estudantes de ciências da informação são mulheres, o Meli lançou, em 2021, a iniciativa "Conectadas", para aproximar meninas latino-americanas da tecnologia e reduzir esse gap. Em seu primeiro ano, o programa tinha a previsão de alcançar 1.200 meninas entre 14 e 18 anos de idade em sete países – Argentina, Brasil, Chile, Colômbia, México, Peru e Uruguai.

Especificamente no Mercado Livre Brasil, há uma área bastante ativa de desenvolvimento de talentos, diversidade e inclusão (D&I), cujo escopo observamos na descrição do cargo feita por Daniela Pio, que foi a líder da área até o início de 2021. Abarca: estratégia de D&I, programas de inclusão de pessoas com deficiência, hunting colaborativo de negros, mulheres e pessoas com deficiência, gestão de affinity groups e desenvolvimento de líderes e em ciclo de performance com viés de D&I. Em relação a negros, por exemplo, das 7,2 mil vagas abertas no Brasil em 2021, 35% foram destinadas a ações afirmativas. Isso significa a contratação de 2,5 mil profissionais negros em 2021.

Mas não é apenas isso. A área de branding do Mercado Livre está trabalhando fortemente para normalizar a diversidade de todas as maneiras, falando para fora da empresa e repercutindo dentro também. O Meli patrocina, por exemplo, o projeto "Play de Verdade", do YouTube, que amplia as discussões sobre questões de gênero, justiça racial, igualdade e inclusão. E, especificamente em relação à diversidade LGBTQIA+, é patrocinador da Parada Gay de São Paulo desde 2018 e faz campanhas educativas, como a #beijosicônicos, lançada em 2021 para celebrar beijos de casais diversos. Como Thais Souza Nicolau, diretora regional de branding do Mercado Livre, disse ao jornal Meio & Mensagem, a intenção da campanha é mudar o algoritmo do buscador Google que, hoje, em pesquisas sobre beijos, apresenta imagens de casais heterossexuais em 99% das respostas. Uma das ações da campanha foi a disponibilização de fotos icônicas de beijos diversos para download e aplicação livre e, a cada download de foto, o Mercado Livre doa R$ 1 para uma organização não governamental LGBTQIA+.

CONTRA A CORRENTE

Quando Marcos Galperín e seus sócios fundaram o Mercado Libre, em 1999, menos de 3% da população da América Latina estava online. Eles arriscaram. E a ideia é continuar arriscando. Galperín se define por ter uma visão contrária à corrente e persegui-la, e num podcast gravado pela escola de negócios de Stanford, em 2020, recomendou que todos o façam.

Em entrevista à revista *Times*, em agosto de 2020, Galperín deu mais pistas: "Acho que vamos começar a abordar a mudança climática de uma forma muito mais agressiva. As empresas precisam assumir a liderança. Por exemplo, ter grandes empresas como nós fazendo pedidos de veículos elétricos ajuda muito a impulsionar a infraestrutura de que precisamos".

Outra aposta é a de que o dinheiro finalmente desaparecerá na América Latina, onde as pessoas ainda usam dinheiro para tudo. "Em parte porque os pagamentos com QR Code e os pagamentos digitais são uma experiência melhor. Mas também porque 50% dos latino-americanos não têm histórico de suas transações financeiras, o que faz com que não tenham acesso a crédito. Começamos a criar uma história financeira digital para eles. Isso significa que podemos conceder empréstimos a pessoas que nunca tiveram acesso a empréstimos."

Aprimorar as capacidades de logística inter-regional também está nas apostas, com certeza, e isso é algo que dará um poder incrível à companhia.

Apesar do crescimento de receita registrado em 2020, o Mercado Livre reportou um prejuízo líquido de US$ 700 mil, em função das despesas ampliadas, mas isso não assustou os investidores. Em parte por conta do olhar para a série histórica e em parte pelas perspectivas de futuro. Depois da sequência de lucros entre 2012 e 2017 (o pico de lucro líquido foi US$ 136,4 milhões em 2016), a empresa vem registrando prejuízos: US$ 36,6 milhões em 2018, US$ 172 milhões em 2019 e "apenas" US$ 700 mil em 2020. Quanto ao futuro, vale mencionar o que Leo Sun, um analista de mercado americano especializado em empresas de tecnologia, escreveu no site *The Motley Fool* (uma das principais referências para investidores) sobre onde pode estar o Mercado Livre em 2025. Sun observa que a ação Meli não está barata, mas também não está cara, relativamente ao seu ritmo de aumento de vendas. E diz crer que a empresa vai brilhar mais em mercados como Chile e Colômbia, e surfará a tendência de que cada vez mais latino-americanos vão comprar online. Apesar de pontuar que os riscos geopolíticos e econômicos na região não vão diminuir tão cedo, o analista avalia que o Mercado Livre tem fortalezas que o tornam capaz de superar os potenciais contratempos, o que levará suas ações a subirem de 2021 a 2025.

Voltando aos gigantes que precisam ser superados, a Amazon é uma ameaça para o futuro do Mercado Livre? "A Amazon vai ter que comer muito feijão antes de ser relevante no Brasil", disse Stelleo Tolda certa vez, e isso vale para boa parte da América Latina. Mesmo no México, onde a americana avança mais, o Meli segue líder e cresce num ritmo mais acelerado. "Prevejo dificuldades para eles ganharem escala", Tolda comentou sobre a Amazon, mas há outros concorrentes fortes no Brasil, como a própria Magalu, retratada neste livro. Seja como for, Meli continua a fazer suas apostas de pôquer – com frieza que não demonstra nem um Royal Straight Flush.

Tenha acesso ao Talk que realizamos com Romeo Busarello, um dos maiores especialistas em inovação corporativa do Brasil, com larga experiência em projetos digitais. No Talk, Busarello nos traz uma visão complementar sobre o caso Mercado Livre.

QUESTÕES ESTRATÉGICAS PARA REFLEXÃO

Estruture um grupo de estudo onde todos os participantes deverão ler e estudar o caso. A partir dessa leitura, organize reuniões de cerca de 60 minutos com, no máximo, 8 participantes, para aprofundar discussões como:

1 A visão de construção do ecossistema Mercado Livre com as diversas frentes de negócios atuando integradamente como o Mercado Pago, Mercado Ads, Mercado Envios, entre outras iniciativas, é a chave para entender a evolução de sua Plataforma. Realize um diagnóstico sobre todo o ecossistema de sua empresa, mapeando todos os agentes que participam desse sistema (clientes, fornecedores, parceiros, investidores, etc.). Mapeie oportunidades geradas nesse ambiente com potencial de se traduzir em negócios (da mesma forma que aconteceu com as iniciativas citadas no caso Mercado Livre).

2 Uma das filosofias do Mercado Livre sempre foi a "de fazer poucas coisas nota 10 do que muitas coisas nota 6", como mencionado por um de seus fundadores, Hernan Kazah. Essa visão traz consigo a perspectiva de aprofundamento em poucas iniciativas com alto potencial de impacto no relacionamento com os clientes da empresa. Identifique as principais iniciativas de sua organização que envolvem seus clientes. Realize uma reflexão, aprofundando a análise em uma dessas iniciativas, para que haja um entendimento se é possível proporcionar uma experiência superior especificamente nessa atividade. Defina possibilidades e faça uma análise de viabilidade daquelas mais promissoras.

Um dos principais pilares de sustentação para que o Mercado Livre tenha um sistema ágil é a eliminação dos silos. Os times se orga-

3 nizam em torno de produtos e são multidisciplinares, com profissionais de produtos, de negócios e de tecnologia, que cuidam da concepção aos testes e à execução e sustentação. Promova uma reflexão para identificar quais são os silos atualmente existentes em sua empresa. Reflita sobre como essas estruturas são um obstáculo para a agilidade da companhia e como podem ser reestruturadas, de modo a dar espaço para um modelo multidisciplinar que favoreça a colaboração e rapidez na tomada de decisões e ação.

4 Para ter uma arquitetura de dados que seja escalável e robusta ao mesmo tempo, o Mercado Livre optou por adotar o cloud computing, o que lhe confere o status de um dos maiores clientes das principais empresas do setor na América Latina. Realize um diagnóstico sobre a atual arquitetura de dados de sua companhia. O modelo atual é o melhor modelo possível, considerando todas as possibilidades disponibilizadas pelo mercado? Quais seriam as bases para ter uma arquitetura similar à do Mercado Livre?

5 Um dos principais artefatos da cultura organizacional de uma empresa refere-se às suas instalações físicas, como demonstrado no caso com a Melicidade. Quais são as mensagens que as instalações físicas de sua organização transmitem para os colaboradores de sua companhia? Essas mensagens estão alinhadas com a visão da cultura desejada? Realize uma reflexão para um melhor entendimento dessa dinâmica e sobre caminhos para um maior alinhamento entre esse artefato e a cultura desejada para sua organização.

6 A alta liderança do Mercado Livre tem uma rotina de interações com os funcionários bem estabelecida. Essa prática contribui para o estabelecimento de um canal direto entre a liderança e os colaboradores da companhia e gera agilidade nas decisões críticas que envolvem esses agentes. Faça um diagnóstico das rotinas de interação estabelecidas em seu negócio. Desenvolva possibilidades de um modelo formal que permita maior proximidade entre os líderes da companhia e seus colaboradores.

SUGESTÃO DE DINÂMICA SOBRE O CASO

Os 5 Passos da Inovação Base Zero

O Mercado Livre teve o mérito de começar, do zero, todos os seus sistemas e estrutura. Essa visão de propriedade sobre os aspectos críticos do negócio foi essencial para sua evolução, além de decisiva, pois deixou a empresa pronta para seu crescimento acelerado. Essa mesma dinâmica é desafiante para empresas tradicionais que tem um sistema legado derivado da evolução do negócio ao longo dos anos. Muitas vezes, essa estrutura se configura em um gargalo para o crescimento do projeto e sua adaptação a esse novo mundo.

Da mesma forma que existe a técnica do Orçamento Base Zero (conhecido como OBZ), adotada nas estruturas de formação de orçamento, sugerimos que você faça uma reflexão que permita entender como seria a estrutura de seu negócio se sua operação estivesse iniciando agora. Batizamos essa estratégia de "Inovação Base Zero" (IBZ) e ela pode ser executada de acordo com os seguintes passos:

1 **SELECIONE UMA ATIVIDADE-CHAVE DA ORGANIZAÇÃO.** Priorize aquelas que são centrais para o processo de criação de valor da companhia e que têm impacto direto no negócio atual.

2 **MAPEIE, EM DETALHES, TODO O FLUXO DE AÇÕES DESSA ATIVIDADE ATUALMENTE.** Faça um diagnóstico completo do modelo adotado pela organização em todos os seus detalhes.

3 **FAÇA O REDESENHO DESSA MESMA ATIVIDADE-CHAVE,** considerando os recursos atuais disponíveis. Como seria o fluxo dessa atividade se você a construísse do zero?

4 **FAÇA UMA ANÁLISE DE GAP CONSIDERANDO O MODELO ATUAL E O MODELO IDEAL.** Quais são os pontos críticos que devem evoluir para uma estrutura mais alinhada com as demandas e possibilidades atuais?

5 **ESTRUTURE UM PLANO DE MIGRAÇÃO,** considerando todas as tarefas necessárias para a adaptação dessa atividade-chave a um modelo mais próximo possível do ideal.

Em abril de 2021, a *Time* lançou sua lista de empresas mais influentes do mundo. Entre elas, havia apenas duas latino-americanas: a brasileira Nubank e a argentina Mercado Libre, que foi destacada, segundo a revista, por ter "uma gigantesca operação logística e de transporte num continente populoso com muitos desafios impostos pela geografia e pela instabilidade econômica".

Linha do Tempo iFood

1997 — Fundação do Disk Cook

2008 — Início das vendas por INTERNET

2011 — **CRIAÇÃO DO iFOOD**

2011 — Primeiro investimento de R$ 3,1 milhões do fundo de venture capital Warehouse

2011 — Lançamento da PLATAFORMA DIGITAL

2013 e 2014 — Movile adquire o controle do iFood

2014 — Aquisição da RestauranteWeb, Central do Delivery, Papo Rango e Alakarte

2015 — PRIMEIRO MILHÃO de pedidos por mês

2016 — Recebe um aporte equivalente a US$ 500 milhões

2016 — Aquisição da HelloFood, Spoonrocket e SinDelantal e início do projeto de internacionalização

2018 — **iFOOD SE TORNA UNICÓRNIO**

2018 — Aquisição da Pedidos Já e a Rapiddo Entregas

2019 — Aquisição da Hekima

2020 — Aquisição da colombiana Domicilios e a SiteMercado

2020 — Atinge 45 milhões de entregas/mês

2020 — iFood alcança 35,6 milhões de usuários ativos

2021 — Em março de 2021, atinge o marco de 60 milhões de pedidos no mês

CASE IFOOD
CABEÇA DE BIG TECH

O MERCADO DE APLICATIVOS de delivery de comida vem deixando os analistas boquiabertos, e até confusos, com movimentos extremamente ousados ao redor do mundo. Em 2020, no dia 9 de dezembro, o app de delivery de comida americano DoorDash abriu seu capital na Bolsa de Nova York. Partia do preço de US$ 102 por ação, mas o mercado mergulhou num frenesi e teve uma valorização de 86% para US$ 189,51, o que corresponde a um valuation de US$ 72 bilhões. Os analistas mal acreditaram. Isso significava um múltiplo de 25 vezes sobre a receita de vendas esperada em 2020, que acabaria fechando em US$ 2,9 bilhões. A empresa havia encerrado 2019 com um prejuízo líquido de US$ 667 milhões – e acabaria quase repetindo a dose em 2020, com US$ 461 milhões de prejuízo líquido.

Também em 2020, em junho, foi anunciada a aquisição da gigante setorial americana Grubhub pela Just Eat Takeaway, gigante europeia do setor baseada em Amsterdã, Holanda, por US$ 7,3 bilhões.

O leitor pode pensar: "Normal. O ano de 2020 foi de pandemia; empresas de delivery tiveram uma performance excepcional e, por isso, atraíram tantos investimentos". Mas a verdade é que só se acelerou algo que já vinha acontecendo. Em 2019, quando não havia distanciamento social e o Coronavírus não estava no radar, a holandesa Takeaway.com, criada por Jitse Groen no dormitório da faculdade, em 2000, adquiriu a Just Eat, de origem dinamarquesa, pelo equivalente a US$ 8 bilhões, após uma acirrada disputa com a Prosus, divisão de empresas de internet do grupo sul-africano Naspers e dona da Delivery Hero, que fez uma oferta de US$ 6,3 bilhões, segundo a Dow Jones Newswires.

Também estávamos anos antes de haver quarentena ou lockdown, quando, em outubro de 2015, duas startups de delivery de alimentos concorrentes na China, a Meituan e a Dianping.com, fundiram-se num negócio calculado em US$ 15 bilhões. Ou quando, em junho de 2018, a Meituan Dianping abriu seu capital na Bolsa de Valores de Hong Kong e, um ano depois, seu dono, Wang Xing, comemorava a liderança do mercado com 422,6 milhões de usuários ativos por ano e uma fortuna pessoal em crescimento. Mapear o jogo de xadrez mundial nesse mercado, que é global e extremamente disruptivo, é importante para dar início ao nosso case study do unicórnio brasileiro iFood, o app de delivery de comida líder no Brasil e o maior da América Latina. E por três razões:

A primeira razão é que a maior parte do controle acionário do iFood pertence a duas companhias que são grandes concorrentes no mundo: a Prosus (que, por meio de sua controlada Movile, tem 55% do iFood) e a Just Eat Takeaway (que tem cerca de 33% da empresa). Além disso, alguns desses players internacionais se tornaram parceiros do iFood em sua trajetória de internacionalização.

A segunda razão é que se prevê que o mercado brasileiro verá a entrada de novos players globais até 2025 – afinal, ver o que acontece lá fora permite visualizar mais vivamente o futuro aqui. O vice-presidente de finanças e estratégia do iFood, Diego Barreto, disse, numa entrevista ao *Estadão*, em abril de 2021, que a empresa se preparava para a entrada de três a cinco players internacionais entre 2022 e 2023, somando-se a empresas como Uber Eats, 99 Food (pertencente à chinesa Didi Chuxing) e Rappi (apoiado por gigantes do venture capital como SoftBank, DST Global, Tiger Global, Sequoia Capital e Andreesen Horowitz). A competição pode ser dez vezes maior.

A terceira razão é que empresas de outros setores pretendem entrar nesse segmento – ou estão entrando – com a aquisição de startups. Por quê? "O segmento de delivery de comida tem a beleza da frequência. A pessoa come 90 vezes por mês e vai à farmácia três vezes", explicou Barreto. Entrantes completamente novos na área podem ser uma fonte de disrupção buscando entrar com preços mais baixos – exatamente como diz a teoria da disrupção de Clayton Christensen. O mercado brasileiro, longe de ser maduro, é atraente o suficiente para isso. Como calculou Fred Trajano, o CEO da Magazine Luiza, ao adquirir duas startups do setor (veja no case desta empresa a partir da página 24 deste livro), ainda são apenas 300 mil os restaurantes que usam apps de entrega, quando o número total de restaurantes no Brasil é de 1,6 milhão. Há quase uma tempestade perfeita na forma de oportunidade, já que uma pesquisa do Instituto QualiBest mostrou que a quantidade de pessoas que não tinha um app de entrega de comidas instalado no smartphone caiu de 54% em 2018 para 28% em 2020.

O iFood tem uma posição confortável, segundo dados do primeiro semestre de 2021, com algo entre 75% e 79% do mercado brasileiro (enquanto o segundo colocado, Uber Eats, tem uma fatia entre 9% e 11% e Rappi, entre 5% e 6%). Mais ainda, ele já é praticamente um sinônimo da categoria. Apesar dessa sólida vantagem, o acirramento da competição das chamadas "Foodtechs", como essas empresas são conhecidas, deve tornar cada vez mais difícil manter essa liderança, exigindo uma dose cada vez maior do que chamamos de "Gestão do Amanhã". Neste case study, vamos repassar a história do iFood e analisar como a empresa se sai nos seis Building Blocks de Gestão do Amanhã.

SOB O SIGNO DO EMPREENDEDORISMO

A história do iFood começa com o Disk Cook, empresa fundada por Patrick Sigrist, em 1997, em São Paulo, que se estendeu ao Rio de Janeiro e a Curitiba. Tratava-se de uma estrutura de delivery semelhante à das pizzarias, disponível para restaurantes variados que não tinham esse serviço. O Disk Cook funcionava basicamente como uma central telefônica que gerenciava pedidos de entregas de refeições em domicílio, principalmente para restaurantes de alto padrão; os clientes recebiam uma revista com os menus de diversos restaurantes, escolhiam entre as opções, ligavam para uma central telefônica e encomendavam. Como um dos sócios, Guilherme Bonifácio, explicou numa entrevista, "o processo de back-office era muito manual: enviávamos os pedidos por fax para os restaurantes, falávamos via Nextel com os motoboys do nosso sistema, eles retiravam o pedido no restaurante e recebiam os pagamentos dos clientes em cheque ou dinheiro. Depois tínhamos que fazer toda a tesouraria para o processo acontecer corretamente". E o cofundador completou: "Você pode imaginar a confusão, era um caos".

Guilherme Bonifácio, Eduardo Baer e Felipe Fioravante decidiram se juntar à Disk Cook em 2008. Nesse mesmo ano, as refeições passaram a ser encomendadas por telefone e pela internet e, bem rapidamente, esse canal já respondia por cerca de 30% dos pedidos feitos. O sucesso das vendas online lhes deu a ideia de fazer uma spin-off da Disk Cook, criando o iFood.

Os sócios queriam fazer algo como o que acontecia no Vale do Silício: captar dinheiro com fundo de investimentos para poder crescer. Contudo, havia poucos fundos no Brasil e eles ou não se interessavam pelo iFood ou tinham algum tipo de conflito para investir. Quando conseguiram investimento de R$ 3,1 milhões do fundo de venture capital Warehouse, a plataforma conseguiu ser lançada realmente – no dia 15 de maio de 2011 – como uma grande praça de alimentação online. Felipe Fioravante foi definido como o CEO. Já existia uma empresa do segmento fundada na web desde 2004, e já presente em vários estados brasileiros – a Restaurante Web. E, justamente em 2011, ela foi comprada por um grande player dinamarquês do setor: a Just Eat.

Porém, mesmo assim, em seis meses de vida, o site do iFood já reunia o cardápio de 650 restaurantes e contabilizava mais de 16 mil pedidos realizados pela web. Os relacionamentos cultivados na Disk Cook ajudaram a tracionar rapidamente o novo negócio. Também houve inovação tecnológica, da máquina do tipo "cartão de crédito" ao aplicativo para baixar em celulares, facilidades pioneiras no Brasil. Isso permitiu à empresa disputar mercado com a Restaurante Web.

O aplicativo móvel chamou a atenção da Movile, empresa de plataformas de comércio eletrônico e de conteúdo virtual que tinha um grande foco no mobile e que vinha recebendo sucessivos aportes de capital do grupo sul-africano Naspers, primeiro diretamente, depois por meio de sua empresa de internet, a já citada Prosus. O fato de a Just Eat fazer seu IPO (Initial Public Offering – Oferta Pública Inicial) na Inglaterra também foi um estímulo. Vieram, em 2013 e 2014, aportes de capital da Movile e ela virou a controladora do iFood.

E, assim, com mais investimentos, o iFood conseguiu expandir-se para outras várias cidades brasileiras, e acelerar seu crescimento com uma agressiva estratégia de fusões e aquisições, iniciada pela fusão com a RestauranteWeb – que lhe trouxe, então, a Just Eat como sócia. Contabilizamos mais de 15 operações. Só em 2014, foram RestauranteWeb, Central do Delivery, Papo Rango e Alakarte (2014), e o resultado foi que, em 2015, o iFood registrou seu primeiro milhão de pedidos por mês, antecipando-se à concorrência do Uber Eats, que chegou em 2016, e de Rappi, em 2017.

Daí por diante o iFood foi recebendo mais investimentos e, consequentemente, fazendo mais aquisições. Em 2016, quando a startup recebeu um aporte equivalente a US$ 500 milhões, Fabrício Bloisi, fundador e CEO da Movile, sua controladora, disse: "Cinco anos em um é a nossa meta". E completou: Em 2016 mesmo, foram adquiridas HelloFood, SpoonRocket e SinDelantal, começando sua internacionalização, uma vez que a SinDelantal é mexicana. Em 2018, ano em que o iFood se tornou um unicórnio, com valuation de US$ 1 bilhão, ela adquiriu a Pedidos Já e a Rapiddo Entregas, que lhe deu grande eficiência logística. Em 2019, foi comprada a Hekima, empresa desenvolvedora de software de inteligência artificial. E, em 2020, a colombiana Domicilios e o SiteMercado, um delivery de supermercados.

De 2011 a 2020, o iFood disparou o número de atendimentos de 12,5 mil pedidos por mês, no Brasil, para 45 milhões (agosto de 2020) – apenas na Black Friday de 2020, a startup registrou 2,5 milhões de pedidos em um dia. Em março de 2021, esse número estava em 60 milhões. A quantidade de estabelecimentos cadastrados na plataforma subiu de modo exponencial: de 230 para mais de 270 mil, entre restaurantes, lojas de conveniência e mercearias, espalhados por mais de 1,7 mil cidades do Brasil. Em 2020, eram 35,6 milhões de usuários ativos. E as vendas? O que se sabe de faturamento, já que a empresa não tem capital aberto, vem de um documento da Prosus a que o *Estadão* teve acesso: o iFood terminou o primeiro semestre de 2020 com vendas de US$ 323 milhões, um aumento de 234% em relação ao mesmo período de 2019. Vale repetir que esse é o faturamento semestral. E vale observar que o iFood declarou que teve 100% de crescimento entre abril de 2020 e abril de 2021.

Aos poucos, os fundadores foram saindo da operação. Primeiramente, Sigrist e Baer. Em abril de 2017, saiu Felipe Fioravante, que passou o bastão de CEO a Carlos Eduardo Moyses. O último a sair foi Guilherme Bonifácio, em 2018, quando vendeu, para o iFood, a Rapiddo, que fundou sob o guarda-chuva da Movile. Em 2020, o fundador da Movile, Fabrício Bloisi, saiu da presidência de sua empresa para assumir o leme do principal negócio do portfólio. É interessante notar que o impulso de empreender que moveu os fundadores e os investidores do app de delivery continua muito forte.

Seis Building Blocks

É interessante a história do iFood, não? Então, vamos analisar, em detalhes, os Building Blocks do seu sistema organizacional, a saber: (1) estratégia adaptativa/inovação constante; (2) customer centricity; (3) agilidade; (4) gestão baseada em dados; (5) cultura organizacional; e (6) liderança.

ESTRATÉGIA ADAPTATIVA / INOVAÇÃO CONSTANTE

O iFood nasceu como uma adaptação. Foi uma spin-off do Disk Cook para a internet – e atuar num setor ultraconcorrido, como vimos, parece ter predestinado o iFood a uma grande capacidade de adaptar sua estratégia às necessidades. Por exemplo, com a entrada da Rappi e do Uber Eats, eles investiram "em tecnologia para o (e-commerce) full service", como explicou Bonifácio numa entrevista, em fevereiro de 2020, ao site *Distrito*. Esse foco estratégico do iFood, com a adoção do modelo de full service para os restaurantes, deu novo impulso de crescimento ao negócio e criou uma forte barreira competitiva para novos entrantes. O modelo full service é uma única estrutura tecnológica completa que planeja, cria, executa e desenvolve a gestão de todo o projeto; no caso do iFood, compreende marketplace, CRM (Customer Relationship Management – Gestão de Relacionamento com o Cliente) e a logística de entrega.

Estratégia adaptativa é um conceito central para a Gestão do Amanhã e é o título de uma de nossas obras. Para que uma organização adote esse modelo, ela deve aliar uma estrutura estável que garanta a produtividade do negócio com outra mais flexível, responsável por catalisar iniciativas orientadas ao futuro do projeto.

O que é estável num negócio como o iFood? Pode-se reconhecer ao menos três pontos de estabilidade bastante salientes. Um é a visão de longo prazo dos investidores, muito clara nos vários acionistas – nos da Movile, bem como nos acionistas do iFood, como a Prosus e a Naspers, além do empresário Jorge Paulo Lemann, no caso da Just Eat Takeaway.

Outro ponto de estabilidade é o propósito, que também pode ser compreendido como o entendimento do verdadeiro negócio em que a empresa se encontra. Como comentou Carlos Eduardo Moyses, ex-CEO da empresa, esse propósito é "revolucionar a maneira como consumimos comida", associando isso a um conceito de vida prática e prazerosa. É um propósito socioafetivo, como define a página do iFood no site: "comer é celebrar em torno da mesa, com pessoas que amamos. É dar a volta ao mundo por meio de sabores e aromas. Para o iFood, comer é identidade e diz quem somos e como vivemos." E constitui algo prático no sentido de economizar o tempo do consumidor – seja tempo na cozinha, seja tempo de deslocamento ao restaurante ou supermercado. Com cada vez mais entretenimento à disposição e com o aumento da violência nas metrópoles, as pessoas ficam mais em casa. A pandemia só fez fortalecer tal tendência – até trabalhar é algo feito em casa. A previsão é de que prevaleça um modelo de trabalho híbrido, parte presencial e parte em home office, da década de 2020 em diante, e isso só tende a sedimentar esse novo hábito de alimentação. Sem mencionar o fato de que as gerações mais jovens, nativas digitais e mobile, valorizam ainda mais a praticidade do delivery.

O terceiro fator de estabilidade é a própria plataforma digital – seu aplicativo móvel ou o site na web – que funciona como uma coluna vertebral para todos os membros do ecossistema: produtores, restaurantes e consumidores. Os entregadores contam com um portal próprio, separado – o Portal do Entregador. É nessas plataformas que toda a comunicação acontece, é onde os relacionamentos fluem com a mediação tecnológica. Também há uma série de esforços do iFood para manter a estabilidade dos diferentes participantes da plataforma, o que também veremos mais adiante, na parte que trata de customer centricity. Quando essa estabilidade é afetada, a reação é forte. Por exemplo, em 12 de junho de 2020 – o Dia dos Namorados – em plena quarentena, o site ficou fora do ar. Espalharam-se, pela internet, queixas tanto dos consumidores, como dos restaurantes e até de entregadores. Outra evidência de que cultivar a estabilidade do ecossistema, fidelizando-o, é um imperativo, está no fato de o iFood adotar uma série de medidas em favor dos vários parceiros e mudar o modo de se apresentar – em vez de maior foodtech da América Latina, agora se diz o parceiro líder do ecossistema foodtech na América Latina.

E quais são as capacidades dinâmicas dessa startup-unicórnio? Elas podem ser resumidas na capacidade de inovação, percebida desde sua criação, em 2011, e cada vez mais potente ao longo dos anos, e na ambidestria, que sempre faz com que tenha um motor 1 de crescimento, dedicado a fortalecer os negócios que garantem o crescimento presente, e um motor 2, que visa encontrar os negócios que possibilitarão o crescimento futuro.

Estamos falando de inovar em amplo espectro – em soluções tecnológicas, na modelagem do mix de marketing, em modelo de negócio e de gestão. Se, na fundação, o iFood não tivesse se valido de uma inovação tecnológica que a distinguia da Restaurante Web, talvez a história contada hoje fosse diferente. Uma maquininha foi fundamental para a rápida adoção do iFood pelos restaurantes. Quando o consumidor fechava seu pedido no site, a descrição desse pedido saía impressa numa máquina localizada no restaurante, semelhante às usadas nas operações de cartão de crédito para imprimir os comprovantes da transação, sem necessidade de qualquer ação humana. Isso tornou o sistema não apenas muito confiável, como também escalável.

Mais uma inovação significativa aconteceu pouco depois, em 2012, quando o iFood lançou seu aplicativo móvel, focado no mercado de delivery, em vez de se limitar a um site na web. Este permitia o acesso ao sistema de pedidos, aos cardápios, aos preços, às formas de pagamentos e, inclusive, à geolocalização, que mapeia os estabelecimentos localizados na área de entrega desejada. Foi lançado, primeiro, em iOS e, depois, em Android. Não era mais preciso o consumidor estar na frente de um computador para encomendar sua refeição, dava para pedir uma feijoada em qualquer lugar e a qualquer momento, pelo celular.

A tecnologia ganhou a posição de protagonista na foodtech. Inicialmente, o iFood trabalhava como uma rede de terceiros integrada, para realização de pedidos online dos restaurantes. Com o tempo, a companhia entendeu que possuir tecnologia própria era fundamental, e investiu nisso. Pelo menos um quinto dos pedidos realizados utilizam toda a plataforma de vendas do iFood, passando pelo marketplace, pelo CRM e por entregadores próprios.

Exemplos complementares de inovação tecnológica incluem a integração pioneira do app iFood com a assistente virtual Alexa, em português (basta dizer "Alexa, abre o iFood") e o desenvolvimento, a partir de 2019, dentro de casa, de algoritmos de inteligência artificial, o que vai ser tratado com mais detalhes na parte de gestão de dados. Destacamos aqui, também, a entrega por drones, em 2020, e por robôs, em 2021, testados respectivamente em Campinas e Ribeirão Preto, cidades do interior de São Paulo, ambas com parceiros e em fase experimental. No fechamento deste livro, os experimentos pareciam estar se convertendo em operação diária: permissões de voo em outras rotas tinham sido requeridas pelo iFood e estavam em análise na Anac.

Os drones foram desenvolvidos com a Speedbird Aero e AL Drones, que receberam um certificado de autorização de voo experimental da agência reguladora de aviação civil, a Anac. O objetivo declarado pelo iFood com esses equipamentos voadores é, principalmente, dar apoio ao entregador, e não substituí-lo, até pela empresa não acreditar que seja higiênica, nem segura, a entrega, pelo drone, diretamente aos clientes. Trata-se de uma operação de modais. Por exemplo, a primeira parte da rota é feita com o drone, que parte do local dos restaurantes até o iFood Hub – o centro de distribuição onde os motoqueiros se localizam – e cada entregador faz a última parte do trajeto com moto, bike ou patinete. Isso serve para economizar o tempo de espera dos motoqueiros nos restaurantes.

Os robôs seguem mais ou menos a mesma lógica. Na Páscoa, foram testados num shopping center, levando as refeições da praça de alimentação para o iFood Hub, localizado ali perto – o percurso que o entregador fazia a pé, de 1,5 quilômetro, passou a levar quatro minutos. E há uma vantagem: esses veículos carregam um sistema de raios UV-C, que esteriliza as embalagens para evitar a disseminação do Coronavírus. A intenção é que os robôs circulem em shopping centers e grandes condomínios.

Para essas inovações, o iFood tem um sistema de pesquisa e desenvolvimento: o iFood Labs, que diz preparar "o futuro da comida, promovendo inovação em serviços, produtos e novos negócios", o que inclui o futuro da logística e visa impactar as futuras gerações. Isso inclui desde explorar boots, comandos de voz e canais diferentes – a fim de encontrar novas maneiras para as pessoas conectarem o iFood sem, necessariamente, precisarem de um celular para isso – até a conexão com os produtores rurais, para entender o percurso dos alimentos até as cozinhas dos restaurantes.

Os integrantes do iFood Labs trabalham com base em observação, pesquisa e teste para lançar novos conceitos, processos e produtos para a alimentação de hoje e de amanhã. É importante dizer que, para isso, eles reúnem e estabelecem diálogo entre todas as pontas da cadeia de produção e consumo de comida e, também, com instituições de pesquisa.

Ao se dedicar à invenção do futuro da comida e da logística, o iFood está tratando, como já deve estar claro para o leitor, de seu motor 2 de crescimento. Contudo, o motor 2 não se resume a isso. As aquisições são um importante investimento no futuro, desbravando novos mercados geográficos e de produtos. Outro movimento do qual já há indícios no iFood é o da diversificação de produtos entregues, como ocorreu com a Meituan, na China: o ingresso no mercado O2O, do online para o off-line. A lógica é: qualquer produto que pode ser carregado em uma moto – ou em outros veículos – pode ser vendido; não apenas comida. Os indicadores de um motor 2 direcionado a O2O no iFood são a inclusão de produtos de farmácias e de supermercado nas ofertas aos clientes.

Segundo Diego Barreto, VP de finanças e estratégia, o iFood não encara a estratégia como algo linear. A lógica é fazer a estratégia ir mudando para cumprir o propósito de atender cada vez mais rápido o consumidor que realiza o pedido, fazendo a entrega em 25 minutos, depois em 15 minutos... Isso vale para refeição, supermercado ou farmácia. É proveniente dessa lógica a iniciativa da empresa de começar a operar, ela mesma, supermercados, exclusivamente para fins de delivery, e não apenas se limitar a parcerias com supermercados existentes, já que esses têm um modelo operacional que não está preparado para realizar a entrega em 15 minutos. Em julho de 2021, Karla Godoy, executiva-chefe de operações do centro de inovação CESAR, comentou sobre esse assunto num evento da MIT Sloan Review Brasil, junto com Diego Barreto. "É como se, para oferecer uma melhor experiência ao seu cliente, o Airbnb tivesse começado a operar um hotel."

É interessante citar que a força da marca iFood dá respaldo à estratégia não linear da organização, seja ela direcionada ao mercado O2O ou não: segundo pesquisa da CVA Solutions, datada de junho de 2020, o serviço mais conhecido entre deliveries gerais de produtos (não só alimentícios) também é o iFood – 69% o conhecem ante 8% do segundo colocado, o Rappi, e 5% do terceiro, Lojas Americanas. Outros como Magazine Luiza e Mercado Livre vêm depois.

Sobre o fato de o iFood estar se tornando uma montadora de veículos – o que tem a ver com o futuro da logística (e o motor 2 de crescimento) – falaremos mais adiante.

CUSTOMER CENTRICITY

Existem dois tipos evidentes de clientes no ecossistema iFood: consumidores e restaurantes.

A startup nasceu pensando nos consumidores. Como fazer com que a experiência de pedir uma pizza uma vez por semana, sem o trabalho de cozinhar, fosse mais variada? A tecnologia está permitindo aprimorar essa experiência ao incrementar o valor dos produtos e serviços de forma inédita na relação das empresas com seus clientes, conseguindo aliar personalização com massificação. O resultado é que o tempo de entrega no iFood é de, em média, 27 minutos – menos do que preparar uma refeição em casa (o objetivo de 15 minutos está no horizonte). Além disso, o índice de satisfação dos clientes, o *Net Promoter Score* –

NPS (Net Promoter Score - Índice de Satisfação do Cliente), fica por volta de 70 a 80, enquanto o dos apps concorrentes está na faixa de 30, como diz o CEO Fabrício Bloisi.

Com o tempo, o iFood foi se centrando também nos restaurantes. De acordo com Sérgio Molinari, presidente da Food Consulting, o iFood já se relaciona com cerca de 20% de todos os estabelecimentos existentes no Brasil ao atender 270 mil deles. É interessante analisar o que o iFood oferece a esses dois públicos para ganhar sua preferência.

Podemos começar pelos restaurantes. Para participar da plataforma, o estabelecimento deve pagar uma mensalidade em torno de R$ 100 a R$ 130, além de comissão sobre o pedido, que varia de 12% a 23% conforme o serviço prestado – os valores foram reduzidos no período da pandemia, em 2021, para 11% e 18%, respectivamente, mas essa medida foi provisória. Em contrapartida, o iFood oferece diversos benefícios. Em primeiro lugar, a plataforma é, unanimemente, a que tem maior visibilidade (conforme demonstra a já citada pesquisa CVA Solutions). Os grandes investimentos em marketing, com garotos-propaganda que já incluíram a cantora Anitta e muita mídia programática, também são explicitamente citados pelos donos de restaurantes como um dos maiores atrativos.

Também a extranet da startup-unicórnio, o Portal do Parceiro, é considerada a mais fácil de implantar e manejar, permitindo fazer mudanças, conforme a necessidade.

O modelo de full service do iFood, já citado, traz a promessa de, além de a plataforma aumentar sua receita (a expectativa é aumentar o faturamento em até 50%), tornar sua gestão mais eficaz, o que potencialmente aumenta seu lucro. Vários outros serviços estão integrados à sua plataforma de relacionamento com restaurantes, como estes: iFood Shop (loja virtual focada em restaurantes que têm como propósito simplificar a compra de embalagens, ingredientes e diversos outros materiais), PDV eComanda (serviços de gerenciamento de vendas e controle de estoque que permitem melhorar a gestão da operação da loja; o serviço é gratuito pelos primeiros seis meses). Esse modelo também criou, ao longo do tempo, maneiras de gerar mais receita recorrente para os estabelecimentos parceiros, como os Super Restaurantes (aqueles que se sobressaem por quantidade vendida; agilidade e pontualidade na entrega, bem como a superavaliação dos clientes são destacados no aplicativo) e o iFood Loop (um esquema de entrega de marmitas na hora do almoço). Vale comentar, ainda, a fintech que o iFood criou, na linha do banking as a service, que faz empréstimos, antecipa recebíveis, abre contas digitais e outros serviços – em abril de 2021, a fintech já atingia a marca dos 100 mil clientes.

A pandemia de Covid-19 foi um grande teste de centralidade do cliente de restaurante para o iFood, porque esse segmento se viu mergulhado numa profunda crise por conta do isolamento social. Dados divulgados pela Associação Brasileira de Bares e Restaurantes mostram que 76,11% dos negócios demitiram funcionários. O iFood agiu para mostrar sua preocupação com a saúde do ecossistema e, em parceria com a Conquer, proveu uma série de cursos voltados à capacitação para gestores de bares e restaurantes. Alguns temas tratados foram: como vender matéria-prima parada, como gerenciar estoque e cardápio para diferentes turnos; como adaptar operações típicas de salão (por exemplo, um rodízio). Entre os módulos ofertados estão conceitos fundamentais para o momento, como marketing, finanças, economia participativa, além de novos negócios e mudanças no mercado pós-pandemia, segundo o blog NoAr. Todo o material ficará disponível, enquanto a crise da Covid-19 continuar.

O iFood ainda lançou um plano de fidelidade para os restaurantes, no qual eles conseguem planos de celular melhores e mais baratos, desconto de 40% no botijão de gás, seguros contra incêndios, danos elétricos e danos a mercadorias, além de assistência 24 horas. A plataforma também liberou R$ 200 milhões em empréstimos a 7 mil restaurantes parceiros, e a ideia era chegar a R$ 500 milhões emprestados até o fim do 2021, além de antecipar R$ 12 bilhões em pagamentos aos parceiros. Para isso, foram estabelecidas parcerias com bancos como o Itaú.

Agora, vamos entender um pouco mais sobre a customer centricity do iFood em relação aos consumidores. "Crescemos muito porque conseguimos oferecer um produto melhor, com mais inovação, com menos erro e mais rápido. Temos um nível de qualidade compatível com o dos melhores do mundo", declarou o CEO Bloisi, numa entrevista à *IstoÉ Dinheiro*, em abril de 2021. Durante a pandemia, o iFood soube atuar na dimensão socioafetiva. Por duas ocasiões, em setembro de 2020 e em janeiro de 2021, o aplicativo promoveu, virtualmente, sua Restaurante Week, versão online de um evento que acontece fisicamente em algumas capitais do país, que oferecia pratos a preços populares em restaurantes de primeira linha, pouco acessíveis ao grande público; o prato mais caro ficou abaixo de R$ 70.

Outro agrado ao público foi oferecer uma solução para a economia de baixo contato, que é prevista para ser acionada quando as pessoas forem presencialmente aos restaurantes: o sistema de autoatendimento "Na Mesa". Restaurantes que contratem esse serviço estarão no aplicativo, e os fregueses poderão consultar cardápios, fazer pedidos, acompanhar a preparação e pagar pelo próprio aplicativo sem contato físico com o garçom. O iFood fica com uma comissão de 3% e uma taxa de serviço de 1,9%, o que, comparativamente, é menos do que os 15% convencionais da taxa de serviço.

Assim, o iFood é democraticamente adotado em diferentes camadas da população. De acordo com um estudo do Instituto QualiBest, 53% dos usuários que utilizam aplicativos de entrega de alimentação pertencem às classes A e B, e 47% às classes C, D e E. Se há consumidores que se dizem insatisfeitos? Sim. Gostariam de não ter a cobrança de taxa de entrega, por exemplo. Contudo, o iFood ganhou prêmios do site "Reclame Aqui" na categoria "satisfação do consumidor", em 2020 e 2021.

Há um terceiro cliente no qual o iFood vem centrando seus esforços recentemente, que beneficia seus dois clientes principais: são as pessoas jurídicas, que vêm ganhando espaço na estratégia da startup. Surgiu o iFood Empresas, propondo "uma revolução na alimentação corporativa". A ideia principal do iFood Empresas é a criação de um método simples para pequenas e grandes empresas realizarem a gestão de demanda por alimentos em suas organizações, facilitando o controle dos gastos. Entre os produtos sob esse guarda-chuva estão o iFood Benefícios, um cartão que pode servir tanto como vale-refeição e/ou vale-alimentação, em parceria com a bandeira Elo. É interessante observar que o iFood entra muito agressivo nesse setor, pois não cobra taxas de pequenas e médias empresas, que costumam ter dificuldades para oferecer aos trabalhadores benefícios desse tipo, devido a custos elevados. Para o usuário, também não há taxas. O objetivo é trazer mais usuários para o ecossistema do iFood – é aí que está o ganho, o que remete à centralidade no cliente de restaurante.

Também para as pessoas jurídicas há o iFood Office, que objetiva eliminar os processos de reembolso relacionados à alimentação nas empresas por meio de um pagamento corporativo.

Os FoodLovers, como são chamados os cerca de 4 mil funcionários do iFood, têm várias frases que revelam a centralidade no cliente. "São vários anos dedicados a levar a melhor experiência para qualquer fome, em qualquer hora e a qualquer lugar." "Tudo isso só é possível, porque tratamos cada novo pedido como único e somos exigentes em todo o processo: entrega após entrega." "Todos os dias pensamos, executamos e testamos novas maneiras de levar a melhor experiência, desde o pedido até a chegada do prato, em qualquer hora e qualquer lugar."

AGILIDADE

Jet-ski. Essa é a curiosa analogia que o iFood faz para seus times multidisciplinares. A empresa gosta de dizer que segue as filosofias Lean e Agile, sendo o conceito "lean" ligado ao fato de minimizar riscos e desperdícios e maximizar o valor para o cliente, e a base do "agile", segundo a qual há interações com os clientes potenciais para ir construindo um produto passo a passo. "O iFood é como se fosse um grande barco, difícil de manobrar rapidamente. Então, dele saem jet-skis, que são os squads multidisciplinares que cuidam de novos produtos ou serviços, para serem testados e validados com mais agilidade, a fim de ver se pegam tração. Essa avaliação é feita por meio de KPIs. Damos um tempo para rodarem o jet-ski e, então, decidimos se colocamos um pouco mais de dinheiro ou se deixamos de lado." Quem contou isso foi Gustavo Mendes, diretor financeiro de planejamento estratégico e de M&A (fusões e aquisições) do iFood até janeiro de 2020, quando foi trabalhar na Prosus, na Holanda, num evento da organização de incentivo ao empreendedorismo intitulado Endeavor, realizado em setembro de 2019. Ele deu o exemplo do jet-ski que criou iFood Loop, o programa de entrega de marmitas somente durante o almoço. O squad foi validá-lo por meio de testes que todos da empresa fazem, em especial as pessoas de perfil mais empreendedor.

Como o iFood usa intensamente metodologias ágeis, sobretudo o framework Scrum, resolvemos dar um exemplo de dentro, de Roberta Castellano, uma profissional do design que escreveu sobre sua experiência no blog *iFood Tech*, dentro do Medium, em novembro de 2018. Citamos, a seguir, trechos do texto em que ela descreve sua entrada no time de design do iFood – inicialmente como designer de produto, logo depois, como user researcher, explicando como os preceitos de agilidade de lá têm o mesmo nome que em outras empresas, mas são diferentes:

> Uma nova forma de time me foi apresentada. Uma forma de trabalhar com tribos e squads, mas de uma maneira totalmente diferente à que estava acostumada. Aqui, a composição desses times é feita de acordo com a própria cultura e necessidades do ambiente, que está constantemente escalando e expandindo.
>
> Os termos são os mesmos, mas as relações e o agrupamento de profissionais com diferentes conhecimentos são mais dinâmicos. Antes, trabalhei com pessoas de áreas diferentes dentro de um ambiente focado só em uma parte da jornada do projeto ou produto. O resultado era mais autonomia em tomadas de decisão. Hoje, trabalho com profissionais de áreas relacionadas aos meus projetos e com designers de outras tribos e squads, lado a lado. O que dá ao time mais velocidade, alcance de conhecimento e trocas de experiências. Uma forma mais fácil de alinhar os produtos e dar o sentimento de pertencimento aos profissionais do mesmo ecossistema.
>
> Os OKRs que antes eram feitos baseados em decisões de negócio, com métricas buscadas posteriormente para entender os resultados, hoje funcionam da forma oposta. (Números e métricas aparecem primeiro, ao longo da operação, e as decisões são tomadas com base nelas.) Uma das primeiras características fortes com que me surpreendi no iFood é que todas as melhorias, alterações e novas features no produto são medidas em testes A/B. As decisões são tomadas com base em números. Os ciclos de planejamento são concebidos (com base) em conteúdos substanciais, como "controle do usuário" ou "confiança do usuário", e, a partir deles e de estudos de métricas, os times de produto, tecnologia e design se reúnem para definir os próximos desafios e projetos.
>
> Outra experiência nova que estou vivenciando é poder trabalhar com um content designer. Eu nunca havia parado para questionar a falta dessa função em um time de produto. Ele é o único personagem que conhece todo o fluxo da plataforma, que tem conhecimento de todos os cenários e sabe os pontos de contato com os usuários.

Agora, olhando para trás, vejo o gap que essa ausência (de um content designer no squad) gera, e a inconsistência que se forma quando diversos designers criam conteúdo e tom de voz em partes diferentes de uma mesma jornada. Ou quando essa responsabilidade fica na dependência de outra área da empresa, interferindo no trânsito das tasks e no desenvolvimento dos projetos.

GESTÃO BASEADA EM DADOS

No iFood há dados estruturados – ou seja, números – sobretudo. Em outras palavras, existem KPIs (KPI – Key Performance Indicator - Indicadores-chave de Desempenho) para tudo que se imagine – fazem-se dashboards (painéis com os KPIs) diários e semanais para toda a empresa e para áreas; dificilmente alguém passa um dia sem abrir o Excel.

"Nossas pesquisas se baseiam em fatos. Dados de mercado, experiências, casos de uso dos clientes, entrevistas com stakeholders e especialistas que contribuem com uma base sólida", dizem os designers do iFood Labs. A empresa já conta, faz tempo, com uma estrutura de dados. Já citamos seu CRM, e o fato é que a demanda de processamento de volumes de dados vem ficando cada vez maior ao longo dos anos. Iniciativas de inteligência artificial (IA) estavam sendo usadas na companhia, basicamente, para responder às perguntas das áreas de negócios, mas sem serem centralizadas, procedimento que se tornou insuficiente.

Então, em 2019, o iFood decidiu criar sua Academia de Inteligência Artificial, com foco no desenvolvimento de pesquisas nas áreas de machine learning, deep learning, eficiência logística e outras relacionadas ao ecossistema da companhia. E contou com os serviços em nuvem da AWS para o fornecimento de informações, em tempo real, para suas diversas operações, alimentando os algoritmos e apoiando as decisões do board da empresa, como explicou Sandor Caetano, Chief Data Scientist do iFood, num estudo de caso publicado no blog da AWS, em 2020. As simulações dos algoritmos são realizadas no ambiente da AWS e, uma vez comprovadas, os modelos são colocados em produção. Isso requereu um investimento de US$ 20 milhões, parte de um aporte feito pelos acionistas em 2019. E, agora, a empresa está ficando mais data-driven do que nunca.

Nessa ampliação do uso de algoritmos, uma das primeiras áreas endereçadas foi a de Logística. Para dizer ao cliente quanto tempo o prato levará para ser entregue, o iFood conta, hoje, com um simulador de rotas, por meio do qual é possível analisar diferentes parâmetros de operação, de acordo com os dias de semana e horários. O mesmo vale para as listas de recomendação para os clientes. O aplicativo do iFood recomenda restaurantes e pratos de acordo com o gosto do usuário por meio de seus modelos matemáticos. Segundo Caetano, desde que os algoritmos passaram a ser utilizados, a entrega com pontualidade subiu de 80% para 95%. Na área de logística, a distância percorrida pelos entregadores foi reduzida em 12% graças à otimização das rotas, e o tempo ocioso desses profissionais foi reduzido em 50%.

Para ajudar os consumidores em suas escolhas, são previstos outros usos de IA. Um é para melhorar a imagem dos pratos que os restaurantes colocam no aplicativo; o outro para agregar dados na descrição dessas imagens, possibilitando ao cliente identificar os ingredientes dos pratos.

Uma nova fronteira é a do atendimento por voz combinado com a inteligência artificial, como informa o vice-presidente de Inteligência Artificial e Crescimento do iFood, Bruno Henriques. Segundo ele, a enorme base de dados capturada pelo aplicativo permitirá criar a experiência automatizada para o consumidor. "Cada cliente terá um menu personalizado e o assistente de voz acionará o que cada um gosta", prevê. O iFood quer ser o app pioneiro a usar recomendações de restaurantes e pratos baseadas em curadoria e comportamento de uso com machine learning.

CULTURA ORGANIZACIONAL

A cultura iFood se baseia principalmente no propósito de revolucionar a maneira como consumimos comida, como vimos. Às vezes, a palavra "tecnologia" é citada para explicar esse propósito, como nesta frase (mas note que é acompanhada do verbo "humanizar"): "unimos tecnologia e alimentação para humanizar relações, trazer mais praticidade e saúde às refeições".

A missão, segundo o site da empresa, é ser a maior e melhor plataforma de delivery da América Latina, dando ao consumidor mais opções e agilidade na hora de pedir comida (de fato, no blog da Movile, o termo "crescimento" é apresentado como uma palavra-chave da organização, que tem a ver com essa missão de ser o maior player da América Latina em seu segmento). A visão foca em ser uma empresa brasileira que aproxima clientes, restaurantes e entregadores de forma simples e prática, proporcionando uma experiência incrível a cada um deles. E os valores? Eles se resumem numa frase: "I'm a lover" (eu sou um amante, em português). É um acróstico, em que cada letra inicial das palavras dessa frase remete a um termo que representa os valores, em inglês: Innovation (inovação), Meritocracy (meritocracia), All together (todos juntos), Lean (enxuto), Operation excellence (excelência operacional), Versatility (versatilidade), Entrepreneurship (empreendedorismo) e Results (resultados).

Existe uma redundância entre os conceitos de propósito, missão, visão e valores, e provavelmente é proposital. Contudo, vamos detalhar um pouco os valores, de acordo com o que Gustavo Mendes comentou no evento da Endeavor. Embora esses valores sejam autoexplicativos, todos contêm detalhes importantes. Innovation, por exemplo, significa, principalmente, autonomia – dar liberdade total para as pessoas inovarem dentro da empresa. All together remete a uma estrutura horizontal, apoiada no trabalho colaborativo de squads multidisciplinares, onde deve haver comunicação com transparência, incluindo feedback aberto; o desejo de horizontalidade se aplica a todo o ecossistema foodtech. Já o conceito Lean é resumido como simplicidade na operação, enquanto Operational Excellence significa estar sempre pensando em como fazer as coisas de um jeito melhor. Para explicar Versatility, Mendes usou o exemplo de uma PMO, como é chamada a líder de um squad: os squads no back office não estavam se comunicando bem e ela se dispôs a fazer todo mundo conversar, criando fóruns básicos, semanais. Juntando pessoas de marketing, de tech, do jurídico, etc., numa sala. Ela foi versátil, ao ser PMO e, ainda, uma conectora. Essa postura também está conectada ao Entrepreneurship, pois demonstra o espírito empreendedor valorizado na organização. E o Results está tangibilizado em toda orientação para resultados da empresa que se expressa, sobretudo, no destaque que os Indicadores de Desempenho recebem em todos os fóruns da companhia.

A frase "I'm a lover" remete aos food lovers, amantes da comida, como são denominados os funcionários do iFood. Todo food lover sabe que tem de amar duas coisas: matar a fome e os números. O que tem tudo a ver, respectivamente, com a cultura de inovação (para matar a fome) e de aprendizado (a partir dos números), como tratamos em nosso livro *O Novo Código da Cultura*. E isso é reforçado culturalmente por rituais e símbolos.

Um exemplo de ritual está no fato de os FoodLovers serem incentivados a vivenciar a experiência da plataforma. É muito comum, na hora almoço, as mesas ficarem cobertas de comidas pedidas pelo iFood. Na hora do lanche, idem, e tudo pode – de pipoca à banana.

Exemplos de símbolos têm a ver com os escritórios do iFood, seja em Jundiaí, Campinas, São Paulo (Vila Hamburguesa) ou Osasco. O iFood foi crescendo no condomínio de casas da Vila Hamburguesa, ocupando os espaços vizinhos e, ao expandir o ambiente, foi derrubando as paredes que separavam as diferentes casas. "Hoje, a única porta é a do banheiro. A falta de paredes e as mesas de trabalho sem dono são símbolos fortes da cultura colaborativa e horizontal do "all together". Muita gente prefere trabalhar no espaço externo, com mesas para trabalhar e sofás para reuniões, entre os jardins, que todos associam com simplicidade. A televisão e os videogames à disposição dos funcionários servem para lembrar que cada um é dono do seu próprio tempo e cada um pode administrar como divide o dia entre trabalho e descanso", relata Tiago Luz, o diretor de RH. As conquistas são celebradas com champanhe fora da pandemia, nas happy hours mensais.

A cultura iFood, como acontece com todas as culturas organizacionais fortes, está na coerência de atitude. Lembra-se do fator transparência associado ao valor "All together"? Ele significa transparência total em relação à estratégia e, também, em relação aos problemas. Vale contar sobre os dois momentos em que isso foi posto à prova, em junho de 2020, no já citado problema que aconteceu no Dia dos Namorados, quando o sistema falhou por duas horas. No sábado, 13 de junho, o iFood divulgou um comunicado nos seguintes termos: "Essa falha não impactou apenas clientes. Restaurantes deixaram de receber pedidos e entregadores tiveram menos entregas para fazer. Por isso, gostaríamos de pedir desculpas a todos. Nós erramos e sentimos muito", afirmou a empresa.

Uma semana depois, o iFood divulgou, por meio de sua assessoria, que passou por um problema de atualização com duração de cerca de 30 minutos, intervalo durante o qual o sistema exibiu dados pessoais dos usuários de maneira aleatória. A empresa prestou conta de que os dados referentes a cartões de crédito e outros meios de pagamento ficam gravados apenas nos dispositivos dos próprios usuários e, não sendo armazenados nos bancos de dados da plataforma, não havia risco de vazamento. Garantiu, ainda, que todos os usuários impactados estavam sendo comunicados do ocorrido, um por um. Além disso, pôs-se à disposição das autoridades para mais esclarecimentos.

É importante entender que, desde 2018, a cultura iFood vinha se modificando em relação à responsabilidade socioambiental, atitude que talvez tenha atingido seu ápice na pandemia. Em abril de 2021, Fabrício Bloisi deixou isso claro numa entrevista à revista *IstoÉ Dinheiro*: "XP e Magazine Luiza (são) a inspiração para o Brasil continuar a crescer. O fato de essas companhias abordarem assuntos como necessidade de impacto social e de apoiar o ecossistema e a sociedade é visto como incentivo ao desenvolvimento... Nos últimos quatro meses, o iFood passou a discutir como contribuir mais com a sociedade, por meio de um movimento chamado Educação, Meio Ambiente e Inclusão", contou ele. No front social, a empresa se comprometeu a contribuir para educar 10 milhões de pessoas até 2025, priorizando entregadores, parceiros, pessoas negras e quem vive na periferia das cidades, entre os quais 25 mil profissionais de tecnologia. Também lançou uma iniciativa nacional junto ao Sebrae, "Compre do Pequeno", em que oferece cursos de desenvolvimento profissional a funcionários – e familiares – de restaurantes parceiros e orientações aos donos dos estabelecimentos.

E, no front ambiental, a foodtech resolveu se tornar uma montadora de veículos, fato sobre o qual fizemos um certo suspense algumas páginas atrás. Em março de 2021, o iFood deu a partida em seu programa Regenera, com investimento de R$ 100 milhões, para ser neutra em carbono até 2025 – em 2021, contabilizava 128 mil toneladas anuais de emissões. Em parceria com a Voltz, anunciou que investir na construção de uma fábrica de motos elétricas no Brasil, sendo que 30 motos estavam sendo testadas por entregadores no fechamento deste livro. A expectativa é alcançar 10 mil unidades no primeiro ano e 100 mil até 2025. A foodtech também informou que abrirá uma linha de crédito especial aos entregadores para a aquisição do veículo.

A foodtech informou que fechou um acordo com uma fazenda solar, para vir a fornecer energia aos restaurantes parceiros – o projeto piloto será iniciado nos próximos dias com 500 estabelecimentos. E também deve investir nas cooperativas de reciclagem, para melhoria de suas estruturas e maquinários, e na construção de uma nova central de triagem semimecanizada, em São Paulo, que tem potencial para aumentar as taxas de reciclagem na cidade e a renda dos cooperados. Quem contou sobre esses movimentos foi Gustavo Vitti, vice-presidente de Pessoas e Soluções Sustentáveis da foodtech, em entrevista ao site Um Só Planeta, em março de 2021.

LIDERANÇA

Lembra-se do robô que rodou no shopping de Ribeirão Preto na Páscoa de 2021? Na verdade, é a robô. Foi batizada de Ada, em homenagem a Ada Lovelace, a primeira programadora mulher da história, por sugestão de uma funcionária em um concurso feito entre os FoodLovers. Trata-se de uma pequena amostra do engajamento dos FoodLovers. Não à toa, o iFood recebe avaliação de cinco estrelas no Glassdoor, o site que faz o rating dos empregadores e no qual as pessoas não precisam ser expostas – e, assim, não precisam faltar com a verdade. Entre os depoimentos que alguns FoodLovers deram em entrevistas, destacam-se comentários sobre a oportunidade de trabalhar ao lado de profissionais de grande capacidade, a possibilidade de crescer, uma vez que as coisas acontecem numa velocidade absurda, proporcionando aprendizado rápido, e a chance de fazer a diferença.

Além do brutal engajamento, há três peculiaridades do iFood que merecem ser observadas: o uso frequente de testes de personalidade como ferramenta de engajamento e mudança, a promoção da diversidade (e do curioso distanciamento em relação à formação acadêmica) e o tipo de liderança de uma organização horizontal.

Quem conta sobre o MBTI (Myers-Briggs Type Indicator), teste que identifica características e preferências pessoais do time, é o Gustavo Mendes. "Usamos isso como ferramenta para promover mudanças e para estimular o engajamento, além de entendermos as limitações e as potencialidades de cada um". Esse comportamento orientado a dados e adoção de ferramentas tecnológicas está muito relacionado ao Líder Algorítmico, perfil de liderança identificado em nossos estudos que representa a conexão do líder com um pensamento dirigido por todo potencial da tecnologia.

Diversidade e inclusão, tão próprias das empresas de tecnologia e das mais inovadoras, têm sido elementos cada vez mais importantes nos processos de recrutamento e seleção do iFood. Em maio de 2021, 37% dos cargos de liderança eram ocupados por mulheres e esse percentual caía para 26% quando se pensa em liderança sênior. Os negros respondiam por 29% do quadro de funcionários da empresa e ocupavam 19% dos cargos de liderança. Contudo, em 20 de maio de 2021, a foodtech anunciou uma radicalização de D&I (Diversidade e Inclusão), com metas ousadas para 2023, daqui a dois anos. Eles querem: mulheres em 50% dos cargos de liderança em geral e em 35% dos postos de alto comando, negros em 30% dos cargos de liderança e como uma fatia de 40% do total de vagas da empresa. Mais do que isso: querem influenciar os restaurantes e outros estabelecimentos parceiros a fazer o mesmo, e estavam conduzindo uma pesquisa para obter um retrato da diversidade em seu ecossistema. Outro tipo de diversidade, curioso, está presente no iFood: lá é muito comum que pessoas trabalhem em áreas bem diferentes da sua formação acadêmica.

Quanto à liderança em uma organização horizontal, a definição dada por Mendes nos traz muitos insights. "Como líder, você tem que ter capacidade de ligar e desligar as chavinhas de quando precisa tomar mais risco, ou de quando precisa ser mais rígido no detalhe. Ser inovador e ter excelência operacional pode parecer ser antagônico; sem dúvida é difícil, porque exige um autoconhecimento muito bom", explicou ele. Essa perspectiva está muito alinhada com um dos perfis de liderança que temos evidenciado em nossos estudos, intitulado de Líder Ambidestro, reconhecido por aquele que consegue equilibrar seu foco na eficiência operacional da companhia, ao mesmo tempo em que garante a longevidade da organização por meio do fomento de iniciativas inovadoras que compreendem um maior risco para a operação.

Por fim, não podemos deixar de falar dos entregadores, importantes membros do ecossistema que são funcionários sem ser (profissionais típicos da economia compartilhada). O iFood contabilizava, em abril de 2021, 160 mil entregadores, e a expectativa era encerrar o ano com 250 mil, e o crescimento de 100% do faturamento. Um entregador tem um salário médio R$ 1.648, considerando bônus e remunerações extras, segundo o Glassdoor superior, ao salário mínimo, então fixado em R$ 1.100 – de acordo com essa mesma fonte, há ganhos de até R$ 10.716. Como não há vínculo empregatício entre eles e a empresa, essa relação é objeto de muita controvérsia. Contudo, ele recebe vários benefícios, como se vê no Portal do Entregador do iFood: seguro contra acidentes, seguro da moto, desconto em plano de saúde e cursos 100% financiados pelo iFood – entre os quais, desenvolvedor de software júnior. Na pandemia, foi acrescido a isso um seguro de vida para Covid-19. Fabrício Bloisi concorda que tem o desafio de manter a segurança de quem trabalha, além de garantir a seguridade social. "Somos favoráveis à regulação que garanta melhores condições às pessoas. Só que o preço disso não pode ser travar ou matar a indústria. A lei tem de ser modernizada. Inovação exige flexibilidade." Bloisi acrescenta que oito em cada dez entregadores dão notas 8, 9 ou 10 à foodtech. Temos enfatizado a importância de o líder assumir o papel de gestor de ecossistema na construção de plataformas com potencial de crescimento exponencial. Ao inserir os entregadores como eixo central em sua estratégia, mesmo sem uma relação formal de trabalho, o iFood zela pela sustentabilidade atual e futura de seu ecossistema.

O TESTE DO CRESCIMENTO EXPONENCIAL

Segundo Gustavo Mendes, diretor financeiro, declarou ao site da *Endeavor*, em 2019, o iFood vem crescendo exponencialmente desde sua criação, na base de três dígitos todos os anos. Nunca foi fácil para o iFood manter sua Gestão do Amanhã, porque é difícil gerenciar e operar bem quando o crescimento é grande e rápido.

Porém, nos anos da pandemia, o desafio aumentou. "O iFood é um dos que mais sofrem, pois tem uma fatia de mais de 80% desse mercado", afirmou a especialista Cristina Souza, CEO da GS&Libbra. A consultora conta, inclusive, que, num determinado momento, o aplicativo passou a segurar a entrada de novos restaurantes na plataforma, deixando alguns na fila de espera.

Qual é a resposta dos líderes do iFood a tamanho desafio? Com a palavra, Fabrício Bloisi: "Nossa cabeça é de Big Tech, de grandes empresas de tecnologia que entram em novos segmentos com inovação, mudanças rápidas e investimento. Em 2021, o iFood deve investir R$ 800 milhões em inovação, ajudando esses setores a amadurecer, crescer e melhorar os serviços". Ou seja, eles vão continuar nesse ritmo louco. Ou até acelerá-lo ainda mais. "Esperamos entrar em novos países também, mas não posso falar exatamente onde. É mais para daqui a um ano. Queremos ser líderes globais e vamos buscar isso."

Bruno Henriques, vice-presidente de Inteligência Artificial e Crescimento do iFood, detalha a busca mencionada por Bloisi: "Nossa visão para o iFood é usar inteligência artificial para ajudar a alimentar 10 bilhões de pessoas no mundo. E alimentá-las três vezes por dia."

Tenha acesso ao Talk que realizamos com Allan Costa, empreendedor, investidor e profundo conhecedor do empreendedorismo digital que nos traz uma perspectiva complementar sobre o iFood por meio de sua visão e experiência.

QUESTÕES ESTRATÉGICAS PARA REFLEXÃO

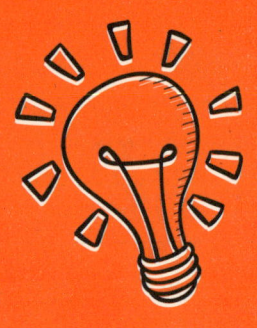

Estruture um grupo de estudo onde todos os participantes deverão ler e estudar o caso. A partir dessa leitura, organize reuniões de cerca de 60 minutos com, no máximo, 8 participantes, para aprofundar discussões como:

1 Um ponto fundamental na evolução da plataforma iFood é que ela evolui de acordo com a visão de propósito da companhia, definida para revolucionar a maneira como consumimos comida, associando isso a um conceito de vida prática e prazerosa. Faça uma reflexão sobre qual é o propósito mobilizador de sua organização. Ele é explicitado de forma clara e transparente para todos na organização? Estruture possibilidades concretas de utilizar essa visão como elemento orientador da evolução do seu negócio.

2 Quando pensa na estratégia de centralidade de cliente, o iFood considera dois públicos-chave: os consumidores finais e os restaurantes. Todas as iniciativas são derivadas a esses púbicos e recebem uma visão específica de acordo com suas demandas particulares. Realize um diagnóstico sobre quais são os públicos-chave de seu negócio. Promova uma discussão visando analisar e estruturar mecanismos para incrementar a experiência de todos esses agentes com sua empresa.

3 A analogia dos jet-skis simboliza como o iFood consegue ter um sistema ágil sem perder o foco na evolução de seu negócio essencial (representado, na metáfora, como um grande barco). Promova um debate sobre como seria possível adotar esse modelo em seu negócio. Quais seriam as frentes que podem ser definidas como jet-skis e quais seriam os recursos necessários para que elas evoluam adequadamente e com vigor?

4 Na ampliação do uso de algoritmos no iFood, uma das primeiras áreas a ser impactada foi a de Logística. Por meio de análises de dados, a companhia consegue obter a maior produtividade possível na gestão logística de sua rede. Como sua organização utiliza os dados para obtenção de maior produtividade nas suas áreas de suporte como Logística, Operações, Produção, etc.? Realize uma reflexão sobre como um sistema de gestão baseado em dados poderia aprimorar a produtividade de seu negócio, ao mesmo tempo em que promove uma experiência superior a seus clientes.

5 Os valores da cultura do iFood estão claros e são definidos na frase "I'm a lover". Com essa visão sendo disseminada constantemente por meio de uma comunicação ostensiva, todos os colaboradores têm a adequada percepção sobre o que é valorizado naquele contexto. Quais são os valores da sua organização? Eles estão adequadamente explicitados e são de conhecimento de todos? Reflita sobre esse sistema e como poderiam ser desenvolvidas iniciativas concretas visando fortalecer seu entendimento por toda organização.

6 O engajamento dos colaboradores do iFood é um dos elementos centrais em seu modelo de liderança. Promova uma reflexão para se aprofundar nos elementos adotados pelo iFood que fizeram com que a empresa conquistasse essa posição. Reflita sobre esses elementos e trace um paralelo sobre quais modelos podem ser adotados em sua empresa para aumentar o engajamento dos seus colaboradores com o negócio.

SUGESTÃO DE DINÂMICA SOBRE O CASO

Os 5 Passos para Montar um Squad

A agilidade tem um significado estratégico para o iFood e, desde sua fundação, esteve no centro de sua evolução. A organização adota métodos ágeis em seu sistema de gestão, que são a base para o desenvolvimento de soluções com rapidez e assertividade.

Um dos métodos ágeis mais populares é o Squad, estruturado dentro do Spotify, que consiste em dividir equipes em pequenos grupos multifuncionais com autonomia para definir prioridades para determinado projeto, produto ou inovação, e que possuem responsabilidades de ponta a ponta.

Geralmente, um squad consiste em uma equipe formada por 4 a 10 profissionais que possuam know-how suficiente para desenvolver uma solução ou projeto, do início ao fim, visando aumentar a capacidade de execução interna e minimizar a dependência externa do grupo.

De acordo com Nicolas Giffoni, do Instituto de Educação por Experiência e Prática, você pode montar um squad seguindo os seguintes passos:

1 SELECIONE UM DESAFIO IMPORTANTE PARA SER RESOLVIDO

Um squad deve começar a partir de um problema importante, um projeto estratégico ou uma necessidade de inovação. Não fazemos squads somente por fazer, mas para garantir que times tenham a autonomia e o nível de agilidade e execução necessários para desenvolver um projeto específico. Um bom exercício para avaliar a necessidade da formação de um squad é se perguntar: qual projeto, inovação ou produto da nossa organização necessita de uma equipe que tenha alto grau de autonomia e agilidade?

2 COLOQUE AS PESSOAS CERTAS E MINIMIZE AS DEPENDÊNCIAS EXTERNAS

Após identificada a necessidade de implementação de um time multidisciplinar na sua organização, você deverá partir para o segundo passo: garantir que as pessoas certas estejam neste time. Essa etapa é essencial, uma vez que estamos visando montar um time que seja capaz de resolver o desafio de ponta a ponta. Assim sendo, devemos analisar quais são as pessoas que precisam estar nesse time, para que ele tenha a agilidade necessária para o sucesso. Quanto menor a dependência externa, maior será a agilidade do time. Além disso, é desejável que as pessoas escolhidas tenham tempo para desenvolver o projeto e, de preferência, que estejam dedicadas a ele em tempo integral. Com as pessoas selecionadas, partimos para a definição dos papéis dentro do time. O alinhamento é crucial para que as pessoas entendam suas responsabilidades, evitando, assim, os ruídos durante a execução. Lembrando que o grupo de trabalho não pode ser tão grande variando, de acordo com as demandas do projeto, de 4 a 10 pessoas.

3 CAPACITE AS PESSOAS E ALINHE O MÉTODO DE TRABALHO

O funcionamento dos squads é pautado nos princípios ágeis. E, nesse sentido, é importante ressaltar que, quando falamos de agilidade, não estamos falando de um método específico como o Scrum ou Kanban, mas de uma mudança de mentalidade. Porém, não podemos esperar que as pessoas consigam desenvolver esse mindset sozinhas, e de uma hora para outra. Para que isso realmente aconteça, é necessário que seja feito um trabalho com a equipe, envolvendo treinamentos, para que entendam que ser ágil é sobre "ser capaz de gerar o dobro do valor com a metade do trabalho" (Stephen Denning). Assim, para garantir uma boa execução, é essencial que a organização capacite as pessoas para a melhor absorção da filosofia ágil. Em seguida, deve ser feito um alinhamento com o time sobre o método de trabalho, ou seja, sobre quais cerimônias serão feitas, quais serão os horários de reunião, os valores e comportamentos desejados, entre outros.

4 REALIZE UM PLANEJAMENTO ÁGIL

Com as pessoas certas alinhadas para resolver os problemas certos, podemos começar a planejar o trabalho do squad. O planejamento tem início no entendimento claro de qual é o objetivo do time, qual é a sua missão e para quem ele irá entregar valor (cliente). Em seguida, deve ser planejado o escopo na figura de um Product Backlog: uma lista ordenada e emergente de tudo que precisa ser feito para resolver o desafio em questão. Dessa forma, faça uma grande lista com todos os itens centralizados, agregando todas as demandas que acredita serem importantes para o projeto ou desafio escolhido. Vale ressaltar que o foco no cliente é parte essencial da filosofia ágil. Portanto, essa ênfase já deve começar no planejamento do escopo de trabalho de um squad. Squads planejam o seu backlog de entregas por meio da priorização do que gera mais valor ao cliente.

5 EXECUTE DE FORMA ÁGIL

A execução do trabalho acontece por meio de métodos ágeis que permitem a entrega de valor em ciclos curtos de execução, planejamentos periódicos e constante melhoria do time. Os squads entendem que o feedback do cliente faz parte de seu ciclo de aprendizado. Portanto, deixam o escopo flexível para que o time possa priorizar e sempre fazer aquilo que é o mais importante para o cliente. Trata-se da ênfase de sempre antecipar e maximizar o valor que o time pode gerar ao cliente.

Como o squad aumenta a agilidade da equipe?

- Basta observar o modelo como o squad é construído, o que deixa claro como ele torna os processos mais ágeis. Primeiramente, com um grupo menor, é eliminada boa parte da burocracia que ocorre nos modelos mais tradicionais.

- Mais um efeito claro é na comunicação. Como ela tende a ser restrita ao squad, também com menos pessoas, existem menos ruídos. Todo mundo entende claramente o que precisa ser feito, sem a necessidade de tantas reuniões intermináveis.

- Também é uma grande vantagem que a equipe se sinta mais engajada no projeto e no seu sucesso. A colaboração vai além das habilidades, o que significa que ninguém fica parado por não ter o que fazer. Isso cria um ambiente colaborativo e aumenta a aproximação da equipe.

- Por fim, o squad acaba conferindo ao time um grande avanço na execução. É nítido que os times começam a ter uma vazão maior de entrega, gerando valor mais rápido ao cliente.

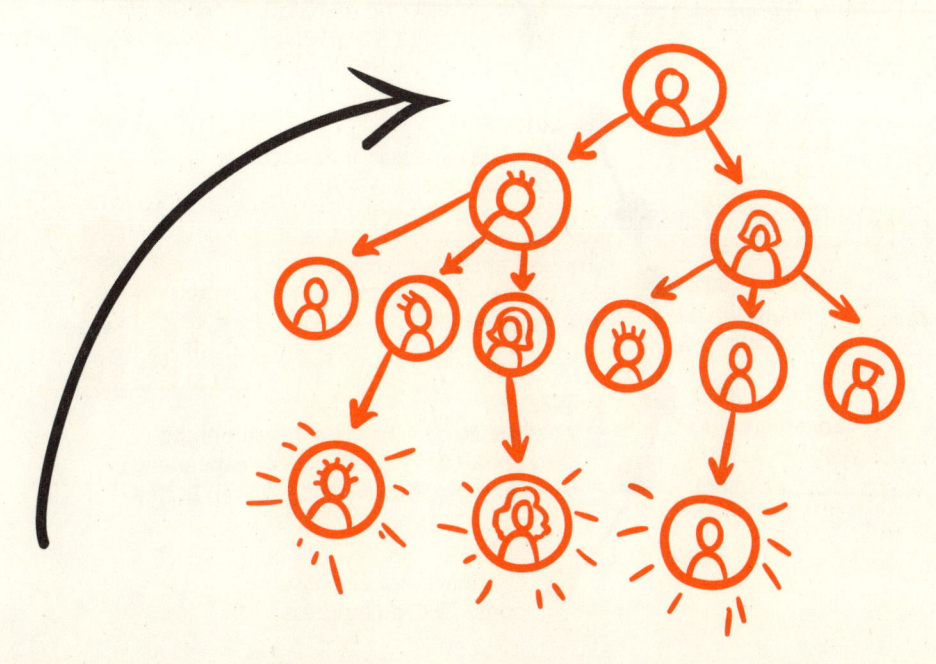

Linha do Tempo Nubank

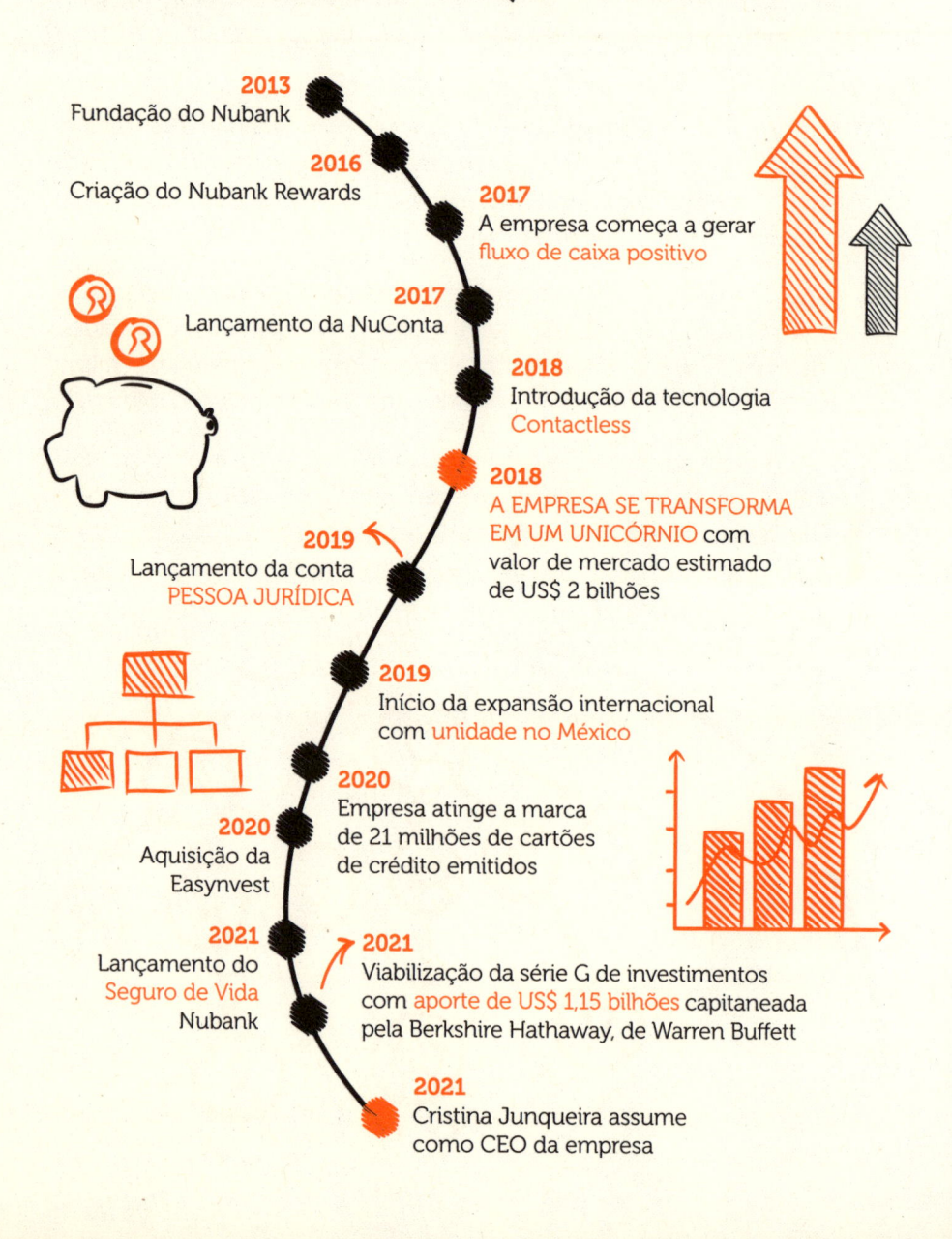

2013 — Fundação do Nubank

2016 — Criação do Nubank Rewards

2017 — A empresa começa a gerar fluxo de caixa positivo

2017 — Lançamento da NuConta

2018 — Introdução da tecnologia Contactless

2018 — A EMPRESA SE TRANSFORMA EM UM UNICÓRNIO com valor de mercado estimado de US$ 2 bilhões

2019 — Lançamento da conta PESSOA JURÍDICA

2019 — Início da expansão internacional com unidade no México

2020 — Empresa atinge a marca de 21 milhões de cartões de crédito emitidos

2020 — Aquisição da Easynvest

2021 — Lançamento do Seguro de Vida Nubank

2021 — Viabilização da série G de investimentos com aporte de US$ 1,15 bilhões capitaneada pela Berkshire Hathaway, de Warren Buffett

2021 — Cristina Junqueira assume como CEO da empresa

CASE NUBANK
PROPÓSITO INCLUSIVO MASSIVO

EM ABRIL DE 2021, O MUNDO FOI SURPREENDIDO PELA *TIME MAGAZINE*. Conhecida por suas listas das 100 pessoas mais influentes do planeta, que todo ano é aguardada, e tida como referência em vários países, a lendária publicação americana resolveu lançar, pela primeira vez, uma relação de 100 empresas mais influentes. Trata-se, segundo o editorial, das empresas que estão moldando o futuro, avaliadas pelos critérios de relevância, impacto, inovação, liderança, ambição e sucesso. E o Brasil foi surpreendido pela inclusão de uma empresa fundada aqui nessa lista: o banco digital Nubank. O mercado financeiro global também foi surpreendido porque, no segmento de serviços financeiros, países como Singapura, Austrália, Estônia e Reino Unido têm sido considerados construtores de futuro.

Qual foi a razão para a *Time* escolher o Nubank? A mais ressaltada foi a promessa da fintech de "incluir os desbancarizados", que, no Brasil, são um contingente de 45 milhões de pessoas, numa população de 210 milhões, promessa essa que vem sendo cumprida. Sua base de clientes já chegava a quase 40 milhões em junho de 2021 – a maioria ainda não é de desbancarizados, naturalmente, mas, a julgar pelo percentual de pessoas que tiveram o cartão de crédito Nubank como o primeiro de sua vida (20% desse universo), não é demais inferir que ao menos 10% desse público tem uma conta digital pela primeira vez. Só por conta do recebimento do auxílio emergencial do Governo Federal durante a pandemia, 465 mil clientes abriram conta no Nubank.

A fintech encerrou 2020 com um total de R$ 29,6 bilhões em depósitos, valor 100% maior do que o registrado no final de 2019, e 21 milhões de cartões de crédito. De acordo com um levantamento do Banco Mundial que mede a inclusão financeira, o *The Global Findex Database*, feito em 2017, os principais obstáculos à bancarização dos brasileiros são os altos custos envolvidos (20%), a distância de agências bancárias (11%) e a documentação requerida (7%). Todos esses pontos são endereçados pelo modelo do Nubank, segundo a percepção do público. Um movimento ousado feito em junho de 2021 deve acelerar a penetração do Nubank entre os desbancarizados: a cantora Anitta passou a integrar o conselho de administração da companhia. Isso não apenas leva o marketing da empresa a outro nível, já que a artista é uma das maiores influenciadoras em redes sociais do planeta (é presença constante no ranking *Social 50* da revista *Billboard*), como também tem a inteligência de aproveitar o conhecimento profundo que Anitta possui sobre o Brasil e o público de mais baixa renda do país.

Porém, não se trata mais apenas de clientes brasileiros. A própria Board Member Anitta também tem carreira forte na América Latina – tanto que postou em suas redes sociais uma mensagem em espanhol sobre sua conexão com o Nubank. O movimento de internacionalização deve ir muito além das operações no México e na Colômbia – David Vélez se tornou seu CEO global para cuidar especificamente disso. É preciso destacar que a entrada de Warren Buffett no capital da empresa, com US$ 500 milhões, deveu-se, em parte, ao potencial do mercado brasileiro e em parte às perspectivas de internacionalização do Nubank.

A chegada de Buffett enviou várias mensagens, aliás. Isso porque o bilionário americano, tido por muitos como o mais afiado investidor do mundo, é considerado razoavelmente conservador em suas aplicações, e não é um investidor habitual em ativos brasileiros. Provavelmente, Buffett enxergou o mesmo propósito transformador que a *Time* viu, porém ele também deve ter visto o sistema organizacional do Nubank, do qual tratamos neste material. Se, para incluir o Nubank na lista das empresas mais influentes do mundo, a *Time* levou em consideração o propósito dessa empresa e os resultados alcançados, nós a consideramos como a empresa que conseguiu transformar, de modo consistente, seu propósito nos resultados produzidos.

Então, repassaremos brevemente a história do Nubank para, então, analisar, em detalhes, os Building Blocks de seu sistema organizacional.

Concebido na porta giratória, nascido na Califórnia

A startup Nubank nasceu em 2013, no número 492 da rua Califórnia, no Brooklin, zona sul de São Paulo, em um antigo sobrado alugado que uma reportagem descreveu assim: "com paredes esburacadas, móveis velhos, tacos soltos e jeitão vintage". O escritório ficava no térreo e a parte superior funcionava como um "lar doce lar", já que os empreendedores trabalhavam de 80 a 100 horas por semana, dormiam pouco, não ganhavam nada e moravam lá.

Para contar essa história, no entanto, vamos contar as trajetórias de seus três fundadores. O primeiro, dono da ideia, é o colombiano David Vélez, que viveu em Medellín até o início dos anos 1990, depois foi para a Costa Rica e, de lá, aos 18 anos, foi estudar ciência da gestão e engenharia em Stanford University Gratuate School of Business, universidade que é o coração do Vale do Silício. Este, como se sabe, é o centro do empreendedorismo inovador mundial e o foco dos principais fundos de venture capital. Vélez queria montar uma startup desde sempre, mas não conseguiu ter nenhuma ideia genial. Então, em 2005, foi trabalhar como executivo – dois anos como analista do banco Morgan Stanley, em Nova York, e mais dois anos no fundo de private equity da General Atlantic.

Foi nesse segundo emprego que o Brasil entrou no mapa de Vélez. Naquele momento, a General Atlantic estava fechando a compra de 10% da BM&F (Bolsa de Mercadorias & Futuros), sediada em São Paulo. Participação adquirida, mandou seu colombiano para o Brasil para ficar por perto e, aqui, Vélez capitaneou novos investimentos do fundo no Mercado Livre e na Qualicorp. Em 2010, ele decidiu voltar a Stanford para fazer MBA, e o Sequoia Capital, um dos maiores fundos de investimento do mundo, pediu que prospectasse startups no Brasil. Mais uma vez, ele veio para São Paulo garimpar. Não achou uma startup, mas encontrou uma oportunidade.

Um belo dia, Vélez precisou abrir uma conta bancária. Dirigiu-se a uma agência de um grande banco e foi barrado na desagradável porta giratória. Começou a se dar conta do quão ruim era a experiência do cliente nos serviços financeiros brasileiros, o que o deixava indignado por saber quão caros eram esses serviços. Ele ainda classificou o processo para abrir a conta como burocrático, demorado e difícil, o que reforçou a péssima impressão. Ou seja, o setor tinha uma enorme vulnerabilidade à disrupção, o conceito clássico de Clayton Christensen, segundo o qual um novo produto, mais simples e mais barato, ingressa na faixa inferior do mercado, quase despercebido, e o transforma completamente. Logo soube: essa era a ideia que não tinha surgido em Stanford. Vélez decidiu empreender por conta própria. E começaria por um produto bem maduro, cujas margens eram altas com as marcas dos emissores tradicionais, sem uma imagem tão boa entre os usuários, e cuja regulamentação funcionava como uma barreira a novos entrantes – que é quase a tempestade perfeita para a disrupção. Esse produto era o cartão de crédito.

Primeiramente, Vélez tratou de testar a ideia com o mercado. Fez uma peregrinação de três meses com advogados e executivos financeiros, perguntando o que achavam de um cartão sem cobrança de anuidade, sem burocracia na adesão (pelo smartphone mesmo), e administrado digitalmente pelo cliente. Foi desestimulado por quase todos os interlocutores: "Esquece, no Brasil não dá para começar um serviço como esse", diziam. "Os bancos vão te sufocar, esquece", argumentavam. "Os reguladores vão te vetar, porque você é gringo, esquece", repetiam. Em vez de jogar a toalha, o colombiano foi para a Rússia estudar o Tinkoff, quinto maior emissor de cartões daquele país, e lá passou alguns meses antes de vir montar o Nubank no Brasil.

Ele estudou muito nesse período. Aprofundou-se no caso do banco digital americano Capital One, na experiência do cliente oferecida por

Disney e Zappos, na cultura e gestão de pessoas de Google e Spotify. O resultado disso tudo foi um plano tão bom que, mesmo apresentado num PowerPoint, hoje descrito como "tosco", rendeu-lhe os US$ 2 milhões iniciais de investidores – o primeiro milhão veio do Sequoia, o segundo, do fundo argentino Kaszek. O Sequoia só impôs uma condição: que houvesse sócios locais juntamente ao gringo. E lá foi David em busca de sócios operacionais. Encontrou dois: Cristina Junqueira e Edward Wible.

Cristina Junqueira, uma mestra em engenharia de produção pela Escola Politécnica da USP, nascida no interior paulista e criada no Rio de Janeiro, tinha cinco anos de Itaú, onde cuidava do cartão Itaucard. Além de trazer conhecimento de alguém de dentro do setor de serviços financeiros do Brasil, ela entendia de clientes – e de clientes brasileiros. Edward Wible, um cientista da computação americano, estava morando em Buenos Aires, onde queria fundar uma startup de mobilidade, mas não estava tendo êxito. Vélez já o conhecera em andanças anteriores, e reencontrou-o quando foi apresentar o Nubank para o Kaszek. Vélez os convidou, ambos aceitaram e o trio estava formado: Vélez era o estrategista, Junqueira a pessoa dos clientes e Wible, o lado tecnológico do trio – o americano é "o cara" por trás dos sofisticados algoritmos da fintech (para aprovar o crédito, por exemplo, eram quase 2 mil variáveis, incluindo o celular utilizado pela pessoa).

Os três alugaram a casa da rua Califórnia, contrataram nove funcionários e os primeiros clientes do cartão de crédito roxinho: os 12 funcionários do Nubank. Os 12 também se encarregaram de espalhar a novidade em suas redes de contatos e chegaram 1.500 pedidos em poucos dias. O SAC da empresa era o celular de Junqueira. O movimento passou a ser assim – e é até hoje: aumentam os clientes, aumenta o time. O Nubank foi buscar jovens supercapacitados em escolas de administração de empresas de primeira linha, como Insper, FGV e USP para atender clientes. Esses jovens se sentiam atraídos pela possibilidade de enfrentar o status quo do setor financeiro e pela chance de serem sócios do negócio. Além disso, o atendimento no Nubank não era "apenas" atendimento, como veremos adiante.

Em 2017, com quatro anos de vida, a fintech começava a gerar caixa. Até hoje, não gera lucro, algo que os concorrentes tradicionais continuam sem entender. Por isso, ficam esperando o negócio dar errado.

Em 2020, a empresa ainda deu prejuízo líquido – US$ 250 milhões –, mas o ritmo de investimentos e de crescimento justificou bem esse cenário. Em setembro de 2020, por exemplo, fez um movimento ousado ao adquirir a corretora de valores Easynvest, o que sinaliza uma entrada mais agressiva no mercado de investimentos, para concorrer com empresas como a XP Investimentos.

O ano de 2021 tendia a ser similar. Em março do referido ano, houve outro movimento atrevido, dessa vez, a entrada no mercado de seguros – com um seguro de vida a partir de R$ 9 por mês, o Nubank Vida. Já em maio, o Nubank foi o primeiro a fazer parceria com o WhatsApp para que transações financeiras pudessem ser feitas dentro do aplicativo, a exemplo do superapp chinês WeChat. Vale lembrar que a dona do WeChat, a Tencent, adquiriu uma participação no Nubank em 2018.

Contra as expectativas, essa startup dá mais certo a cada dia, como comprova a atenção que ela recebeu da revista *Time*, que acredita que a empresa está moldando o futuro, e do megainvestidor Warren Buffett. Em uma rodada de investimento (a chamada série G) que se iniciou em janeiro e levantou US$ 1,15 bilhões, o icônico líder da Berkshire Hathaway (com US$ 500 milhões), assim como Sands Capital, Absoluto Partners e Fundo Verde, vieram se juntar aos protagonistas das rodadas anteriores, entre os quais Sequoia Capital, Kaszek Ventures, Tiger Global Management, QED Investors, Founders Fund, DST Global, Redpoint Ventures, Ribbit Capital, Dragoneer Investment Group, Thrive Capital e Tencent.

Seis Building Blocks

Essa foi, em poucas linhas, a história do Nubank. Agora vamos nos debruçar sobre os blocos construtivos de seu sistema organizacional, um por um: (1) estratégia adaptativa/inovação constante; (2) customer centricity; (3) agilidade; (4) gestão baseada em dados; (5) cultura organizacional; e (6) liderança.

ESTRATÉGIA ADAPTATIVA / INOVAÇÃO CONSTANTE

"David tinha a visão clara de que o caminho para isso era construir uma companhia de tecnologia para atuar na área de serviços financeiros, e não uma companhia de serviços financeiros com tecnologia." Quem deu esse depoimento, publicado na revista *Época Negócios*, em fevereiro de 2017, foi Doug Leone, sócio da Sequoia Capital, explicando que foi isso o que diferenciou o Nubank das empresas financeiras tradicionais, haja visto que a segunda opção já é o que os bancos tradicionais fazem. Mais importante ainda foi que esse princípio impulsionou a prontidão da companhia para adaptar sua estratégia, conforme o que acontece do lado de fora da empresa.

Mas outro princípio parece ter sido tão importante e complementar quanto esse. É o fato de, desde o incômodo de David Vélez com a porta giratória daquela agência bancária, o Nubank ter um Propósito Transformador Massivo (PTM), um conceito relacionado com as empresas de crescimento exponencial estudadas por Salim Ismail, um dos autores da obra *Organizações Exponenciais*: a visão ambiciosa de reinventar um setor tradicional, em grande medida arcaico, dominado por empresas centenárias.

Combinando a autopercepção como empresa de tecnologia com seu PTM, conseguimos entender como o Nubank estabeleceu um tipo de estratégia que se adapta continuamente. Ver-se como empresa de tecnologia representa uma libertação em relação aos cânones do setor de atividade, bem como uma libertação para poder experimentar coisas diferentes. Apoiar-se numa plataforma digital (o aplicativo mobile) foi o modo como o Nubank materializou sua natureza tecnológica. Ter um propósito transformador cumpre uma dupla função: traz a prática da transformação para a mentalidade de todos e para o dia a dia, e gera um compromisso com o futuro – o que, por sua vez, faz com que o Nubank opere permanentemente com o motor 1 de crescimento, voltado ao presente, e com o motor 2, focado no futuro.

A operação como plataforma e os motores 1 e 2 de crescimento evidenciam a estratégia adaptativa do Nubank:

PLATAFORMA

Como já definimos em nossos livros, uma plataforma de negócios é um ecossistema de negócios que se apoia numa base de software, como o aplicativo do Nubank em iOS ou Android, onde todos os integrantes atuam sob uma estratégia única. Essa empresa de plataforma consegue evoluir, conforme cresce a demanda de seus clientes. Funciona assim: a plataforma constrói afinidade e relacionamento em interações com os clientes e outros atores presentes ali. Essas conexões geram dados, e estes, por sua vez, geram insights que servem para a empresa continuar inovando em produtos, serviços e soluções. O Nubank se encaixa à perfeição na descrição acima, à medida que, cada vez mais, está deixando de ser uma empresa única para se transformar num ecossistema apoiado numa plataforma de negócios. As aquisições da Easynvest, para entrar na seara de investimentos, e a criação da vertical de seguros com o Nubank Vida são evidências dessa tese.

MOTORES 1 E 2

Lembremos que Vélez, mesmo antes de encontrar seus sócios, escolheu começar o Nubank pelo cartão de crédito. Dado o crescimento obtido, o Nubank poderia ter parado aí ou se dedicado apenas a extensões desse produto. Porém não foi o que aconteceu. Os sócios do Nubank sabem que não podem parar de inovar e atuam sempre no presente e no futuro ao mesmo tempo, com ambidestria em relação aos dois motores de crescimento. Como funciona isso? Conhecendo os padrões de gastos e o comportamento financeiro dos usuários por meio dos dados, o Nubank associa a eles seu DNA criativo para criar alternativas de produtos, serviços e soluções.

Em setembro de 2016, maximizando sua rede de clientes, lançou o "Nubank Rewards", programa de pontos que nunca expiram, para aproximar os usuários do portfólio de produtos existentes e, sobretudo, do portfólio potencial. No final de 2017, lançou a NuConta, uma conta de pagamentos sem cobrança de tarifas e com possibilidade de transferência TED sem qualquer tipo de taxa, além de depósito via boleto – depois, falaremos do Pix, lançado no final de 2020. Em 2018, o Nubank mudou seu cartão físico para incluir a tecnologia Contactless – e ninguém ali podia prever que viria uma pandemia e que a economia de baixo contato ascenderia. Em 2019, lançou a conta PJ para pequenas empresas, serviço de empréstimos pessoais e o cartão de crédito no México. Isso tudo gerenciando o motor 1, que registrava um crescimento de 40 mil contas novas por dia, em média. Em 2020, como já citado, comprou a corretora de investimentos Easynvest e passou a operar nessa área, e, em 2021, como comentamos anteriormente, lançou um seguro de vida. Ao fazer tudo isso, a organização vem construindo seu ecossistema de parceiros.

Muitos acreditam que o motor 2 de crescimento é facilitado no Nubank pelo fato de ser uma empresa de capital fechado. Em certa medida, isso é verdade. As decisões tomadas pelos gestores da fintech não sofrem nenhuma pressão curto-prazista dos investidores de bolsa de valores. No entanto, o IPO (Initial Public Offering – Oferta Pública Inicial) é cada vez mais uma realidade próxima para a empresa. Será mais desafiante exercitar a estratégia adaptativa e lançar as inovações sozinho – embora isso vá continuar acontecendo.

CUSTOMER CENTRICITY

Um estudo da consultoria Capgemini mostra que, nos mercados emergentes e entre os mais jovens, as fintechs ganharam popularidade, graças à percepção de que são mais fáceis de usar (segundo 82% dos entrevistados), de que oferecem serviços mais rápidos (81%) e de que garantem uma boa experiência para o usuário (80%). Como os empreendedores das fintechs dizem, em uníssono, eles "devolveram ao consumidor o poder de escolha", o que é uma das maneiras de definir "customer centricity" e descreve perfeitamente o que o Nubank faz. A tecnologia que ele emprega no aplicativo permite ao cliente ganhar tempo, seja para bloquear e desbloquear o cartão ou para reportar um erro na compra – sem a necessidade de falar com ninguém.

A centralidade no cliente está na gênese do Nubank. Logo no início das operações, na casa da Rua Califórnia, em São Paulo, os fundadores se reuniram para estruturar um esboço dos valores da companhia. O principal propósito surgiu dessa reflexão: "to fight complexity to empower people" ou "lutar contra a complexidade para empoderar pessoas". Esse propósito deixa claro para todo mundo: o empoderamento do cliente sempre esteve e estará no centro de todas as decisões tomadas dentro do Nubank.

O blog do Nubank explica que a forma como a centralidade do cliente se materializa no dia a dia da empresa é por meio do modelo de tomada de decisão: dentro do Nubank, a primeira coisa que vem em mente quando estamos desenhando um novo produto, uma nova usabilidade no aplicativo ou, até mesmo, mudando processos simples é: como o nosso cliente vai se sentir com essa mudança/ novidade? Um dos diferenciais do Nubank é que todos os que trabalham aqui podem questionar decisões se acreditarem que elas não são boas para o cliente.

Não é à toa que a maioria das decisões do banco decorre da centralidade no cliente. Uma das mais importantes é o princípio, adotado desde a concepção do projeto, de não terceirizar a equipe de atendimento. Para desenvolver sua infraestrutura tecnológica, Vélez planejou, desde o início, a terceirização – contratou uma equipe de analistas de dados dos Estados Unidos e da Índia. Contudo, para prestar o serviço de atendimento ao consumidor, não. Desde os primeiros dias, os fundadores estabeleceram que atuariam com equipe de atendimento própria, não terceirizada. Isso vai totalmente contra o senso comum empresarial, que prefere manter a tecnologia dentro de casa, mas vê a atividade de atendimento como não essencial e passível de terceirização – e com uma mão de obra pouco qualificada, geralmente.

Outro ponto que constou das primeiras decisões é que a equipe de atendimento precisaria ser qualificada, pois não usaria script para falar com os clientes. O Nubank contratou profissionais de escolas de administração de primeira linha para isso, como já contamos. Isso fez com que a função de atendimento fosse quase reinventada ali. A missão dos atendentes do Nubank (chamados de "Xpeers", em referência à experiência do cliente) é entender o que levou o cliente a procurar o SAC e pensar se há algo a incorporar no aplicativo para evitar que outro cliente precise contatar a empresa por essa razão.

"Os atendentes são parte ativa do processo de análise e evolução do produto", já disse Junqueira à *Época Negócios*, em fevereiro de 2017. Esse tipo de análise é inviável quando se terceiriza o serviço, como explicou Vélez no mesmo artigo. A importância dos Xpeers é transmitida, também, simbolicamente: os XPeers dividem uma bancada com Junqueira e outros líderes. Isso faz a empresa como um todo (e sua cultura) focar no cliente – o pessoal de cibersegurança (ou prevenção de fraudes) também fica nesse "mesão". Uma curiosidade é que muitos clientes nunca tiveram um contato com um Xpeers, porque conseguem resolver as coisas sozinhos, por meio do autoatendimento no aplicativo. Vários perguntam, na NuCommunity, onde costumam receber resposta rápida e satisfatória, vinda de outro cliente ou de um funcionário Nubank. Os que entram em contato com a empresa por e-mail, chat ou telefone dizem, em geral, que o retorno é rápido (no e-mail demora um pouco mais), eficiente e gentil. A imagem é surpreendentemente positiva para um banco.

Outra evidência da customer centricity é a estrutura operacional enxuta. Muitas empresas têm estrutura enxuta – o leitor pode dizer, porque isso se destina a manter os custos baixos. É verdade. Contudo, no caso do Nubank, isso é feito de modo a repassar ao consumidor os benefícios da economia de custo na forma de isenção de tarifas e em taxas de juros mais baixas – quando o cliente tem a necessidade de utilizar o crédito rotativo. No caso do cartão de crédito, por exemplo, a receita pode ficar restrita às taxas cobradas dos estabelecimentos a cada transação e aos juros das faturas parceladas.

Seja por e-mail, chat no app, nas redes sociais ou por telefonema, o time de atendimento está disponível 24 horas por dia, sete dias por semana. Sem falar na NuCommunity. O atendimento tem quatro pilares muito claros: antecipar, resolver, importar-se, empoderar. E isso já traduz a centralidade no cliente. O resultado é que o Nubank é tetracampeão do prêmio *Época Reclame Aqui* (2017, 2018, 2019 e 2020) na categoria bancos e cartões digitais, o que é sinônimo de satisfação do cliente, bem como da percepção de um esforço para resolver problemas e reclamações. Outro efeito é o Nubank não precisar investir tanto em marketing – eles investem bem menos do que os players tradicionais e contam muito com o boca a boca. O blog que busca ser transparente e a newsletter de educação financeira completam os canais que mostram a orientação de colocar os clientes em primeiro lugar.

No caso do Nubank, o mais interessante da centralidade no cliente talvez seja o esforço para manter essa visão ao longo do crescimento acelerado da empresa, que é quando a maioria das empresas tropeça, a despeito das boas intenções iniciais. Inicialmente, o Nubank mirou os millennials, 24 milhões de jovens entre 18 e 34 anos, altamente conectados e refratários a bancos convencionais. Porém, em 2020, o percentual de novos clientes com idade superior a 60 anos cresceu 20% – em abril de 2020, 30 mil idosos passaram a usar os serviços do Nubank, sendo que cerca de 300 deles têm mais de 90 anos de idade. E o tipo de atendimento continuou igual. Também nada mudou na expansão geográfica. De um consumo eminentemente urbano, o Nubank passou a estar em 100% dos 5.570 municípios do Brasil. Isso foi atingido em abril de 2019 e não se viu uma mudança de percepção no atendimento de lá para cá.

A centralidade no cliente ainda é muito pouco compreendida no universo dos negócios tradicionais. Vale a pena trazer uma análise feita por Guilherme Horn, ele mesmo um fundador de fintech, em seu livro *O Mindset da Inovação: A Jornada do Sucesso para Potencializar o Crescimento da Sua Empresa*. Startups correm atrás de NPS (Net Promoter Score - Índice de Satisfação do Cliente), taxa de crescimento da base de clientes e custo de aquisição destes, todos eles, indicadores relativos a clientes. Empresas tradicionais, não; elas pensam só em metas relativas à Receita, à Lucratividade, ao Retorno sobre Investimento e a outros índices de desempenho financeiro. Isso cria um abismo entre os dois mundos, e o mundo tradicional despreza o universo startup como uma ameaça – considera que a empresa vai quebrar depois de amanhã. É isso que ocorre com o Nubank. Como ele ainda não apresenta lucro no seu balanço, interpreta-se que não é uma ameaça aos grandes bancos. Mas é uma ameaça, sim, e das mais perigosas, justamente porque seu "foco é no crescimento da base de usuários, com a maior satisfação possível", explica Guilherme Horn, em seu livro.

A entrada de Anitta no conselho de administração tem muito a ver com o foco no cliente – ela vem para aumentar o "amor pelos clientes", nas palavras de Vélez. Embora muitos tenham se apressado em achar que a chegada da artista se trata principalmente de uma estratégia de divulgação, as possibilidades de ela fazer uma real contribuição são grandes. Poucos sabem que Anitta começou a trabalhar estagiando na Vale. Mas não é isso que a credencia para o posto, é claro. Ela é uma empresária e uma grande profissional de marketing, que planeja pessoalmente toda a sua estratégia e construiu a própria marca que, como se sabe, é um sucesso. A artista já declarou que quer contribuir com sua criatividade para o Nubank. Anitta se preparou para o desafio: para entrar no board, por exemplo, ela fez aulas particulares com um importante economista.

O fato é que, após a primeira reunião do conselho com a artista, em junho de 2021, em Miami, Vélez publicou no LinkedIn: "Acabei de sair da primeira reunião de conselho que contamos com a Anitta e devo dizer que foi profundamente recompensador e revigorante tê-la conosco. Como uma empresa obcecada por nossos clientes, sempre achei que, em nossas reuniões de conselho, não discutíamos o suficiente a respeito das muitas oportunidades que ainda temos para aumentar o amor dos clientes por nossos produtos. Contar com o conhecimento ímpar de Anitta sobre os clientes (e sua pressão para termos limites mais altos!) possibilitou uma conversa rica que só pode acontecer em equipes verdadeiramente diversas", escreveu Vélez. Os limites mencionados por Vélez se referem a limites no cartão de crédito pedidos pelos seguidores de Anitta em suas redes sociais, onde a presença dela é considerada valiosa pelo Nubank. Como diz a especialista no tema Charlene Li, todo líder de empresa deve participar ativamente das redes sociais, e aprender sobre os consumidores.

AGILIDADE

O sistema de pagamento instantâneo Pix foi colocado em operação pelo Banco Central do Brasil em novembro de 2020. Em outubro, um mês antes, o Nubank já liderava a lista de cadastros de chaves no Pix, com o registro de 8 milhões de cadastros. O segundo colocado, Mercado Pago, contabilizava 4,7 milhões de cadastros. Essa é a velocidade com que as coisas acontecem dentro do Nubank. E a explicação para isso é só uma: agilidade. Como contou Cristina Junqueira no programa *Roda Viva*, foi montada uma equipe de mais de 100 pessoas só para cuidar do Pix; o resultado foi que a facilidade para fazer o cadastro da chave e, mais tarde, operações pelo Pix no app Nubank, tornou-se muito superior ao que foi proporcionado pela maioria dos concorrentes.

Agilidade, para o Nubank, significa estimular os funcionários a dividir os projetos de que participam em pequenas tarefas, e ir gerenciando o tempo para que cada uma delas seja cumprida diariamente. É um controle importante, pois as pequenas tarefas, se negligenciadas, podem se transformar em um grande problema. Esses funcionários – cerca de

2.600, em maio de 2021 – organizam-se em squads, equipes multidisciplinares formadas para cuidar de uma área ou "atacar" determinados projetos ou problemas, e tribos – alguns squads tiveram um crescimento tão grande nos últimos anos que foram agrupados em tribos, como é o caso de Acquisition e NuConta (grupos destinados, consequentemente, a cuidar da aquisição de novos clientes e da operação da NuConta). Cada estrutura dessas tem um líder, que pode buscar dentro da empresa os profissionais que julgar mais preparados para cuidar de um tema, pois não é uma estrutura fixa – seus integrantes podem ser substituídos a qualquer tempo, em adaptações para projetos específicos ou demandas repentinas. O tamanho dos times em cada squad varia de 10 a 50 pessoas (as tribos não ultrapassam 100) com muita autonomia e confiança, sem burocracias e aumento da agilidade.

"É quase como se montássemos ministartups dentro da startup", diz Caio Gallina Poli, um líder da área de serviços ao cliente da companhia, em uma reportagem da revista *Época Negócios*. Segundo ele, "além de conferir mais agilidade, esse sistema ajuda a motivar o pessoal, uma vez que sempre haverá projetos e temas novos para solucionar".

Outro exemplo de agilidade vem de um relato de Guilherme Horn, já citado: "Lembro-me quando um grande banco brasileiro começou a se incomodar com o sucesso do Nubank, em 2016, e resolveu desenvolver um aplicativo para concorrer com o da fintech. Em alguns meses, o aplicativo estava pronto e havia ficado até um pouco melhor do que o do Nubank. Fui convidado a testar e, na primeira compra, estourei o meu limite. Liguei para a Central de Atendimento e pedi um boleto para pagar a fatura adiantada e, assim, ter o meu limite de volta à minha disposição. Precisei explicar três vezes o que queria, para então ouvir que, mesmo pagando adiantado, o valor só seria reconhecido na data do vencimento da fatura, quase 30 dias depois. Ou seja, para realizar novas despesas, eu teria que esperar por todo aquele tempo". Jamais aconteceria assim no Nubank, como sabemos. Isso mostra a diferença entre ter, ou não, agilidade.

A inovação constante da estratégia adaptativa, que comentamos, depende muito de agilidade. Duas das maiores dificuldades que as empresas encontram para ser ágeis estão no fato de que ter agilidade exige transparência da gestão e organizações planas, sem hierarquias na tomada de decisão. A cultura do Nubank, como mostraremos a seguir, é baseada em transparência, assim como a liderança e a gestão de pessoas é baseada em pouca ou nenhuma hierarquia. Por isso, é fácil para o Nubank ser realmente ágil – ele fez os trade-offs para isso, desde o primeiro dia.

GESTÃO BASEADA EM DADOS

Fintechs e bancos digitais são, essencialmente, data-driven, ou seja, orientados aos dados. A extração, o processamento e o armazenamento de dados fazem parte de sua operação, assim como comprar, dispor em fileiras e cimentar tijolos são integrantes de uma operação de construção civil. Uma maneira simples de entender como o Nubank lida com dados é distinguir três momentos-chave em que o big data e a fast data, estruturados e não estruturados, são cruciais na operação.

O primeiro momento foi no lançamento da operação: para desburocratizar o sistema de aprovação para o cartão de crédito Nubank (e isso se repetiria para os produtos oferecidos posteriormente), e fazer isso sem aumentar desproporcionalmente o risco de fraude e de inadimplência que a empresa correria, foi preciso conceber um algoritmo de machine learning, que levava em consideração mais de 2.000 variáveis sobre o potencial cliente. Parte dos dados relativos a essas variáveis vinham do cadastro que o próprio solicitante do cartão preenchia, mas muitos eram capturados em outras fontes do mercado, seja em serviços como Serasa e SPC Brasil - Serviço de Proteção ao Crédito, seja em informações públicas disponíveis na internet, seja pelo próprio smartphone em que os clientes baixavam o aplicativo do Nubank.

Sobre o segundo momento contínuo, já citado, acontece quando, no decorrer das operações, a empresa captura os dados, valendo-se de máquinas (tecnologias de machine learning, inteligência artificial, etc.) e de humanos, transformando-os em valor por meio de análises e decisões tomadas por máquinas e humanos. Quando a empresa se relaciona com a comunidade de clientes em sua plataforma digital, ela gera dados sobre esses clientes. Quando se relaciona com os clientes por meio de seus

Xpeers, ela gera dados sobre eles. E dessas informações nascem as inovações de produtos, serviços e soluções cujos dados alimentam os algoritmos que tornam a operação cada vez mais rápida e adequada ao que cada cliente espera. Aí vem o efeito de rede. Mais dados geram clientes ainda mais satisfeitos, o que atrai novos usuários, consequentemente gerando mais dados. Um grande círculo virtuoso. E, devido aos dados, conforme aumenta o número de clientes, são gerados mais benefícios para quem já participa da plataforma.

O terceiro momento tem a ver com o uso cotidiano, na empresa, de indicadores-chave de desempenho, os KPIs (Key Performance Indicator – Indicador-chave de Performance), e das métricas conhecidas como OKR (Objectives and Key Results - Objetivos e Resultados-chave).

Os KPIs são os indicadores que garantem, para a própria gestão e para os investidores, que a empresa tem bom desempenho, apesar de ainda dar prejuízo. Um dos KPIs que faz esse trabalho, por exemplo, é a margem de contribuição unitária, calculada produto por produto (contabilizando cada uma das NuContas, por exemplo). Essa margem é positiva há bastante tempo nessa fintech. "Significa dizer que, se o Nubank quisesse parar de crescer e se manter neste tamanho que tem hoje, ele seria uma empresa lucrativa, porque sua operação tem resultado positivo", explica Guilherme Horn no livro *O Mindset da Inovação*.

Quanto aos OKRs, cada colaborador tem os seus próprios, que são necessariamente vinculados aos objetivos maiores da organização. César Wedemann, Head de Operações da NuConta e líder do time de OKRs do Nubank, explica como funcionam: "O principal objetivo dos OKRs é manter o alinhamento estratégico de toda a empresa", afirma, "sem limitar a autonomia das pessoas. É uma forma de garantir que todas as pessoas estejam olhando para a direção certa e priorizando as ações que vão nos ajudar a chegar lá".

CULTURA ORGANIZACIONAL

A origem do nome Nubank é a melhor porta de entrada – e não uma porta giratória – para falarmos da cultura organizacional desse banco. O "Nu" de Nubank vem de nudez, mas como sinônimo de transparência. Contudo, os fundadores pensaram em outros significados.

Na pronúncia em inglês, funciona como "new", e ganha o sentido de um "novo banco". E, segundo Vélez, "se você inverter as letras do começo fica Unbank, ou 'não banco'", refletindo uma postura iconoclasta e disruptiva que os fundadores têm em relação ao setor e compartilham com sua equipe, com base no pressuposto de que é um setor que vira as costas para o seu cliente – ou, por muito tempo, virou. A escolha do nome, e suas interpretações, dá uma pista da cultura organizacional que impera nesse banco digital.

Como sabemos, uma cultura pode ser entendida por suas crenças – traduzidas em missão, visão e valores, quando estas não são genéricas, por seus símbolos, suas histórias e seus rituais. Tudo isso estimula determinados comportamentos das pessoas e decorre desses comportamentos. Então, vale a pena olharmos para como são todas essas engrenagens no Nubank.

Como já foi comentado aqui, "lutar contra a complexidade para empoderar pessoas" foi o propósito rascunhado pelos fundadores no primeiro brainstorming a esse respeito na casa da Rua Califórnia. Se isso é eventualmente esquecido por algum minuto, há a história da porta giratória de Vélez para lembrar (também há dinossauros grafitados, dos quais falaremos mais adiante). A missão, por sua vez, é oferecer o melhor atendimento do mundo ao cliente, o que é encarnado pelos Xpeers, descritos no bloco dedicado ao tema "customer centricity". E os valores do Nubank, todos em inglês – a escolha do idioma também não deixa de ser uma característica cultural de mentalidade global – merecem detalhamento. Eles são cinco:

- *We want customers to love us fanatically:* queremos que os clientes nos amem fanaticamente.
- *We are hungry and challenge the status quo:* temos fome e desafiamos o "sistema", o status quo.
- *We think and act like owners:* temos mentalidade e comportamento de dono.
- *We build strong diverse teams:* construímos times fortes (com autonomia para tomar decisões) e diversos.
- *We pursue smart efficiency:* buscamos a eficiência inteligente.

Nas reuniões dos times, esses valores são trazidos à baila sempre que uma decisão está para ser tomada. Essa precisa passar pelo crivo dos valores.

Pensando em artefatos, os espaços de trabalho do Nubank estão repletos de símbolos da cultura reinante nessa fintech. Nem vamos citar as mesas de pingue-pongue, poltronas roxas e paredes grafitadas, ou os mesões, cachorros circulando, visual de bermuda e chinelo, ou as paredes cobertas de frases e post-its com microtarefas. Isso é observado em muitas startups. O mais interessante é o que é único. Por exemplo, nas paredes de quase todos os departamentos, os grafites coloridos são de dinossauros estilizados. Existe uma réplica de esqueleto de Tiranossauro Rex no Googleplex, é verdade, para lembrar das grandes empresas que ficam extintas. Mas os dinossauros grafitados do Nubank têm os nomes dos cinco maiores bancos brasileiros.

As salas de reunião remetem à história inicial da empresa: são Califórnia, Brigadeiro, Sauna, Geladeira e Galhardo, homenagens carinhosas a endereços de antigas sedes (rua Califórnia e avenida Brigadeiro Luís Antônio, em São Paulo), ambientes das antigas sedes (um em que o ar-condicionado era muito forte, outro no qual não funcionava e, o terceiro, um boteco vizinho onde muitas conversas de negócios aconteciam). É o apego a tradições, um aconchego, um senso de pertencimento. Também simboliza aprendizado com erros e evolução. Fica fácil ter bom humor na sala Sauna ou na Geladeira, quando a temperatura na sede do Nubank não é mais de sauna nem de geladeira; fica sempre em 22,5°C, a preferida entre os funcionários.

Os ambientes não são divididos por paredes, e sim pela cor dos carpetes. Há três cores, cada uma com três tons diferentes, além da base cinza. A cor azul é para ambientes de trabalho. A verde indica que aquele é um espaço de descontração, e a roxa aponta uma sala de reunião. Se não há paredes, as pessoas estão todas juntas na busca dos desafios. Se não há paredes, não há limites para o que se quer alcançar. Não há paredes, mas há organização com o código de cores. Saber o que significa cada cor confere senso de pertencimento; é algo para iniciados. A cor roxa do cartão de crédito Nubank, o produto inaugural, também é tratada como um símbolo cultural: de aprendizado e inovação contida ali. Como informa o blog da empresa, o roxo (o Pantone 276C, no caso) é uma cor que se destaca muito das outras – a cor da diferenciação, dizem. O pressuposto é: nada que é roxo passa despercebido. De fato, no mercado de cartões, o roxo é uma cor única, que se diferencia do establishment.

É interessante ver os tentáculos da cultura alcançando os clientes, ao menos os que frequentam o ambiente virtual da NuCommunity. Eles debatem, por exemplo, a escolha do roxo, e encontram suas próprias explicações: "Não é uma cor natural (por não ser primária, mas secundária), por isso se diferencia mais"; "Por ter menor comprimento de onda, a luz violeta contém mais energia"; "O roxo está associado a toda energia cósmica"; etc.

Sobre rituais, elegemos um, o Coffee Break, um evento quinzenal assistido sincronamente por todos os funcionários juntos nos escritórios de São Paulo, Buenos Aires, Cidade do México e Berlim. Na pandemia, ele foi mantido com as pessoas assistindo em suas próprias casas. Nele, os colaboradores fazem perguntas e ouvem de maneira mais estruturada o que anda acontecendo no Nubank.

E falta falar das histórias. A da porta giratória é uma delas. Outra é o do Lost, o cachorro que apareceu, perdido (daí o nome), na casa da rua Califórnia, e foi acolhido pelos Nubankers – que ainda eram poucos, naquela época. O cuidado com quem está perdido é a mensagem.

A cultura do Nubank é, claramente, uma cultura de aprendizado e de inovação. Essas duas características são cultivadas indiretamente pela missão, pelos valores, pelos símbolos, pelos rituais e pelas histórias que compartilhamos: aprender pelos clientes, inovar contra a complexidade; aprender porque o ambiente acolhedor favorece a criatividade; inovar porque não há paredes nem limites e as pessoas se ajudam; aprender para se diferenciar honrando o roxo; e inovar para ser melhor que os dinossauros do establishment.

A cultura Nubank também se materializou fora das fronteiras organizacionais. Isso aconteceu de um jeito inesperado. Em junho de 2021, o Nubank lançou uma loja virtual própria – a Lojinha do Nu –, para vender edições limitadas de porta-cartões e cadernos em homenagem ao Mês do Orgulho, e com os ganhos revertidos para uma organização sem fins lucrativos da comunidade LGBTQIA+. Segundo a empresa, a intenção foi dar visibilidade à comunidade. Contudo, no final do dia, isso também dá visibilidade à marca Nubank – mais ou menos como faz a Coca-Cola com suas camisetas e outros suvenires.

LIDERANÇA

A empresa, apesar de jovem, fez, em 2021, a primeira sucessão de liderança: Cristina Junqueira substituiu David Vélez como a nova CEO do Nubank. A explicação da fintech é a de que esse movimento visa não apenas organizar – e isso é bem importante –, como apoiar sua expansão internacional. O Nubank é tratado, agora, como um grupo global – e Vélez é seu CEO global. A sucessão manda a mensagem de mobilidade de carreira e de foco em diversidade para toda a equipe.

Como já adiantamos, o Nubank trabalha com uma estrutura operacional mais plana, sem a rigidez hierárquica das empresas tradicionais, e é isso que define a liderança ali – uma liderança distribuída. Os próprios funcionários cuidam de seu tempo, têm mentalidade de donos e têm ferramentas para ajudar a torná-los mais produtivos. Na hora que uma decisão é tomada, todos têm total liberdade de argumentação, sem medo de represálias. "A lei é a seguinte: o melhor argumento ganha, independentemente do cargo. A gente não criou uma estrutura organizacional para inflar egos, mas, sim, para controlá-lo", diz Junqueira.

Também já falamos que a gestão de pessoas se organiza, conforme a estrutura flexível das empresas que seguem a filosofia ágil. As pessoas atuam no sistema squad, flexível, que está implementado na empresa toda. Os tipos de profissionais também são reunidos em Chapters (capítulos), como Software Engineering, Business Analytics, Design, Data Science, Communication, Brands Management, Product Management, entre outros. Cada chapter tem seu business recruiter. Essa estrutura faz com que a colaboração seja um dos atributos fundamentais do negócio, tangibilizando a importância do que definimos como o papel do Líder Colaborador.

Além desses dois pontos, outra marca da gestão de pessoas é a diversidade, um dos principais valores da empresa, que tem tudo a ver com sua cultura de inovação. Formalmente, ela tem, inclusive, um compromisso de diversidade. Depois, os "Nubankers", como eles se denominam, são diversos nos vários sentidos da palavra. São diversos geograficamente: representam 25 nacionalidades diferentes. São diversos em formações e campos de conhecimento – há matemáticos, físicos, biólogos, engenheiros, jornalistas e até músicos no quadro pessoal. Os egressos de bancos tradicionais são poucos. "Não contratamos clones aqui dentro, gostamos da diferença de opiniões", disse Vélez, à *Época Negócios*, em fevereiro de 2017, provocativamente.

São diversos em orientação sexual. A comunidade LGBT é bem forte no Nubank, com 30% se identificando. São diversos em gênero: há 46% de mulheres em todos os níveis – afirmou Cristina Junqueira em outubro de 2020, entrevistada do programa *Roda Viva*, da TV Cultura – e ela, sempre que pode, se posiciona a favor de políticas afirmativas.

A empresa ainda tem consciência que deixa a desejar na diversidade e inclusão de negros – o que foi, inclusive, objeto de polêmica em 2020, por conta de uma entrevista de Junqueira em que ela disse que não podia baixar o nível de exigência de qualificação dos funcionários, e isso foi relacionado com o baixo número de negros. Contudo, o Nubank reagiu rápido, mostrando que está preocupado, também, com essa fronteira de diversidade. Nos primeiros meses de 2021, divulgou a meta de contratar pelo menos 2.000 funcionários negros até 2025 – pelo menos 500 serão destinados ao time de engenharia, 150 para analistas de negócios e 250 para posições de pessoas gerentes de produto, designers e cientistas de dados. O foco do projeto refere-se a jovens com idade entre 17 e 25 anos que estejam fora da escola ou não tenham vínculo empregatício e que sejam moradores de comunidades. Com referência à diversidade etária, ainda há um predomínio da população jovem, mas, conforme Junqueira, tem havido uma seniorização nos quadros de atendimento, engenharia de software, design de produtos, marketing, machine learning e compliance.

A versatilidade do Líder Ambidestro é expressa na organização por meio do equilíbrio da atuação das frentes orientadas ao motor 1 (presente) e 2 (futuro) da empresa. Com isso, seus líderes conseguem garantir a sustentabilidade do negócio em um processo de inovação contínua que garante o funcionamento da operação atual, sem perder a orientação ao desenvolvimento de novos projetos e produtos, como o produto de seguro e a potenciais frentes relacionadas a produtos de investimentos decorrentes da aquisição da Easynvest.

Desde sua origem, o negócio sempre se caracterizou por um profundo entendimento das demandas de seu cliente. Essa perspectiva esteve clara no momento do insight inicial de David Vélez, que conseguiu conectar os pontos para a construção de uma solução valiosa para uma demanda não atendida, a despeito de ser desencorajado por todo o sistema. Essa dinâmica do Líder Conector se evidencia não só na orientação estratégica de seus líderes, mas como um traço presente nas principais decisões do negócio baseadas na lógica de fomentar conexões de valor gerando dados que, por seu turno, transformam-se em insights para o negócio.

UM UNICÓRNIO ADULTO

Em março de 2018, o Nubank havia recebido um valuation de US$ 2 bilhões, quando o DST Global e a Sequoia lideraram uma rodada de capital de US$ 150 milhões e quando essa startup se tornou o terceiro unicórnio brasileiro. Porém era, digamos, um unicórnio filhote. Em 2021, a empresa recebeu aportes de capital que totalizaram US$ 1,15 bilhão – um montante que nenhuma empresa latino-americana havia recebido até então. Seu valuation passou a ser de US$ 30 bilhões, em junho, o que lhe dá o status de banco digital mais valioso do mundo. Superou o Banco do Brasil (avaliado então em US$ 20,7 bilhões), a XP Investimentos (US$ 22,6 bilhões) e colou no BTG (US$ 33,5 bilhões). Além de a fintech estar entre as cinco maiores instituições financeiras da América Latina – as outras são, além do BTG, Itaú Unibanco (com valor de US$ 60,3 bilhões, em junho), Bradesco (US$ 50 bilhões) e Santander Brasil (US$ 35 bilhões) – ela cresce a um ritmo de 45 mil contas novas por dia.

A empresa não para de desenvolver e lançar novos produtos. David Vélez se dedica, com a benção de Buffett, a acelerar a internacionalização. E as mensagens que podem facilitar a penetração da marca entre as pessoas desbancarizadas são emitidas quase num modo contínuo. A entrada de Anitta no conselho de administração é apenas uma dessas mensagens. Outra, apenas para dar um exemplo, é a criação, pelo Nubank, do fundo de investimento Semente Preta, em abril de 2021, para investir somente em startups fundadas ou geridas por pessoas negras.

O céu parece ser o limite para o maior banco digital do mundo. A composição do conselho de administração mostra, de certo modo, essa falta de limites. O conselho do Nubank, cujo chairman é Vélez, é formado por pesos pesados como Rogério Calderón, um especialista em fusões e aquisições; Luis Alberto Moreno, ex-presidente do Banco Interamericano de Desenvolvimento (BID); Anita Sands, ex-COO do banco suíço UBS e professora de Princeton; e Jacqueline Reses, ex-executiva da fintech Square e presidente do conselho consultivo econômico do Federal Reserve de San Francisco, para citar alguns nomes.

Não foi à toa que Cristina Junqueira disse, no programa *Roda Viva*: "Estamos construindo uma empresa para 30, 40, 50 anos. Ainda vão aguentar a gente muito por aí". David Vélez mostra que sonha alto: "Nos vemos como uma empresa que quebrará paradigmas em vários países, como fizeram o Uber, a Netflix e a Amazon. O Brasil pode ser o líder das fintechs nos mercados emergentes, e nós queremos ser os líderes digitais em vários segmentos (financeiros)", afirma ele.

Tenha acesso ao Talk que realizamos com Guilherme Horn, um dos maiores especialistas em Fintechs do Brasil. Horn, empreendedor e líder empresarial com larga experiência no segmento de empreendedorismo digital, nos traz uma visão complementar sobre o caso Nubank.

QUESTÕES ESTRATÉGICAS PARA REFLEXÃO

Estruture um grupo de estudo onde todos os participantes deverão ler e estudar o caso. A partir dessa leitura, organize reuniões de cerca de 60 minutos com, no máximo, 8 participantes, para aprofundar discussões como:

1 "David tinha a visão clara de que o caminho era construir uma companhia de tecnologia para atuar na área de serviços financeiros, e não uma companhia de serviços financeiros com tecnologia." Esse depoimento de Doug Leone, sócio da Sequoia Capital, demonstra uma perspectiva fundamental da Plataforma Nubank que se estendeu para todo negócio. Reflita sobre como essa lógica se aplica à sua organização atualmente. Qual é o papel da tecnologia em seu negócio? Quais são as perspectivas concretas de pensar sua empresa como uma companhia de tecnologia, seguindo a mesma visão promovida pelo Nubank?

2 A forma como a centralidade no cliente se materializa no dia a dia do Nubank é por meio do modelo de tomada de decisões: "Dentro do Nubank, a primeira coisa que vem em mente quando estamos desenhando um novo produto, uma nova usabilidade no aplicativo ou, até mesmo, mudando processos simples é: como o nosso cliente se sentirá com essa mudança/novidade?". Realize um diagnóstico sobre essa dinâmica em seu negócio atual, observando como ocorre o processo de tomada de decisões na sua organização. Avalie os mecanismos formais (comitês, alçadas de autonomia, formato das reuniões, etc.) e os informais (decisões rotineiras do dia a dia). Promova uma reflexão sobre como a visão do cliente poderia estar mais presente nos processos dessa natureza em sua empresa.

3 O primeiro passo para implantar um sistema ágil em uma organização é entender o que é agilidade para o negócio. No Nubank, agilidade significa estimular os funcionários a dividir os projetos de que participam em pequenas tarefas, e ir gerenciando o tempo para que cada uma delas seja cumprida diariamente. O que significa agilidade para seu negócio? Essa perspectiva está clara a todos ou cada um tem um entendimento específico sobre o tema? Identifique qual é a visão sobre ele em seu negócio e construa uma perspectiva particular da sua organização a respeito desse tema, que irá nortear todas as decisões sobre a adoção de um sistema de gestão ágil para sua empresa.

4 Existem três momentos-chave que demonstram a importância estratégica na gestão de dados do Nubank: o lançamento da operação; a forma como a empresa captura dados e os transforma em valor e o uso cotidiano de indicadores de performance. Reflita sobre como esses momentos-chave acontecem em sua organização nos processos de adoção de dados para lançamento de projetos; em sua transformação em insights e na utilização de indicadores de performance para monitorar a evolução do negócio. Relacione todas as iniciativas existentes em cada uma dessas frentes e construa uma visão sobre como esse sistema pode ser incrementado, visando ter um sistema de gestão baseado em dados.

5 O Nubank se utiliza fartamente de artefatos para fortalecer mensagens-chave em seu negócio e unir toda organização em torno de uma visão comum. Relacione os principais artefatos da Cultura Organizacional Nubank citadas no caso. Qual é o significado de cada um desses artefatos para a empresa? Quais mensagens eles transmitem para os colaboradores da organização? Reflita sobre como essa visão e estratégia do Nubank podem fazer sentido para seu negócio.

6 O Nubank optou pela implantação de uma estrutura operacional plana em seu negócio. Promova uma reflexão sobre como essa estrutura impacta no modelo de liderança da companhia. Quais são os benefícios e desafios da implantação de um modelo com esse perfil nas organizações? Quais lições você pode extrair ao identificar essa estrutura com o modelo adotado em seu negócio?

SUGESTÃO DE DINÂMICA SOBRE O CASO

4 Etapas para o Desenvolvimento de Indicadores e Metas

Todo sistema de gestão do Nubank está baseado no acompanhamento por meio de Indicadores de Performance e OKRs. Esses indicadores têm como fundamento a visão de quais são as metas e os objetivos específicos a serem atingidos por cada área da empresa e cada indivíduo.

Você pode desenvolver uma reflexão para o desenvolvimento de metas individuais ou para seu negócio em 4 etapas:

1 Defina uma meta, pensando aonde você quer chegar com seu negócio em 12 meses.

2 Desdobre essa meta em objetivos específicos que irão lhe levar até lá. Esses objetivos guiarão suas ações ao longo dos 12 meses e não podem ser mais do que quatro ou cinco.

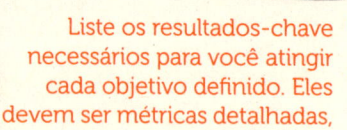

3 Liste os resultados-chave necessários para você atingir cada objetivo definido. Eles devem ser métricas detalhadas, tangíveis, numéricas e fáceis de entender. Também devem estar diretamente relacionados às ações das pessoas.

4 Elabore um Plano de Ações, definindo para cada resultado-chave as atividades necessárias à sua evolução, com a descrição da tarefa, definição do responsável e prazo para sua execução.

Um exemplo hipotético de aplicação dessa dinâmica:

- **Meta:** atrair os melhores talentos para meu negócio;
- **Objetivo:** ser uma das melhores empresas para se trabalhar no Brasil;
- **Resultados-chave:** estar entre as 10 empresas do Ranking do instituto Great Place to Work em 12 meses/ Reduzir em 15% o índice de rotatividade da empresa;
- **Exemplo de atividade:** avaliar todo sistema de remuneração e recompensa da organização (quem: RH; Prazo: 3 meses).

O Nubank trabalha com uma estrutura operacional mais plana, sem a rigidez hierárquica das empresas tradicionais, e é isso que define a liderança ali – uma liderança distribuída. Os próprios funcionários cuidam de seu tempo, têm mentalidade de donos e têm ferramentas para ajudar a torná-los mais produtivos. Na hora que uma decisão é tomada, todos têm total liberdade de argumentação, sem medo de represálias.

Linha do Tempo Best Buy

1966 - Fundação da Sound of Music, por Richard Schulze

1981 - Um terrível tornado destruiu a loja de Roseville, provocando uma sequência de aprendizados e mudanças, onde foi criado a "Tornado Sale"

1983 - Empresa muda de nome – vira Best Buy – com formato de armazém e foco em desconto

1987 - Best Buy abre capital na bolsa de Nova York

1995 - Best Buy ultrapassa todas as concorrentes e torna-se a maior cadeia de eletrônicos dos Estados Unidos

2002 - Brad Anderson assume como CEO

2002 - Aquisição da Geek Squad

2004 - Best Buy é eleita "A EMPRESA DO ANO" pela revista *Forbes*

2009 - Anderson entende que não sabe lidar com tanta mudança e renuncia ao cargo. Brian J. Dunn assume como CEO

2012 - Dunn renuncia por comportamento inadequado e Hubert Joly assume como CEO

2012 - Best Buy iguala o preço de qualquer produto que a Amazon e mais de uma dúzia de outros varejistas oferecem

2013 - É lançado o Renew Blue

2016 - Best Buy anuncia entrega no mesmo dia em algumas cidades, mediante a pagamento de uma taxa

2017 - É lançado o Building the New Blue

2017 - Início do programa de In-home Advisor como forma de expandir o Geek Squad

2017 - Lançamento do programa Try Before You Buy

2018 - Aquisição da GreatCall, fornecedora de telefones celulares Jitterbug, adaptados para idosos

2019 - Corie Barry assume como CEO e Joly, ex-CEO, assume como presidente do conselho de administração

2019 - Aquisição da Critical Signal Technologies e da BioSensics

2020 - A pandemia de Covid-19 acelerou todo o capítulo 2 da estratégia Building the New Blue e a iniciativa ficou conhecida como "Best Buy 2020"

2020 - Lançamento da Best Buy Health, Best Buy Beta e do programa Shipt Driven

2020 - Best Buy integra o ranking Melhores Empregadores da América, elaborado pela revista *Forbes*

2020 - A receita de vendas da Best Buy sobre de US$ 43,6 bilhões para US$ 47,3 bilhões, o maior número da história da companhia

2021 - Best Buy começa a reduzir o número de lojas físicas e foca em uma priorização de vendas online

2021 - No quarto trimestre do ano fiscal de 2021, nos Estados Unidos, as vendas online crescem 89% sobre o mesmo período do ano anterior – respondendo por 43% do total

CASE BEST BUY

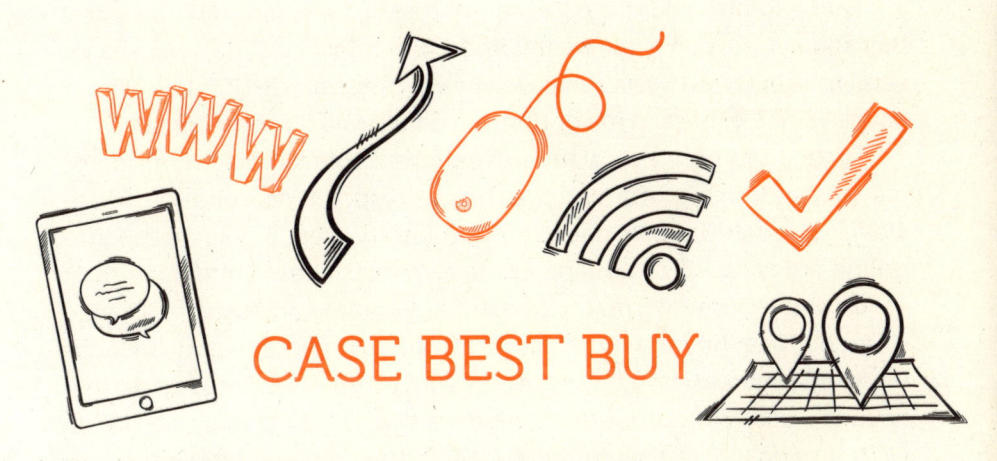

FACILITADORA DE TECNOLOGIA E SAÚDE

SE VOCÊ FIZESSE UMA RÁPIDA PESQUISA SOBRE AS PERGUNTAS acerca da varejista de eletrônicos americana Best Buy realizadas no buscador Google em 2020, encontraria em destaque esta: "Is Best Buy going out of business in 2020?" (em livre tradução, "a Best Buy está encerrando a operação em 2020?). Com a quarentena e as demais medidas não farmacológicas durante a pandemia de Covid-19, a dúvida sobre a sobrevivência das lojas de tijolo e cimento ficou mais forte do que nunca.

No entanto, não foi a primeira vez que levantaram a possibilidade de morte da Best Buy. Em outubro de 2012, a revista *Bloomberg Businessweek* publicou na capa a chamada "The Battle for Best Buy, the Incredible Shrinking Big Box" (algo como, em tradução livre, "A batalha pela melhor compra, a incrível grande loja encolhendo") – e a ilustração eram zumbis atacando uma loja Best Buy. A provável causa mortis de 2012 era o tsunami competitivo provocado pelo e-commerce Amazon, que vinha derrubando as redes físicas uma após a outra, incluindo algumas bem tradicionais, como Circuit City e RadioShack. Em 2020, a suposta causa mortis seria outra: o crescimento explosivo do comércio online de modo geral, catalisado pelo Coronavírus SARS-Cov-2.

Para a surpresa de muitos, porém, ocorreu o contrário. Não só a Best Buy sobreviveu, como também floresceu. No final de 2020, a receita de vendas da empresa havia subido, segundo o Statista, de US$ 43,6 bilhões para US$ 47,3 bilhões, o maior número da história da companhia.

Parte disso tem a ver com a estratégia adotada pela empresa antes da pandemia; outra parte, com sua resposta ao cenário da Covid-19. Entre 20% e 25% das vendas anuais da Best Buy já eram feitas online antes de 2020, uma porcentagem mais alta do que o Walmart – que alardeou muito mais sua estratégia online, inclusive –, Costco e Target. "Best Buy tem uma das plataformas [online] mais avançadas em todo o varejo. Isso é produto dos investimentos feitos na última década", disse Simeon Gutman, analista do Morgan Stanley, ao site da *CNN* americana, em setembro de 2020. Sua cadeia de fornecimento já era bem flexível. A CEO da Best Buy, Corie Barry, agradeceu publicamente por todos os investimentos feitos na cadeia de fornecimento desde 2016, a maioria deles por seu antecessor, Hubert Joly. Isso foi o que lhe deu capacidade de atender a alterações de demanda. "E também já tínhamos aprendido a colocar o cliente no controle [de como eles querem que o pedido seja atendido]", disse Barry no evento CES 2021, o célebre evento anual da Consumer Technology Association, conforme registro do site especializado em varejo *RIS News* – Retail Info Systems.

A estratégia adotada em resposta à pandemia, por sua vez, também é parcialmente responsável pelo feito. A adaptação, uma priorização de vendas online prevista para ser feita em três a cinco anos, foi realizada quase do dia para a noite – as vendas online pularam para 40% de toda a receita. Apenas no quarto trimestre do ano fiscal de 2021, nos Estados Unidos, que se encerrou em 30 de janeiro de 2021, as vendas online cresceram 89% sobre o mesmo período do ano anterior – respondendo por 43% do total. A CEO Corie Barry, que estava havia um ano e meio no cargo, conseguiu orquestrar um contingente de 101 mil funcionários distribuídos em 1.238 lojas na América do Norte – nos Estados Unidos, no Canadá e no México – para a mudança.

Segundo artigo da revista *Forbes*, a diferença foi que a Best Buy viu a pandemia como uma oportunidade de usar o método científico nos negócios. Começou por uma pergunta: "E se as nossas lojas nunca mais forem abertas? Ou não forem tão necessárias no futuro como eram até hoje? O que devemos fazer?". E a partir disso, pôs-se a fazer experimentos.

O primeiro experimento foi o fechamento de todas as lojas em março, exceto para retiradas – enquanto outros varejistas relativizaram essa prática. Sobre isso, a CEO declarou: "Temos muito poucos dados empíricos sobre como manter as pessoas em segurança". A medida radical lhe permitiu medir quantos pedidos precisavam ser atendidos online, quantos deles solicitavam entrega em casa, quantos previam retirada na loja, e tudo isso por localização geográfica. Muitos dados foram colhidos – e parte do caixa também foi preservado.

Outros dois experimentos combinaram a transformação de algumas lojas em centros de atendimento, com o programa Shipt Driven, de entrega por motociclistas. Também houve o programa de assinatura, chamado de Best Buy Beta.

Em paralelo, foi lançada a Best Buy Health, uma organização de "virtual care" (cuidados de saúde por meio digital). A ideia é replicar os famosos "geek squads" de serviços da rede varejista de eletrônicos para a área de saúde. Corie Barry incorporou uma executiva peso-pesado para comandar o novo empreendimento: Stacie Ruth, com 30 anos de experiência na área de saúde, incluindo a divisão de equipamentos médicos da Philips, e a fundação e gestão da startup AireHealth, de saúde respiratória, com ajuda de inteligência artificial (IA). Foi como se a Best Buy estivesse nascendo de novo.

O valor de mercado da companhia, que havia encerrado 2019 na casa dos US$ 23,1 bilhões, tinha subido para US$ 25,5 bilhões no final de 2020 e chegou a US$ 28,9 bilhões em 15 de junho de 2021, segundo o site *MacroTrends*. Pela alta das ações da Best Buy, depreende-se que o mercado observou com atenção esses movimentos e os aprovou, considerando que, apesar da origem analógica da empresa, a liderança da Best Buy age com mentalidade digital de uma empresa que entende a quarta revolução industrial.

Além disso, como dizem os analistas, a Best Buy está sintonizada com cinco tendências muito fortes no mercado. A primeira delas é que, no pós-pandemia e mais adiante, haverá uma corrida dos consumidores para deixar suas casas mais inteligentes – e a especialização em eletrônicos da Best Buy vem ao encontro disso. A segunda é prestar serviços; mesmo em um cenário em que a economia circular ganhe mais fôlego, os serviços de manutenção e conserto continuarão a ter demanda.

A tendência número três é que lojas físicas devem ser um trunfo, num mundo em que tudo vira "delivery de pizza", como escreveu o especialista Chris Walton na revista *Forbes*. Quanto às razões por que lojas não desaparecerão, lembrou ele: "Lojas físicas fornecem às pessoas inspiração, gratificação imediata, conveniência, oportunidade de sentir os produtos (tocar, testar, etc.) e experiência. Recuperam a função de showrooms". Além disso, a entrega de última milha e a construção de marca são auxiliadas pelas lojas físicas. A empresa está reduzindo aos poucos o número de lojas – em junho de 2021, eram 1.159 lojas em operação, 600 lojas a menos do que havia oito anos antes. Porém as lojas não desaparecerão. Chris Walton, provavelmente sem conhecer o caso Magalu no Brasil, chegou a dizer que a Best Buy começou a reinventar o modelo de varejo com esse movimento em 2020.

A quarta tendência favorável à Best Buy é o relacionamento com o público idoso, em consonância com o envelhecimento da população. Vale lembrar que, em outubro de 2018, a Best Buy havia adquirido a GreatCall, fornecedora de telefones celulares Jitterbug, adaptados para idosos, e de serviços de concierge e monitoramento de emergência para o mesmo público, que já tinha mais de 900.000 assinantes pagantes. E, em 2019, havia adquirido uma empresa de serviços de saúde voltada para idosos, a Critical Signal Technologies (CST), conhecida pelo monitoramento remoto de pacientes e com cerca de 100.000 assinantes. Por fim, a quinta tendência é a da telemedicina, sobretudo a preventiva, não se limitando a pacientes de mais idade. Essa aposta está ancorada na Best Buy Health, que reorganiza e potencializa os ativos comprados em 2018 e 2019. Foi em 1966 que o vendedor de eletrônicos Richard Schulze hipotecou sua casa para abrir a primeira loja Sound of Music. Deu-lhe o nome em homenagem ao filme *Noviça Rebelde*, estrelado pela atriz Julie Andrews um ano antes, cujo título original é *Sound of Music*. A loja se localizava na região metropolitana de Minneapolis – St. Paul, as "twin cities", em Minnesota, e vendia equipamentos de som – entre as relíquias, um audio system que tocava fitas magnéticas de oito faixas conhecidas como Stereo 8. De lá para cá, a empresa viveu uma longa jornada transformadora de tecnologia, negócios e gestão – a Gestão do Amanhã, como veremos a seguir. Uma jornada que ganhou uma declaração pública de admiração, em 2018, de um grande concorrente: Jeff Bezos, da Amazon, que admitiu: "Os cinco últimos anos, desde que Joly chegou à Best Buy, foram notáveis".

A LIQUIDAÇÃO DO TORNADO

Antes de 2020, a Best Buy nasceu ao menos três vezes ao longo de sua história. Nasceu em 1966, quando Schulze fundou a primeira unidade com um colega vendedor – quatro anos depois, compraria a parte do sócio. Nasceu em 1981, quando já era uma pequena rede local de nove lojas, tinha chegado perto da falência duas vezes com custos operacionais elevados e um terrível tornado destruiu a loja de Roseville, provocando uma sequência de aprendizados e mudanças. Nasceu mais uma vez em 2012, quando descobriram que o CEO contratado por Schulze, de 51 anos de idade, vinha mantendo um caso extraconjugal com uma funcionária de 29 anos, e o afastaram – o executivo francês que veio substituí-lo foi muito mal-recebido por Wall Street num primeiro momento, mas mudou a história da empresa, cujo desempenho deixava a desejar, com um turnaround. E vem nascendo novamente desde 2020-2021. Em 1981, a região das "twin cities" de St. Paul e Minneapolis viveu um dos piores tornados de sua história, que matou mais de 80 pessoas e deixou um rastro de destruição, incluindo a primeira loja Sound of Music, na cidade de Roseville. Os 65 funcionários da loja se esforçaram para salvar o máximo possível de mercadorias (o portfólio já tinha crescido para aparelhos de videocassete e outros), várias delas parcialmente danificadas, para guardar num depósito nas cercanias. Schulze resolveu fazer uma grande liquidação, a "Tornado Sale", no estacionamento da loja destruída. Em um dia, quase tudo foi vendido. Diante do sucesso, e observando o comportamento dos clientes, que correram para fazer "best buys" e adoraram ficar mexendo nos equipamentos antes de comprá-los, Schulze fez um segundo dia de Tornado Sale, dessa vez com os equipamentos que estavam intactos no depósito. Naqueles dois dias de vendas no estacionamento, foram vendidas mais mercadorias que em todas as lojas juntas durante o mesmo período.

Assim, dois anos depois, a empresa mudou de nome – virou Best Buy – e de formato, inaugurando sua superloja, chamada de I, com formato de armazém e um foco em descontos, que lembrava a experiência do estacionamento. Começou a expansão nacional. A Best Buy abriu o capital em 1985 e entrou na bolsa de valores de Nova York em 1987. Passou a competir numa guerra de preços com a Circuit City, rede varejista de eletrônicos de Detroit que já possuía dezenas de grandes lojas em todos os Estados Unidos e receita anual de US$ 250 milhões, ficando fragilizada. Em 1988, Schulze tentou vender sua empresa para a Circuit City por US$ 30 milhões, e esta declinou. A ideia, então, foi criar o conceito II de loja, mais descontraída, em que os vendedores eram em menor número e não comissionados e, portanto, não ficavam abordando as pessoas para comprarem. Algumas marcas, como Sony e Whirlpool, não gostaram de não haver vendedores insistindo e pararam de vender ali, mas os consumidores adoraram, o negócio cresceu e aquelas marcas voltaram atrás. Em 1995, a Best Buy ultrapassava todas as concorrentes e tornava-se a maior cadeia de eletrônicos dos Estados Unidos, crescendo também no Canadá. Nesse meio tempo, aquisições foram feitas e um novo modelo de loja mais interativo foi criado – o conceito III.

Em 1998, a Amazon começou a vender CDs, entrando numa seara da Best Buy, mas Schulze não a enxergou como uma ameaça. Mudaria de ideia rapidamente. "O ritmo de crescimento da Amazon no início dos anos 2000 foi mais rápido do que estávamos preparados para acompanhar", admitiu Schulze, em um e-mail que veio a público. Em 2002, com 61 anos de idade e uma empresa de cerca de US$ 2 bilhões de valor de mercado, ele passou o cargo de CEO para Brad Anderson, que começara a trabalhar na empresa como vendedor em 1973, quando era seminarista, e havia se tornado seu vice-presidente em 1981. Schulze permaneceu como presidente do conselho de administração e o maior acionista.

O primeiro movimento de Anderson, no final de 2002, foi comprar a Geek Squad, uma startup com 50 pessoas que forneciam suporte técnico a clientes em suas casas, nas lojas, por telefone ou online – e, ao fazê-lo, transformou o negócio.

Entre 2002 e 2008, Anderson fez outras aquisições, mas nem todas com êxito. Por exemplo, numa tentativa de traçar uma estratégia também para o futuro, a Best Buy adquiriu o Napster, serviço de streaming de música, por US$ 121 milhões, em 2008. Como sabemos, Spotify dominou esse mercado. Anderson também liderou uma enorme expansão no número de lojas físicas da rede, de cerca de 600 nos EUA e no Canadá para quase 3.900 em 13 países. Em 2004, a Best Buy era eleita "a empresa do ano" pela revista *Forbes*.

Só que a crise financeira mundial de 2008 e a ascensão da Amazon no terreno dos eletrônicos mudaram as coisas para a Best Buy. Ofertas como entrega no mesmo dia e uma linha de produtos eletrônicos de marca própria, a baixo custo, a Amazon Basics, fizeram a concorrente ganhar muito mercado. A velha rival, Circuit City, pediu falência no início de 2009. Anderson entendeu que não sabia lidar com tanta mudança e renunciou ao cargo, ocupando a vice-presidência do conselho de administração.

Quem assumiu o leme, então, foi Brian J. Dunn, também fruto de uma sucessão interna – ele entrara como vendedor na empresa em 1985, mas durou pouco. E, em seus três anos como CEO, Dunn criou pequenas lojas dedicadas a celular – as Best Buy Mobile (que fechariam as portas em 2018). Fechou várias das assim chamadas lojas "big-box", descontinuou algumas operações no exterior, largou o Napster, porém não foi suficiente. Não avançou na operação de internet, assim presentes do Natal comprados online não chegavam antes de 25 de dezembro, por exemplo.

As lojas decaíram de modo perceptível, a equipe ficou preguiçosa, as vendas despencaram, o preço das ações declinou e, para manter alguma medida de lucratividade, a empresa desistiu de competir com base em preço. Em 2010, a Amazon lançou seu aplicativo de verificação de preços e explicitou que, em quase todas as vezes, a Amazon praticava um preço mais baixo do que a Best Buy e entrega mais rápida. Em março de 2012, a empresa informou que havia tido um prejuízo de US$ 1,7 bilhão, em um único trimestre.

Dunn renunciou, em 2012, por comportamento inadequado, como comentamos. Schulze, mesmo sendo acionista majoritário, foi afastado do conselho (ele sabia desse romance e não fez nada a respeito. Até tentou recomprar ações para retomar o poder, mas não conseguiu).

A Best Buy era uma companhia necessitada de turnaround, e o escolhido pelo conselho de administração para fazê-lo veio de fora. Era Hubert Joly, executivo nascido e criado na França e treinado na consultoria McKinsey e, também, na Vivendi, onde foi o responsável por aprovar o desenvolvimento de um certo game online chamado *World of Warcraft* (WoW), que chegaria a ter 11 milhões de jogadores ativos em 2010 (em 2021, ainda tinha 6 milhões de jogadores ativos por mês). Como era estrangeiro e não tinha experiência em varejo, a ação da Best Buy caiu 10% em um dia.

Joly começou por cuidar do moral da tropa, apesar das demissões. Sobre as semanas que se seguiram à chegada de Joly, a executiva Amy College deu o seguinte testemunho à *Bloomberg Businessweek*: "Você podia sentir a mudança das vibrações no edifício". Primeiramente, foi pessoalmente trabalhar em uma loja da rede por uma semana. No primeiro mês, ficou indo com frequência às lojas mais próximas, em Minnesota, para conversar com os funcionários, pedindo que lhe contassem sobre suas frustrações e suas dúvidas.

Entendeu logo que os funcionários do chão de loja vinham sendo considerados pouco competentes, e que estavam pouco engajados, e agiu, soltando medidas de estímulo que funcionaram como um choque elétrico. Por exemplo, reestabeleceu o generoso programa de descontos para eles poderem comprar eletrônicos (programa esse que Dunn havia reduzido) e investiu em treinamento regular para a equipe de vendas, em especial para novas categorias de produtos, como headsets de realidade virtual e assistentes digitais para casas.

Entendeu, também, que varejo é um negócio eminentemente local, e concentrou as operações na região da América do Norte. Entendeu, ainda, que precisava se equipar para desafiar a concorrente Amazon.

Após os cinco primeiros meses de trabalho, Hubert Joly anunciou o primeiro enfrentamento à Amazon: a Best Buy igualaria o preço de qualquer produto que a Amazon – e de mais de uma dúzia de outros varejistas oferecessem. Essa ação sairia caro, sim, mas era a única maneira de anular uma das maiores vantagens da Amazon e de levar os clientes de volta às lojas.

A primeira estratégia de Joly, lançada em 2013, foi batizada de Renew Blue, e consistiu num esforço para levar as pessoas às lojas físicas e ao website. Na Black Friday de 2014, veio o primeiro indicador de sucesso: as vendas subiram 2,5% por loja, o maior crescimento da Best Buy em anos, e isso num momento em que todo o setor de eletrônicos estava em forte contração nos Estados Unidos. Em abril de 2016, a disputa entre as duas viveu seu ápice, quando Best Buy e Amazon subiram no ringue. Best Buy anunciou que ofereceria entrega no mesmo dia em algumas cidades, mediante o pagamento de uma taxa. Amazon revidou, expandindo a entrega no mesmo dia para alguns clientes Prime, gratuitamente. E Best Buy contra-atacou: reduziu a taxa de entrega, que chegava a US$ 20 para US$ 5,99; e expandiu a entrega no mesmo dia para mais 40 cidades, naquele momento. Muito mais coisas aconteceriam depois.

A segunda estratégia de Joly foi lançada em 2017, como o nome de *Building the New Blue*. Com ela, finalmente, Joly revelou a que veio. "A visão que tive, desde o início, é de sermos para os consumidores o que uma consultoria como a Accenture é para as empresas", disse ele, em uma entrevista à *Bloomberg Businessweek*. O grupo de vendedores das lojas virava, também, um grupo de consultores, aprofundando a ideia do Geek Squad. Ele colocou uma executiva de carreira na empresa que considerava promissora, Corie Barry, para iniciar um programa de consultoria em 2010, ainda sem orçamento. Em 2015, Joly pediu que Barry montasse um escritório de crescimento estratégico com orçamento.

Mesmo com a Best Buy sendo conhecida por crescer organicamente, as aquisições começaram a ser feitas. Em 2018, a Best Buy comprou a GreatCall. Em 2019, como já mencionado, foi a vez da Critical Signal Technologies (CST) e a BioSensics, um negócio de tecnologia em saúde preditiva. Isso resultou na Best Buy Health.

Não foi à toa que Corey Barry, a arquiteta de grande parte dessa virada em direção aos serviços e ao healthcare, sucedeu Joly no cargo de CEO, em junho de 2019. Com Joly como presidente do conselho de administração, Barry assumiu o comando para escrever o capítulo 2 da estratégia *Building the New Blue*, que duraria cinco anos. A pandemia de Covid-19 acelerou tudo, e a iniciativa ficou conhecida como *Best Buy 2020*.

Vale a pena notar que Joly promoveu a reaproximação com o fundador Schulze, que segue sendo o maior acionista individual da Best Buy, com 11% das ações. Ele não conseguiria fazer o que fez sem esse apoio.

Seis Building Blocks

Depois de repassarmos, brevemente, a história da Best Buy, vamos analisar, em detalhes, os Building Blocks do seu sistema organizacional, a saber: (1) estratégia adaptativa/inovação constante; (2) customer centricity; (3) agilidade; (4) gestão baseada em dados; (5) cultura organizacional; e (6) liderança.

ESTRATÉGIA ADAPTATIVA / INOVAÇÃO CONSTANTE

Quem melhor resumiu a adaptação constante de estratégia que ocorre na Best Buy foi Hubert Joly, quando era seu CEO. Ele a chamou de "teoria da bicicleta". "Se você tentar dirigir uma bicicleta parado, você cai. A chave é seguir pedalando", definiu numa entrevista à revista *Fortune*, em outubro de 2015, explicando que isso é o que cria energia. Assim, nem sempre é possível ter clareza sobre a direção da mudança, mas é preciso ir pedalando – ou seja, comunicando a necessidade de mudar – mesmo sem clareza.

Na verdade, estranho seria haver uma estratégia pouco elástica numa empresa cujo propósito é "enriquecer vidas por meio da tecnologia". A Best Buy se vê como uma mediadora entre a tecnologia e os seres humanos, uma facilitadora para que humanos consigam entender e aproveitar a tecnologia. Isso não apenas lhe dá um largo horizonte futuro, como também explica a estratégia adaptativa que impera na empresa. Como a tecnologia está sempre mudando, a empresa precisa estar sempre mudando junto.

É claro que nem sempre foi esse o propósito da Best Buy, mas houve antecedentes. Pode-se dizer que o primeiro professor de adaptação da Best Buy foi o negócio de eletrônicos, que é instável por natureza. Estão sempre lançando novidades em eletrônicos; estão sempre mudando os hábitos dos consumidores.

Isso quer dizer que, ao longo dos anos, a empresa soube utilizar a inevitável obsolescência dos equipamentos a seu favor, sempre certificando-se de ter o mais novo console de videogame ou mais novo smartphone em seus canais. Porém, não foi só essa a adaptação. Richard

Schulze expandiu seu mix de produtos dos aparelhos de som iniciais para uma diversidade de equipamentos para se adaptar aos clientes, porque percebeu que aparelhos de som acabaram sendo objetos do desejo apenas de jovens sem dinheiro. Ele também foi mudando o formato de suas lojas, para conceito I, II e III, com o objetivo de se adaptar aos clientes e ao seu comportamento observado, por exemplo, na Tornado Sale. Da mesma maneira, Anderson investiu no Geek Squad para se adaptar às necessidades de serviços que os clientes tinham. Dunn abriu minilojas Best Buy Mobile, porque os clientes mostravam interesse por isso – mesmo que não tenha dado certo.

No entanto, o conceito de estratégia adaptativa foi elevado a outro patamar com Hubert Joly, a partir de 2012. O turnaround em si foi a adaptação; a empresa precisava emagrecer para ganhar capacidade de adaptação, mas os funcionários tinham de se engrandecer. Foi aí que Joly priorizou o moral da tropa, como comentamos, para depois implementar um plano de corte de custos de US$ 1,4 bilhão, em que foram vendidas lojas na Europa e na China, e fechadas lojas com performance abaixo da média. Houve demissões na sede, sim, e o espaço foi redesenhado, reduzindo os metros quadrados que caberiam a quem ficou. Porém tudo foi feito com um misto de pensamento estratégico e inteligência emocional, como definiu a revista *Inc*.

Os 4.000 funcionários administrativos, até então espalhados por quatro edifícios em Richfield, tiveram de caber em três dos prédios – o quarto prédio foi alugado para vários inquilinos corporativos, entre os quais um banco. Contudo, em compensação, venderam-se os jatinhos particulares da empresa. Cancelaram-se as viagens de executivos a eventos, como o Fórum Econômico Mundial, em Davos, Suíça. Não foram renovados os tradicionais patrocínios esportivos da empresa, do Super Bowl à Nascar – de automobilismo. Joly abriu mão de uma sala principesca que tinha entrada separada e até quarto do pânico.

No programa Renew Blue, Joly adaptou-se para bater de frente com a Amazon, capitalizando sobre as "fraquezas" da empresa de Jeff Bezos – no caso, o fato de não ter mais de 1.000 lojas de grande porte espalhadas pelos Estados Unidos, como era o caso da Best Buy – reza a lenda que 70% dos americanos vivem a 15 minutos ou menos de alguma loja Best Buy. Joly decidiu usar suas lojas como vitrines para as grandes marcas de tecnologia e promover ativamente o chamado "showrooming". A Best Buy tinha sido uma das primeiras cadeias a montar minibutiques da Apple em seus espaços e, agora, estenderia a ideia para Samsung, Microsoft, Sony, Google, a própria Amazon (com sua Alexa), etc. As marcas pagam aluguel à Best Buy e colocam seu pessoal de vendas – ou treinam os camisas-azuis, como são conhecidos os vendedores da Best Buy. O conceito de plataforma, central quando se fala em estratégia adaptativa nos tempos atuais, fica claro nesse movimento – mesmo não sendo uma plataforma digital.

Naquilo em que a Amazon era mais forte, por sua vez, a Best Buy tratou de correr atrás. Seu aplicativo falhava regularmente, e o site parecia ser um item de colecionador – mercadorias fora de estoque eram promovidas, não havia mecanismos de recomendações de clientes, as informações sobre os produtos eram escassas e o consumidor demorava 10 cliques para chegar ao check-out. Até o final de 2016, tudo isso foi corrigido. E, claro, para apoiar as vendas por e-commerce, a gestão da supply chain foi endereçada. O responsável por melhorar as coisas nesse front foi trazido da Target, e sua primeira medida foi atualizar o software de gerenciamento de estoques, que tinha pelo menos duas décadas de idade. Assim, as operações de fornecimento foram ampliadas e a Best Buy passou a fazer entrega gratuita em dois dias para pedidos de US$ 35 ou mais.

Uma vantagem da Best Buy sobre a Amazon foi o uso das lojas como plataformas – o eficiente sistema de retiradas (pick-ups) montado nas lojas, em que as pessoas compravam pela internet e retiravam os pedidos rapidamente nos pontos de vendas físicos. Para essa retirada ser a mais conveniente possível, a empresa criou a função "On My Way" em seu aplicativo; assim, os clientes definem o momento que desejam retirar os produtos adquiridos online nas lojas, adaptando a entrega à sua necessidade de tempo e comodidade. O resultado foi uma imensa vantagem da Best Buy sobre a Amazon. Entre 2012 e 2018, a participação das receitas online nas receitas totais da Best Buy mais que dobrou nos EUA, passando de 7% para 16%, bem acima do que ocorreu com outras redes varejistas de grande porte.

A agressividade no site foi tanta que a Best Buy passou a competir com a Amazon até no célebre Amazon Day, que é o dia de descontos da Amazon, uma espécie de Black Friday particular de Jeff Bezos, que acontece todo mês de julho. No Amazon Day de 2019, por exemplo, os descontos dados pela Best Buy foram bastante significativos.

Uma evidência da adaptabilidade é que, em meio a toda essa guerra, Joly também criou alianças com a Amazon. A Best Buy passou a "dormir com o inimigo", como definiu um consultor da Bain & Company. Além de a Amazon ter minilojas dentro nas lojas Best Buy, as duas anunciaram uma joint venture para vender um tipo de Smart TV exclusivamente em seus canais.

A segunda estratégia de Joly, *Building the New Blue*, anunciada no início de 2017, queria levar a Best Buy às casas das pessoas, por meio de funcionários prestando serviços. Como já comentado, Corey Barry começou a criar as condições para a varejista prestar serviços de consultoria em tecnologia aos clientes. Foi criado "um espaço seguro para ter ideias", como o definiu Barry – para trabalhar o motor 2 de crescimento futuro, outro elemento típico das estratégias adaptativas.

Desse espaço de ideias saiu, entre outras iniciativas, o programa In-home Advisor. A ideia era expandir o amado Geek Squad da Best Buy, consultores domésticos que vieram com a aquisição da startup homônima, em 2002, para In-home Advisor. Corey Barry fez o MVP (mínimo produto viável) do programa numa loja de San Antonio, no Texas, por seis meses. Então, Joly voou para lá e perguntou a Barry – ele gostava bastante de fazer perguntas – se deveria tentar fazer o mesmo em outro lugar. Barry respondeu de pronto: já havia expandido o serviço de In-home Advisor para outros dois mercados: Austin (também no Texas) e Atlanta (na Geórgia). E Joly respondeu: "Maravilha!".

Se antes os geeks se limitavam, além de oferecer serviços nas lojas, a ir às casas dos clientes depois que compravam algo para ajudar a instalar home theaters e outros equipamentos, agora a ideia era atuarem como consultores regulares, por meio de uma assinatura mensal – uma "membership". Em 2021, o Squad somava 20 mil agentes que oferecem apoio 24 por 7, entre os quais estão In-home Advisors, em número crescente, que visitam as pessoas e as instruem sobre o que é possível em termos de uso de eletrônicos no ambiente deles, sendo realistas e humanos. Os geeks brincam que não são eles que trabalham para a Best Buy, e sim a Best Buy que trabalha para eles. O plano Total Tech Support tornou-se nacional em setembro de 2016 e, nos dois primeiros anos, vendeu 2 milhões de assinaturas. A Best Buy está atuando onde a maioria das empresas de base digital não está disposta a ir, embora, em 2017, a Amazon tenha copiado a ideia nos Estados Unidos.

Aí, dentro da estratégia *Renew the Blue*, começou uma pivotagem. Notando que os idosos emergiam entre os principais clientes dos consultores domésticos, a Best Buy, como já citado, investiu cerca de US$ 800 milhões para comprar a GreatCall, fornecedora de telefones celulares Jitterbug, adaptados para idosos, e de serviços de concierge e monitoramento de emergência para o mesmo público. Esse mesmo movimento justifica as aquisições da Critical Signal Technologies (CST) e da BioSensics que oferecem, respectivamente, serviços de monitoramento remoto de pacientes e inovação com vestíveis que podem ajudar a detectar quedas e outros problemas enfrentados pelos idosos.

Faz todo o sentido a Best Buy pensar nesse motor de crescimento futuro. Os gastos com saúde nos EUA giram em torno de US$ 3,6 trilhões ao ano, ou quase 15 vezes o gasto do consumidor na categoria de eletrônicos, que é o motor de crescimento atual da companhia. Além disso, espera-se que o número de pessoas com 65 anos ou mais nos EUA cresça mais de 50% nas próximas duas décadas. A Best Buy pode, nos próximos 10 a 20 anos, acrescentar uma receita entre US$ 11 bilhões e US$ 46 bilhões por conta dos negócios de saúde.

Corey Barry assumiu como CEO em 2019 para dar continuidade ao motor 2 de crescimento e, pouco depois, veio a pandemia. Contudo, ela não mudou os planos; ao contrário, pisou no acelerador. Lançou um plano Best Buy 2020. O serviço é a chave para a sobrevivência, acredita ela. Se você vende para um consumidor um laptop, uma televisão ou um sistema de segurança em casa, você tem um cliente por um dia. Se você os ajuda a instalá-lo, os ensina a usá-lo e abre um canal para que lhe peçam ajuda sempre que precisarem, você terá um cliente para toda a vida. O ciclo de vida do cliente (seu lifetime value ou LTV, em inglês) é imensamente maior.

Corey Barry criou a Best Buy Health, como já foi dito. Embora muitas empresas estejam de olho nesse mercado, como o Walmart, a Best Buy parece estar na melhor posição para lucrar com a demanda por tecnologia residencial inteligente que permite que os idosos permaneçam em suas casas, e isso tem desdobramentos em direção ao healthcare. As seguradoras estão começando a fazer parceria com a Best Buy para cobrir alguns dos serviços de monitoramento que ela oferece, por exemplo.

Um olhar interessante é sobre como os perfis dos membros do conselho de administração da Best Buy podem sinalizar o futuro. Entre os nove membros, além de Joly e Barry, há representantes de três varejistas ligadas a estilo de vida – de produtos para pesquisa e camping, de moda e de pet shops. Há dois especialistas de serviços, um de healthcare e outro de seguros. E há um conselheiro de uma companhia de data analytics.

Existe uma história que ilustra o conceito de estratégia adaptativa que Joly implementou na Best Buy. Por ocasião do lançamento do programa de In-home Advisor, um estagiário perguntou a Joly quão grande ele esperava que o programa pudesse se tornar. Ele deu uma resposta surpreendente para o pensamento de gestão convencional: "Não tenho uma meta específica. Eu não acho que uma meta seria útil. Na McKinsey, nunca tivemos uma meta de clientes". A adaptação é feita independentemente de meta.

CUSTOMER CENTRICITY

"Pare de vender; construa relacionamentos." Foi assim que a revista *Inc.* definiu a estratégia da Best Buy a partir de seu turnaround, em 2012. A varejista costuma dizer que é "clientocêntrica" desde antes disso, ao menos, mais "clientocêntrica" do que a Amazon e que boa parte dos players do varejo de eletrônicos. Ela tem dois argumentos: é agnóstica em relação a marcas e, portanto, é mais independente (algo que a Amazon, a principal concorrente, não é, por produzir o Amazon Echo) e tem grande proximidade com os consumidores por meio dos serviços oferecidos pelo Geek Squad. Outros detalhes, como a certificação de um padrão de qualidade de produtos com seu selo Magnolia, como uma curadoria confiável, também indicam uma centralidade no cliente.

Os consumidores se sentem estressados com a tecnologia. Entender quais equipamentos são realmente bons e quais deixam a desejar lhes exige muito esforço. Pensar em como o sistema de segurança doméstica pode ficar sincronizado com a TV, o notebook, o smartphone e a porta da garagem pode ser igualmente cansativo e angustiante, como mostram pesquisas diversas, e essa assessoria vem acontecendo antes da gestão Hubert Joly.

No entanto, foi depois do turnaround que os serviços do Geek Squad foram aprofundados, com o surgimento do programa Total Tech Support, de assistência em casa. O Geek Squad só faz crescer desde 2012, na mesma proporção em que as gerações mais jovens dão mais importância para o reuso e a economia circular – os 20 mil funcionários que o compõem fazem cerca de 5 milhões de consertos anuais. A assinatura do programa dos consultores domésticos tem, em suas três regras principais, uma evidência ainda maior da customer centricity de empresa:

- Regra nº 1: Nenhum trabalho é muito pequeno. "Vamos ensinar o consumidor a fazer perguntas ao Alexa, se for preciso".
- Regra nº 2: Nós iremos à sua casa de graça.
- Regra nº 3: É tudo sem compromisso; fique à vontade para não fechar um acordo até o final do dia.

O programa Try Before You Buy, lançado em 2017, também é uma resposta direta a uma necessidade dos clientes, ainda que tenha sido interpretado principalmente como uma arma na guerra contra a Amazon. Por esse programa, o consumidor pode alugar um produto para experimentar antes de comprar – como câmeras, equipamento de áudio, relógios inteligentes, rastreadores de fitness e drones. Quem comprar recebe 20% do valor do aluguel de volta.

Durante a pandemia de Covid-19, muitas empresas se esforçaram para arrumar modos alternativos de atender o cliente, como mandar funcionários entregar produtos para quem mora nas vizinhanças da loja. A Best Buy também fez isso. Porém, ela fez mais! Firmou acordos com redes como CVS, Michaels, Advanced Auto Parts e UPS, para permitir que as retiradas de produtos da Best Buy fossem feitas também em suas lojas.

Mesmo nos anos pandêmicos de 2020 e 2021, ao menos quatro decisões da empresa anunciadas ilustram a centralidade no cliente. Em primeiro lugar, no relatório de sustentabilidade do ano fiscal de 2020, publicado em fevereiro de 2020, aparece, junto à meta de reduzir 75% das emissões de gases de efeito estufa até 2030 (em relação a 2009), fazer o cliente reduzir em 20% seus gastos com energia elétrica até 2030, por utilizar eletrodomésticos e eletrônicos mais eficientes no consumo de energia.

Em segundo lugar, a Best Buy está reduzindo significativamente o espaço de vendas para converter quatro lojas de teste da Best Buy em centros de atendimento, conforme a publicação *Supply Chain Dive*. A mudança é parte do plano geral de converter lojas nos EUA em minicentros de distribuição, com recursos aprimorados de envio a partir da loja nos próximos anos.

Já em terceiro, a Best Buy começou a testar, em setembro de 2020, um programa chamado Shipt Driven, um conceito em que a Best Buy usa motoristas da empresa de delivery Shipt para coleta na loja e entrega na casa do cliente. Juntos, são estes dois conceitos: lojas como minicentros de atendimento e entrega de última milha.

Por fim, em abril de 2021, é viabilizado um novo programa de serviço de assinatura denominado Best Buy Beta, que amplia bastante o Total Tech Support. Nesse caso, os serviços de suporte do Geek Squad são ilimitados, e incluem uma série de benefícios adicionais, como "preço exclusivo para membros, até dois anos de garantia na maioria das compras de produtos, remessa padrão gratuita e entrega e instalação gratuita na maioria dos produtos e eletrodomésticos, inclusive os da marca Apple, prazo ampliado até 60 dias para fazer devoluções, etc." O programa teve início em lojas selecionadas em Iowa, Oklahoma e leste da Pensilvânia; e Tennessee, Carolina do Norte e Minnesota também estavam na fila até o fechamento deste livro. A ideia é que, conforme o Best Buy Beta entre nos mercados, o Total Tech Support vá sendo desativado. Já o programa de fidelidade My Best Buy se mantém – quando a Best Buy começou a fazer a interessante conexão entre a experiência na loja e a do aplicativo, em 2013, isso também refletia a centralidade no cliente – pelo programa, quem faz check-in no aplicativo quando entra numa loja Best Buy ganha pontos no programa de recompensas.

A entrada no segmento de healthcare também denota essa centralidade no cliente. Serviços de monitoramento de saúde à distância e acessíveis devido à ajuda da tecnologia são cada vez mais necessários, devido à tendência demográfica de envelhecimento da população na América do Norte. Basta pensar em sensores vestíveis para monitorar se idosos caíram ou estão precisando de ajuda – quem tem idoso na família sabe o valor disso. A Best Buy Health lançou, em 2020, o app Lively (by Great Call), junto com o relógio vestível Lively, resistente a água e com bateria que dura quatro meses. Ele é usado tanto para encorajar um estilo de vida saudável como para pedir ajuda em emergências – conectado não só a serviços de pronto-socorro, como a médicos e enfermeiros certificados, e a contatos pessoais escolhidos. A acessibilidade do serviço chama a atenção: o relógio Lively sai por menos de US$ 50; e a assinatura do serviço é a partir de US$ 25 mensais.

Como declarou Brian Tilzer, diretor digital e de tecnologia da Best Buy, conforme entrevista publicada no portal *RIS News* – Retail Info Systems em agosto de 2020, "os clientes estão no coração de tudo. O que fazemos é entender melhor suas necessidades, o que nos ajudará a criar experiências novas e mais significativas para eles". Entender melhor as necessidades dos clientes por meio de dados e analytics é central na estratégia da organização.

AGILIDADE

O programa Try Before You Buy, o pagamento com Apple Pay, o delivery mais rápido dos produtos, a introdução do programa de In-home Advisor, a maior rapidez para website e app mobile e a entrega por pick-up nas lojas ou delivery a partir das lojas – todos esses produtos foram desenvolvidos pela Best Buy utilizando métodos ágeis.

Essa informação é apresentada num artigo da consultoria Tata Consultancy Services, em 2018, segundo a qual algumas empresas americanas, como a Best Buy, estavam subvertendo o gerenciamento de projeto tradicional, que levava meses para planejar um novo produto e um ano para construí-lo. O artigo enfatiza o medo dessa mudança de ritmo, que é natural nos colaboradores, além da importância da comunicação e do treinamento contínuo para evitar essa resistência.

A Best Buy trabalha com desenvolvimento ágil há anos, de acordo com nossa pesquisa. Na conferência STARWEST 2012 - Software Testing Conference, por exemplo, houve uma palestra sobre testes das centenas de projetos de desenvolvimento ágil em execução simultânea na empresa, e sobre o conjunto integrado de ferramentas de gerenciamento e execução escalável de testes, que foi construído para lidar com isso. Desenvolvedores, testadores, gestores de negócios e pessoal de tecnologia da informação podiam apertar o botão de "iniciar", rodar os testes e receber os resultados com facilidade. Porém, de lá para cá, isso se intensificou muito.

Trazemos aqui uma história de agilidade da Best Buy relativa a comércio eletrônico que aconteceu na operação do Canadá, que opera com autonomia em relação aos Estados Unidos. Em 2016, essa unidade mudou radicalmente sua abordagem para agregar valor com seu site de e-commerce. Por meio do uso de uma metodologia ágil iterativa, em vez de um processo linear em cascata, foi mudando seu foco de projetos para produtos, por meio de equipes multifuncionais, melhorando significativamente sua capacidade de lançar novos algoritmos, ganhando velocidade e eficiência no uso do site. Os mesmos ganhos de capacidade permitiram que as equipes de negócios de comércio eletrônico entregassem produtos para venda no site da empresa para venda em menos de 2,2 dias, em vez dos 17 dias anteriores, com 18% do custo. Em números absolutos, a liderança da subsidiária estimou uma redução de US$ 40 milhões por ano no custo em desenvolvimentos tecnológicos, além de um time to market menor, do aumento de receita e de uma segurança mais robusta.

De um padrão de dois ou três lançamentos significativos de recursos novos por ano, e mais algumas adaptações menores, a Best Buy Canadá lançou 85 recursos novos de comércio eletrônico e tecnologia em geral dentro da organização somente nos primeiros seis meses de 2019. Isso foi fundamental para a Best Buy canadense conseguir antecipar problemas em relação à greve postal que aconteceu na região, potencialmente incapacitante poucas semanas antes da Black Friday.

GESTÃO BASEADA EM DADOS

Quando a Amazon entrou de vez em cena, marcas tradicionais do comércio, como a Best Buy, sentiram-se encurraladas e não conseguiram se imaginar desafiando a gigante do e-commerce ou voltando ao protagonismo. No entanto, aos poucos, algumas delas – a Best Buy, em especial – foram aprendendo a atuar no campo que a Amazon domina: o dos dados.

O site da Best Buy, incrementado por ordem de Joly, funcionou para captar mais e melhores dados. Os serviços de assinatura, como o Total Tech Support e o Best Buy Beta, que o está sucedendo, também constituem uma excelente fonte de dados e analytics para a empresa. Lembra-se da BioSensics, a startup adquirida pela Best Buy, que veio com uma equipe de cientistas de dados e engenheiros de software? Isso permite entender como os dados estão se tornando cada vez mais importantes para essa varejista americana – nesse caso, para a Best Buy Health. Não nos esqueçamos de que o fechamento rápido e radical, das lojas nos primeiros tempos de pandemia, em 2020, foi definido pela CEO, Corey Barry, pelo fato de ela poder coletar dados sobre o comportamento dos clientes também.

Os dados estão crescendo muito para a Best Buy, e cada vez mais as decisões da empresa se baseiam neles. Atualmente, os dados são utilizados pela Best Buy até para apontar, quase paradoxalmente, se o melhor meio para se comunicar com determinado cliente é a mala direta, à moda antiga, pelos correios.

Em agosto de 2020, a empresa assinou um contrato para utilizar infraestrutura em nuvem e os serviços de análise do Google Cloud, não apenas para unificar suas fontes de dados de várias plataformas legadas, mas também para impulsionar uma estratégia comercial baseada em dados, a fim de oferecer experiências de compra mais personalizadas e inovadoras. A expectativa é de que, com essa parceria, a Best Buy conseguirá iterar novas ideias rapidamente.

Estão no pacote o uso de inteligência artificial, análises e soluções de tecnologia. O impulsionamento da estratégia comercial passa por executar algoritmos de machine learning e inteligência artificial com base nesses dados, para criar ofertas e recomendações mais personalizadas para os compradores. As ofertas podem incluir novos produtos que interessem aos clientes, serviços exclusivos em canais, recompensas personalizadas e outras experiências.

A arquitetura de dados desenvolvida pela Best Buy ocupa lugar central na sua estratégia de centralidade no cliente e no processo de tomada de decisões da companhia. Ao analisarmos a evolução da organização, sobretudo na nova fase capitaneada por Joly, notaremos uma mudança substancial em relação à forma de condução da empresa que, cada vez mais, migra para um modelo mais racional onde as decisões empíricas dão lugar à análise de informações como ponto central do processo.

Ao mesmo tempo em que têm sido realizados investimentos importantes na estrutura tecnológica da companhia, é introjetado na empresa um novo comportamento de orientação aos dados que norteia a visão de negócios de seus líderes e colaboradores em geral. A decisão, no início da pandemia, de adotar o método científico em sua gestão é uma evidência da introdução desse novo modelo, norteando todo sistema de pensamentos da companhia.

CULTURA ORGANIZACIONAL

Por ocasião dos 50 anos da Best Buy, em 2016, o site da empresa publicou duas entrevistas, lado a lado, que definem o DNA da companhia, o sinônimo de sua cultura. Em uma delas, o fundador, Richard Schulze, diz que o DNA da empresa está em fazer tudo pelo cliente – ou seja, defendendo o interesse do cliente – e que não há como fazer isso sem empoderar os funcionários. Na outra, o então CEO Hubert Joly falou que toda a empresa devia trabalhar para que os colaboradores facilitassem aos clientes o entendimento e o aproveitamento da tecnologia, que não para de evoluir. Ou seja, se a cultura Best Buy fosse representada em um triângulo, os vértices seriam clientes, colaboradores e tecnologia.

Esse alinhamento não significa que não houve mudança de cultura entre a gestão Schulze e a gestão Joly. Em 2003, sob Brad Anderson, a cultura da varejista era tão masculina que um programa de liderança feminina, que tinha a sigla Wolf (loba, em inglês), foi ridicularizado nos corredores da companhia por homens uivando sem nenhum pudor. Julie Gilbert, vice-presidente que criou o programa, chegou a ser impedida de participar de reuniões de negócios e passou a ser evitada em festas da firma. Anderson reconheceu o valor das ideias de Gilbert e, em poucos anos, o número de agentes do sexo feminino no Geek Squad triplicou, o número de gerentes do sexo feminino aumentou 40% e a rotatividade das mulheres diminuiu de forma verificável. E, aos poucos, a cultura foi acompanhando essas mudanças.

De certo modo, houve uma releitura da cultura original ao longo dos anos, em alinhamento com o espírito dos tempos. Por exemplo, o estilo self-made man de Schulze, que ele valorizava em seus vendedores, evoluiu para a autonomia e a iniciativa que permitem proporcionar a melhor experiência para o cliente. A atenção especial que Schulze dava à contratação de militares por sua disciplina e liderança, sendo ele mesmo um ex-militar, passou a ser uma preocupação com a diversidade e inclusão dos veteranos, que, em geral, têm dificuldade para se recolocar no mercado de trabalho.

Ao abordar a cultura organizacional, o site corporativo é muito prático e até específico. Descreve três — e apenas três comportamentos que devem servir como guia para todos os membros da organização. O primeiro deles é "seja humano" — esse item explicita que, apesar de toda a tecnologia que as lojas contêm, as conexões humanas são o que realmente importa — e isso é diretamente relacionado à experiência do cliente. O segundo comportamento esperado dos camisas-azuis é "torne as coisas reais" — como a tecnologia muda a cada momento, é preciso lembrar que nem todo mundo consegue acompanhá-la e manter o pé no chão em relação a isso. O terceiro comportamento desejável é muito significativo em relação à Gestão do Amanhã: "Pense no amanhã". O texto diz o seguinte: "Na Best Buy, não ficamos satisfeitos em simplesmente atender às necessidades de hoje. Estamos empenhados em equipar as pessoas para quaisquer que sejam as demandas futuras". Além disso, a Best Buy lembra que, para que os funcionários consigam pensar no amanhã, ela oferece um ambiente de trabalho divertido e repleto de energia, com foco no desenvolvimento pessoal de cada um.

Os valores corporativos são igualmente específicos — e é interessante notar que quase todos estão relacionados à experiência do cliente. São quatro: divertir-se e dar seu melhor ao mesmo tempo; aprender com o desafio e a mudança; soltar o poder dos colaboradores; e mostrar respeito, humildade e integridade — este é comparado à melhoria contínua dos colaboradores (ao aumento de seus talentos) e, por isso, a uma melhor experiência para o cliente. "Aprender com o desafio e a mudança" remete, inclusive, às histórias da empresa, como a do tornado que destruiu a loja e permitiu um grande aprendizado.

Assistindo a vídeos em que os funcionários da Best Buy buscam definir seu trabalho, vimos que frequentemente usam a palavra "amor". Esse sentimento espontâneo tem sido capitalizado pela gestão. Um dos objetivos de 2025, por exemplo, é aumentar os momentos de relacionamento com clientes, porque assim se aumenta o amor. E como os clientes que amam a Best Buy gastam 1,5 vezes a mais que o cliente médio, segundo cálculos da empresa, mais amor significa, também, mais dinheiro.

O amor se nutre com ações de responsabilidade social da empresa. A principal delas talvez esteja na abertura e manutenção dos Teen Tech Centers, centros para incluir jovens de comunidade de baixa renda no mundo da tecnologia e do futuro do trabalho, com cursos de programação, vídeos, produção musical e design, entre outros. No início de 2020 existiam 33 Teen Tech Centers bancados pela Best Buy, e o plano era construir uma rede de 100. As 100 mil horas de trabalho voluntário dos funcionários em comunidades – com a empresa dividindo essas horas – também são motivo de orgulho, bem como o fato de que as marcas de produtos vendidos pela rede Best Buy têm 100% das fábricas auditadas em termos de responsabilidade socioambiental.

LIDERANÇA

Lynda Gratton, uma pesquisadora de futuro do trabalho da London Business School, tem dito que as empresas precisam se responsabilizar pela evolução de habilidades de seus funcionários, para que possam participar dos mercados de trabalho futuros. E, segundo ela, a melhor maneira de os empregadores contribuírem é lhes oferecer funções que funcionem como "escadas rolantes", como atendimento ao cliente, vendas e conserto de computadores, ou um revezamento de funções, porque isso capacita os colaboradores a uma diversidade de tarefas. Essas são as funções características na Best Buy. Além disso, há uma variação de atividades – por exemplo, durante a pandemia, mais colaboradores passaram a fazer vendas virtuais, atuando no chat em vídeo, telefone e suporte técnico remoto.

Na pandemia, em especial, uma parte importante da estratégia de recursos humanos da empresa foi treinar mais funcionários de loja para fazer tarefas diferentes, de modo que pudessem alternar facilmente as tarefas ou fazer turnos em várias lojas. Mais da metade dos trabalhadores foi treinada para trabalhar em diferentes lojas, podendo adicionar turnos para fazer entregas em casa. Em 2020, houve 60 programas na Geek Squad Academy e centenas cursos de treinamento foram realizados.

Treinamentos têm sido a tônica da Best Buy desde a virada da empresa. O treinamento dos In-home Advisors, por exemplo, tem cinco semanas só de iniciação, e é intensivo não só em produtos e técnicas, mas no que diz respeito a comportamentos. As pessoas não devem agir como vendedoras, e sim como consultoras, ensina-se. Devem priorizar o estabelecimento de relacionamentos de longo prazo. Devem tirar os sapatos para entrar na casa dos consumidores. Mesmo sendo gratuitas e sem compromisso, as visitas devem ser feitas sem pressa; podem durar até 90 minutos.

Porém, esse treinamento mais diversificado, juntamente à ênfase na alternância de funções com efeito de escada rolante, foi especialmente bem-vindo em 2020, porque a Best Buy começou o ano com 123 mil funcionários e terminou com 102 mil. Mais 5.000 funcionários foram cortados em abril de 2021. Isso é impactante, ainda que tenha havido bônus de auxílio e que estejam sendo contratadas 2.000 pessoas, mas para trabalhar em tempo parcial e em áreas como cadeia de fornecimento, delivery e tecnologia. O fato é que lojas que atuam mais como minicentros de distribuição não precisam de tantos funcionários. E algumas lojas foram fechadas.

O turnover voluntário, que bateu em 47% em 2012 e 2013 e vinha caindo ano após ano, continuou a decrescer em 2020, ficando em 30% – o varejo costuma ter maior rotatividade de pessoas. E, em 2020, a Best Buy integrou novamente o ranking *Melhores Empregadores da América*, elaborado pela revista *Forbes*, entre empresas de grande porte, classificada entre as 10 maiores empresas de varejo e na posição 106 na lista geral, o que foi um grande avanço em comparação à posição de um ano antes, que era a de número 398. Isso se deve ao treinamento, a benefícios com os programas de saúde mental, a ações em prol da diversidade e inclusão.

Essa ênfase na capacitação e desenvolvimento dos colaboradores, de forma contínua e intensa, reforça o papel do líder como protagonista no processo de aprendizagem da organização. Essa dinâmica estende-se do indivíduo para a companhia, construindo as bases para uma cultura de aprendizado.

O que a empresa propõe para aumentar a diversidade em seu quadro pessoal? Já foram citados os militares na Best Buy, mas a diversidade vai bem além deles. Os grupos minorizados são cada vez mais presentes nas empresas – asiáticos, LGBTQIA+ (que eles chamam de "pride", orgulho), latinos, militares, mulheres e portadores de deficiências. Existe mais de um programa com propósito inclusivo, como o ERGs (grupos de recursos para os funcionários em que representantes dos minorizados colaboram para contratar mais pessoas com o mesmo perfil e realçar para a empresa a contribuição das que já estão lá dentro) e os comitês de inclusão e diversidade (grupos de líderes de diferentes funções num dado território ou unidade de negócios que focam na diversidade). A Best Buy anunciou, em dezembro de 2020, um plano de cinco anos que compromete mais de US$ 44 milhões em direção à diversidade, inclusão e esforços comunitários, e foco acentuado em jovens. A diversidade, diga-se, é uma realidade no conselho de administração da Best Buy. Composto por 11 pessoas, conta com dois negros e cinco mulheres. Dos famosos tradicionais cabeças brancas mesmo, só há dois.

Existe um arquétipo de liderança bem-definido no site da Best Buy, que é a liderança inclusiva. Entre seus elementos constituintes estão a vulnerabilidade (disponibilidade para mostrar as fraquezas hoje para ser mais forte amanhã), a empatia (ter como propósito compreender a experiência única de cada um), a coragem (capacitando todos para falar e agir do modo certo); e a graça (criar um ambiente onde as pessoas possam assumir riscos calculados e aprender com os erros). Hubert Joly e Corey Barry se encaixam nesse perfil, que coincide com o perfil de Líder Exponencial de Gestão do Amanhã.

O depoimento de Joly sobre Barry na passagem do bastão, em 2019, foi bastante enfático quanto ao estilo de liderança que serve a uma organização como a Best Buy – a palavra "humana" e variações apareceram quatro vezes em um parágrafo: "Corie é um ser humano maravilhoso. Trata-se de uma líder muito humana que pode estabelecer conexões com uma variedade de líderes e indivíduos em toda a empresa". E ele continuou: "Essa combinação de habilidades técnicas e grandes capacidades de liderança humana e humanidade, que há muito admiro em Corie, me dá uma enorme esperança no futuro da Best Buy". Essa humanidade foi confirmada no momento em que Barry decidiu fechar todas as lojas, quando a Organização Mundial de Saúde decretou a pandemia e quando outras redes hesitaram em fazê-lo – alegando faltarem "dados empíricos sobre como manter as pessoas em segurança".

É inegável o protagonismo de Hubert Joly na adaptação da empresa aos novos tempos. Uma das estratégias utilizadas pelo líder para engajar seus colaboradores na nova Best Buy foi utilizar a comunicação ostensivamente a seu favor, exercendo o papel de Líder Comunicador. Uma referência emblemática dessa estratégia se manifestou no cuidado da definição de um nome para batizar o plano Renew Blue que representou o primeiro esforço articulado rumo à reinvenção da companhia. Na obra de sua autoria, *The Heart of Business*, não publicada no Brasil, Joly comenta que, para existir na mente coletiva das pessoas, um plano deve ser batizado com um nome forte que tangibilize a sua mensagem. Foram levantadas por sua equipe mais de 30 possibilidades até chegarem ao nome escolhido. A importância da semântica e do vocabulário a serem adotados em processos de transformação é fundamental, pois simbolizam os novos caminhos da organização. Esse recurso é uma das ferramentas disponíveis ao líder, e Joly fez uso dessas referências para mobilizar os colaboradores de sua organização na jornada almejada. Essa estratégia consolidou-se na organização, tanto que o novo plano de desenvolvimento da companhia foi batizado de Building the New Blue.

Hubert Joly é o autêntico Líder Conector, e esse traço se evidenciou na sua capacidade em construir conexões a partir de todos os agentes do ecossistema da Best Buy, como no processo de transformar potenciais competidores, como a Amazon, em parceiros de negócios, ou ainda entendendo a dificuldade dos clientes adotarem tantas tecnologias disponíveis atualmente e, por meio dessa visão, transformar os instaladores do Geek Squad em consultores. Essa perspectiva é central no desenvolvimento de diferenciais competitivos da organização que se transmuta em um novo design organizacional a partir da centralidade no cliente. Com isso, além da fidelização de clientes, são gerados novos serviços e fontes de receita, como o Best Buy Beta, por exemplo, que garante uma receita recorrente à empresa com um modelo de negócios distinto da visão clássica do varejista tradicional.

MAIOR AMBIÇÃO PARA 2025

À medida que, instantaneamente, tornou a tecnologia mais vital para todos, a pandemia de Covid-19 mexeu profundamente com o negócio da Best Buy. De repente, as crianças estavam estudando em casa e os pais trabalhando em casa – e todos precisavam de computadores e acessórios tecnológicos adequados. Com esse novo impulso, Corey Barry prevê que a Best Buy possa atingir US$ 50 bilhões em receita anual até 2025, o que representa um crescimento de 16,5% em relação aos números atuais. Uma boa parte do crescimento pode vir dos serviços oferecidos aos clientes – a expectativa é dobrar a receita obtida com assinatura de suporte técnico, serviços de consultoria em tecnologia, etc. O ganho de eficiência também está no mapa da CEO: ela planeja uma redução de custos de US$ 1 bilhão no mesmo período. Além disso, como já citado, a empresa estima, nos próximos 10 a 20 anos, acrescentar uma receita entre US$ 11 bilhões e US$ 46 bilhões, por conta dos negócios de saúde.

A Best Buy continua celebrando o fato de que mais de 70% da população americana mora a 15 minutos de uma loja da sua rede – ou seja, as lojas físicas não acabarão. O digital deve crescer muito mais, porém ainda que sempre apoiado no físico. É uma estratégia parecida com a que vimos no case study da Magalu, também retratado neste livro, mas não idêntica: a Best Buy aposta muito em serviços e tem dois focos claros (tecnologia e healthcare com mediação tecnológica). Ao menos por enquanto, diferentemente da Magalu, a Best Buy só funciona como marketplace para terceiros nas minilojas de marcas instaladas em suas lojas e no programa Ignite, por meio do qual oferece espaço de loja a produtos inovadores e startups, a fim de que seus clientes possam experimentar o futuro – incluindo invenções viabilizadas por crowdfunding, o financiamento coletivo.

"Enriquecer vidas por meio da tecnologia", como promete a Best Buy, não é um propósito qualquer no século 21. É um propósito transformador massivo.

Tenha acesso ao Talk que realizamos com Arthur Igreja, especialista em empreendedorismo digital e inovação, que nos traz uma perspectiva complementar com sua visão sobre o caso BestBuy.

QUESTÕES ESTRATÉGICAS PARA REFLEXÃO

Estruture um grupo de estudo onde todos os participantes deverão ler e estudar o caso. A partir dessa leitura, organize reuniões de cerca de 60 minutos com, no máximo, 8 participantes, para aprofundar discussões como:

1 No plano Best Buy 2020, a organização define a oferta de serviços como chave para sua sobrevivência. Seu foco está em aumentar o ciclo de vida do cliente com a empresa (lifetime value ou LTV, em inglês), obtendo, assim, a possibilidade de geração de mais receitas ao longo do tempo com cada indivíduo. Reflita e defina iniciativas concretas que possam ser geradas na sua organização, para aumentar o ciclo de vida do cliente com a sua empresa.

2 O programa Best Buy Beta representa uma oportunidade para a organização incrementar um modelo de negócios baseado em receita recorrente no formato de assinaturas. A base desse programa foi o entendimento de uma demanda clara dos clientes atualmente: eles se sentem estressados ao ter de lidar com toda tecnologia disponível em seus domicílios. Promova uma reflexão para desenvolver possibilidades de modelos de negócios de receita recorrentes em seu projeto que tenham como fonte o atendimento de uma demanda não atendida (ou atendida precariamente) de seus clientes.

3 Por meio da adoção de métodos ágeis, a operação canadense da Best Buy conseguiu diminuir o ciclo de entregas das vendas no seu comércio eletrônico de 17 dias para 2,2 dias com 18% do custo. Além dos benefícios no relacionamento com o cliente, a empresa estima ter economizado US$ 40 milhões/ano com essa nova forma de operação. Identifique um processo-chave na sua organização que, se for reinventado para obter mais agilidade, tem alto potencial de incremento de resultados (por meio de maior receita ou economia de custos). Implante uma metodologia ágil para o desenvolvimento de premissas e possibilidades que permitam a transformação desse processo rumo ao objetivo desejado.

4 A Best Buy optou por adotar um modelo definido como método científico para ter uma visão clara de todos os indicadores da organização. Um dos motivos do fechamento de todas as lojas durante a pandemia foi para ter uma perspectiva mais racional do comportamento de seu cliente. Quais seriam as informações críticas do comportamento de seu cliente que seriam essenciais para a evolução da sua organização? A quais desses indicadores você tem acesso atualmente? O que seria necessário desenvolver para que você tivesse acesso a todos esses dados de forma íntegra e sustentável? Para responder a essas questões, é inevitável a reflexão sobre sua Arquitetura de Dados e Sistemas atuais.

5 A Cultura Organizacional da Best Buy é baseada em 3 comportamentos que servem como guia para todos os membros da organização: Seja humano; Torne as coisas reais; e Pense no amanhã. Ao definir de forma clara e específica esses comportamentos, a empresa orienta a todos quanto à visão do que é valorizado e requerido em sua cultura. Na sua organização está claro a todos quais são os comportamentos valorizados? Eles foram comunicados de forma abrangente e transparente para toda companhia? Faça uma reflexão para ter um diagnóstico dessa visão (se necessário, pesquisando a percepção dos colaboradores sobre essa perspectiva) e desenvolva um plano de ações considerando a definição desses comportamentos e uma estratégia de comunicação para que essa mensagem seja disseminada em todo sistema organizacional.

6 Hubert Joly utilizou a comunicação como elemento central para unificar todos os colaboradores no processo de reinvenção da organização. Uma das estratégias foi adotar um novo vocabulário como o utilizado no batismo do programa Renew Blue. Promova uma discussão sobre como a liderança de seu negócio adota a comunicação em suas práticas e como esse processo poderia ser incrementado. Reflita sobre as possibilidades de adoção de uma nova semântica com um vocabulário que tangibilize de forma prática as novas perspectivas do negócio.

SUGESTÃO DE DINÂMICA SOBRE O CASO

5 Passos para o Plano de Transformação da Organização

Um dos pontos críticos para a reinvenção da Best Buy ocorreu quando desenvolveram a visão sobre como seria o negócio se não tivessem acesso a um recurso-chave da empresa: suas lojas físicas. Essa dinâmica foi evidenciada quando fizeram a seguinte reflexão: "E se as nossas lojas nunca mais forem abertas? Ou não forem tão necessárias no futuro como eram até hoje? O que devemos fazer?".

Exercícios com esse perfil permitem uma reflexão mais abrangente sobre as possibilidades de desenvolvimento do negócio atual, tanto no que se refere à prevenção de uma ameaça (no caso, o fechamento das lojas devido à pandemia), quanto na visão de novas oportunidades não vislumbradas devido à fortaleza desse recurso-chave no negócio atual.

VOCÊ PODE PROMOVER ESSA REFLEXÃO EM SEU NEGÓCIO SEGUINDO OS SEGUINTES PASSOS:

1. Selecione um recurso-chave da organização atualmente, como a Best Buy, que selecionou seus pontos de venda físicos;

2. Promova uma reflexão estratégica com o seguinte foco: "E se não tivermos acesso a esse recurso-chave?";

3. Liste todas as possibilidades levantadas pelo grupo, indiscriminadamente, sem nenhuma censura;

4. Construa uma Matriz de Priorização para avaliar quais são aquelas com maior potencial de impacto. Essa matriz deve contemplar, na base horizontal, o Nível de Complexidade da iniciativa (alto e baixo) e, na vertical, o Potencial de Impacto da iniciativa (alto e baixo), conforme referência ao lado:

5. Selecione as atividades de menor complexidade e maior impacto e faça uma análise de viabilidade dos projetos selecionados.

―――――――――――――――

A Best Buy continua celebrando o fato de que mais de 70% da população americana mora a 15 minutos de uma loja da sua rede – ou seja, as lojas físicas não acabarão. O digital deve crescer muito mais, porém ainda que sempre apoiado no físico.

―――――――――――――――

Linha do Tempo Domino's

1960 — Irmãos Tom e James Monaghan compram uma pizzaria chamada DomiNick's

1965 — Nasce a Domino's

1967 — Domino's começa a franquear lojas

1978 — Inauguração da loja de nº 200

1983 — Inauguração da loja de nº 1.000

1984 — Fechamento do ano com 2.841 lojas e unidades fora dos Estados Unidos – no Canadá, na Austrália, na Inglaterra e no Japão

1984 — Criação da PROMOÇÃO que garante a entrega em até 30 minutos ou a pizza seria grátis

1996 — Lançamento do seu website

1998 — Monaghan decide se aposentar e vende 93% da empresa para a Bain Capital, por aproximadamente US$ 1 bilhão

2004 — Domino's abre capital na bolsa de valores

2009 — Vendas anuais da empresa atingem seu ponto mais baixo desde 2003

2009 — Lançamento do primeiro sistema de rastreamento de pedidos: o Domino's Tracker

2009 — Domino's lança um anúncio que entrou para a história da publicidade – e da transparência corporativa

2010 — J. Patrick Doyle assume como novo presidente da rede

2013 — Teste da entrega de pizza via drone no Reino Unido

2014 — Lançamento do serviço de pedidos por comando de voz, por meio da aplicação DOM.

2017 — Domino's ultrapassa a Pizza Hut em delivery, tornando-se a líder de seu mercado

2017 — Teste de um carro autônomo

2018 — Richard E. Allison Jr. assume como novo presidente da rede

2020 — As vendas fecham em US$ 16,1 bilhões, ante US$ 14,3 bilhões, em 2018

2021 — No primeiro trimestre, a Domino's contabiliza mais de 17.800 lojas em mais de 90 países, além de 350 mil funcionários

CASE DOMINO'S
NO PEDESTAL DA PIZZA

COMO JÁ PUBLICADO NA REVISTA *WIRED*, A PIZZA tem uma longa relação com a inovação. Foi o primeiro alimento vendido online, o primeiro alimento comprado com bitcoin, o primeiro alimento entregue no espaço. Agora, está sendo o primeiro alimento manipulado por robôs.

A Zume Pizza, uma startup do Vale do Silício fundada em 2015 por um executivo do mundo dos games, vem testando robôs para prepararem pizza. Eles vão fazendo o produto, enquanto os caminhões-forno (com motoristas humanos) se dirigem às casas dos clientes para, ao chegarem lá, transmitirem a mesma experiência da pizzaria – do fogo para a mesa. Em abril de 2021, a Domino's Pizza, a maior pizzaria do planeta, lançou em Houston, no Texas (EUA), pequenos veículos autônomos para entrega que conseguem andar pelas calçadas, chegando mais rápido ao destino – e com as pizzas igualmente quentes.

Qual tipo de robô tem mais futuro: o pizzaiolo ou o entregador? É arriscado prever, mas cabem duas considerações. Do ponto de vista da experiência do cliente, e se pensarmos no trânsito de algumas cidades ao redor do globo, talvez um carrinho-robô que possa cortar caminho andando na calçada seja mais efetivo que o caminhão dirigido por um humano. Afinal, a melhor experiência pressupõe a pizza mais gostosa, com o queijo recém-derretido, e matar a fome o mais rápido possível. Do ponto de vista do negócio, talvez a inovação dos carrinhos-robôs seja mais facilmente escalável e sustentável do que a dos caminhões com robôs. E, para a Domino's Pizza, essa é só mais uma inovação entre as tantas feitas desde 2010, uma atrás da outra, na sua reinvenção bem-sucedida – como uma empresa que pratica a Gestão do Amanhã.

Fundada em 1990 por Tom Monaghan, com capital aberto em 2004 e renascida em 2010, a rede da Domino's vem surpreendendo contínua e positivamente os investidores, sob a liderança, primeiramente de J. Patrick Doyle e, depois, desde 2018, de Richard E. Allison Jr. Em fevereiro de 2020, uma comparação de sua ação com as de big techs mostrou que sua valorização, desde o IPO (Initial Public Offering – Oferta Pública Inicial) de mais de 2.600%, tinha sido superior, por exemplo, às registradas pelo Google.

Mesmo com a pandemia de Covid-19 que abalou o mundo, a Domino's continuou crescendo e investindo. Abriu 131 novas lojas – no Brasil, foram 28 novas – e estavam previstas entre 40 e 50 em 2021. As vendas de 2020 fecharam em US$ 16,1 bilhões, divididas quase igualmente entre vendas nos Estados Unidos e internacionais, ante US$ 14,3 bilhões em 2018. Foi, aliás, sua melhor performance de vendas desde que fez seu IPO, em 2004. E, em março de 2021, o ritmo continuava o mesmo: o crescimento global era de 16,7% comparado ao mesmo período de 2020 – a empresa divulgou que registrava 109 trimestres consecutivos de crescimento de vendas por loja. No primeiro trimestre de 2021, a Domino's contabilizou mais de 17.800 lojas em mais de 90 países, além de 350 mil funcionários, somando os próprios e os dos franqueados.

No artigo *Most Businesses Were Unprepared for Covid-19. Domino's Delivered* ("A maioria das empresas estava despreparada para a Covid-19. A Domino's entregou"), de setembro de 2020, o *The Wall Street Journal* já antecipava esses resultados positivos, de certa maneira, ao mostrar o que a Domino's estava fazendo de tão diferente.

Segundo o jornal, a gestão da rede não ficou esperando que, com o isolamento social, as pessoas automaticamente passassem a pedir mais delivery de pizza. Ela tomou a iniciativa, inclusive por se dar conta de ter muitos concorrentes de delivery de comida, como Grubhub e DoorDash. É claro que as inovações que vinham sendo implantadas nos últimos anos, da jornada no aplicativo à logística, mostraram seu valor – a facilidade de uso do aplicativo da Domino's é difícil de ser igualada: o app chegou ao "pedido zero clique", cujo mote é: "abra o aplicativo, não faça nada e, em 10 segundos, sua pizza favorita será pedida".

No entanto, houve uma série de ações para movimentar o negócio. Por exemplo, foram realizadas diversas iniciativas para garantir o que a empresa chamou de "delivery zero contato": para garantir a segurança sanitária, foi adotado o pedestal de pizza de papelão, sobre qual o entregador deixa a pizza na porta da casa, aperta a campainha e se afasta; o cliente pega a pizza e deixa a gorjeta no pedestal. Quem costuma retirar na loja não foi esquecido. Era possível avisar pelo aplicativo que estava chegando para que um funcionário de máscara pudesse colocar a pizza em seu porta-malas. Andrew Charles, um analista do mercado de restaurantes no banco de investimentos Cowen & Co., declarou ao *The Wall Street Journal* que, enquanto 5% a 10% do serviço de pedidos das grandes redes de restaurantes são digitais, na Domino's, esse percentual, que já era de 65%, subiu para 75% durante a pandemia, o que faz uma grande diferença numa economia de baixo contato.

Denis Maloney, vice-presidente sênior e Chief Digital Officer (CDO) da empresa, sediado na matriz, em Ann Arbor, Michigan, resume assim o direcionamento da Domino's quanto à tecnologia: "A pizza é e será sempre feita à mão". (Nada de robôs, portanto!). "Mas todo o resto que vem antes e depois dessa etapa é sujeito à inovação incansável." Ou seja, o pedido deve ser cada vez mais rápido e mais conveniente, a entrega deve ser mais rápida e mais conveniente.

Não foi apenas isso. Para que o consumo de pizza não ficasse monótono, houve lançamentos de novos sabores de pizza e de novos pratos no cardápio, como a pizza de cheeseburger e de taco tex-mex. Houve, ainda, uma campanha publicitária diferente de todas as demais, como ressaltou o blog da empresa de comunicação PR Security Service. Enquanto todas as empresas de delivery se limitaram a anunciar suas ofertas, a campanha da Domino's preferiu lidar com um dos maiores medos de seu público: o desemprego. Deu esperança ao veicular depoimentos dos franqueados da rede, dizendo que iam contratar mais gente.

Uma percepção que emergiu em 2020 e 2021, ao menos nos Estados Unidos, foi a de que pizza é a refeição perfeita para uma quarentena. Ela é prática e resistente no transporte, alimenta uma família inteira e geralmente rende sobras para guardar na geladeira e comer no dia seguinte. Outra percepção foi a de que a pizza também funciona muito bem para uma força de trabalho descentralizada, que funciona conectada, mas com cada profissional em seu home office. A Domino's foi mais veloz do que a concorrência para captar as duas percepções e surfar nelas.

Talvez os brasileiros possam ter uma ideia melhor do que é a Domino's nos próximos anos, mesmo com a excelência na Gestão do Amanhã sendo mais concentrada nos Estados Unidos. Desde 2018, a empresa está sob o controle do fundo de investimento Private Equity Vinci Partners, também dona da operação do Burger King no Brasil. No comando, está um executivo vindo da AB InBev, Fernando Soares, ex-VP da empresa no México, e a ideia é crescer "40 anos em 5", como dizia o título de uma reportagem sobre ela – ou seja, crescer, em 2023 (ou 2025) tudo o que poderia ter crescido desde que chegou aqui, em 1993. Sob a gestão do Vinci Partners, a Domino's Brasil abriu 100 lojas entre 2018 e 2019, sendo 77 próprias, e somou 308. O plano é chegar a 600 lojas no Brasil até 2025, alinhando-se com o modelo de gestão da matriz, incluindo seu foco em tecnologia. Por enquanto, a eficiência não é a mesma – mas pode evoluir. Neste case study, vamos repassar a história da Domino's Pizza e os seis Building Blocks de Gestão do Amanhã.

OUSADIA E TURNAROUND

A história da maior pizzaria do mundo guarda semelhanças com uma situação contada no filme *Os Estagiários*, de 2013, com Vince Vaughn e Owen Wilson, em que um time de internos do Google precisa fazer um projeto de inovação e escolhe uma pizzaria de bairro como alvo. No caso da Domino's, pode-se considerar a diferença de que a ousadia na expansão aconteceu bem antes da ousadia no uso de tecnologia.

A Domino's começou a nascer em 1960, quando os irmãos Tom e James Monaghan fizeram um empréstimo de US$ 900 e compraram uma pizzaria chamada DomiNick's em Ypsilanti, no estado de Michigan (EUA), e Tom acabou se tornando seu único dono oito meses depois, dando um carro pela parte do irmão. Ele quis crescer e, nos cinco primeiros anos, comprou mais duas pizzarias – como o fundador da DomiNick's o proibiu de utilizar seu nome, criaram, por sugestão de um entregador, uma marca com sonoridade parecida: "Domino's".

Em 1965, a Domino's nasceu oficialmente e, em 1967, começou a franquear lojas. E o fez de modo ousado: inicialmente, o franqueado não precisava pagar uma taxa para abrir uma loja, ele precisava apenas gerenciar uma Domino's existente por um ano. Foi abrindo lojas estrategicamente – especialmente perto de universidades e bases militares. E, diferentemente das pizzarias com as quais concorriam em cada região, a Domino's era eficiente. Possuía fornos rotativos, suas caixas eram padronizadas, todas as pizzas saíam parecidas e as entregas aconteciam em até 30 minutos. Em 1978, inaugurou sua loja de nº 200; em 1983, a de nº 1.000; e fechou 1984 com 2.841 lojas e unidades fora dos Estados Unidos – no Canadá, na Austrália, na Inglaterra e no Japão.

Sua promoção, que garantia a entrega em até 30 minutos ou a pizza seria grátis, que lhe deu fama, foi criada em 1984, mas desativada em 1993, por conta de alguns processos judiciais e a fim de evitar uma percepção, por parte do público, de que os entregadores praticavam direção perigosa. Porém a agressividade não diminuiu. A ideia foi substituída pela garantia de satisfação total, que fazia ao freguês a seguinte promessa: se você tiver qualquer insatisfação com a experiência de comer uma pizza Domino's, devolvemos seu dinheiro ou fazemos uma nova pizza para você. O cardápio, então, começa a variar, incluindo outros pratos, além de pizzas, como as asinhas de frango apimentadas conhecidas como "Buffalo Wings". E, em 1996, a rede lança seu website. É importante notar que a rede de pizzarias de Michigan pode não ter sido a primeira a vender seus produtos online, mas, certamente, foi a que melhor conseguiu se adaptar ao mundo da internet e, assim, alavancar sua performance pelos meios digitais.

No ano de 1998, Monaghan decide se aposentar e vende 93% da empresa, então com 6.000 lojas em cinco continentes e mais de US$ 3,2 bilhões em vendas anuais, para a Bain Capital, por aproximadamente US$ 1 bilhão. Contudo, a Domino's não era líder em delivery – essa posição cabia à Pizza Hut –, apesar da inovadora Heat Wave, uma bolsa térmica que os entregadores usavam para fazer a pizza chegar quente à casa do cliente – algo que hoje todas as pizzarias utilizam. Em 1999, foi nomeado para a presidência o executivo Dave Brandon, ex-jogador de futebol americano universitário da University of Michigan que tinha passagens pela Procter & Gamble e pela Valassis, uma empresa familiar muito bem-sucedida, que atua com publicidade e inteligência de mercado. Contudo, foi durante esse período que os problemas começaram a aparecer. As pizzas congeladas, mais baratas, tiveram um grande crescimento e muitos consumidores passaram a preferi-las às pizzas frescas, e o mercado total diminuiu, com a competição se tornando um sanguinolento oceano vermelho, para usar a terminologia de W. Chan Kim e Renée Mauborgne – sanguinariamente acirrada nos EUA e no exterior, em mercados como China e Índia. Nem a novidade do patrocínio ao automobilismo da Nascar, em 2003, impediu que as vendas parassem de subir.

A Domino's precisava baixar o preço de sua pizza para se manter competitiva, e o IPO em 2004 foi o empurrão que faltava para isso. O modo que a empresa, agora com capital aberto, encontrou para fazê-lo, no entanto, não foi o melhor: utilizou produtos de qualidade inferior entre os ingredientes, como enlatados, congelados e pré-prontos. Ideias que, isoladas, podiam servir para o corte de gastos, foram acumuladas e tornaram-se ruins.

As pizzas até passaram a ser entregues mais rapidamente, mas as pesquisas de opinião mostraram que os clientes não estavam satisfeitos com o resultado. A maior diversificação do cardápio, com produtos como sanduíches e bolinhas de queijo, não resolveu. A criação do e-commerce e do app mobile não resolveu. A nova tecnologia de rastreamento de entrega para o cliente saber onde estava sua pizza pelo app não resolveu. Em 2009, as vendas anuais da empresa atingiram seu ponto mais baixo desde 2003, e as ações, lançadas a US$ 14, eram negociadas por menos de US$ 3 cada. Em março, Dave Brandon assumiu o conselho de administração, onde se mantém como chairman até 2021.

Então, eles foram ao cerne da questão, fazendo pesquisas com os consumidores, e descobriram que as pizzas eram consideradas ruins, "com gosto de papelão". Então, o turnaround teve início. Primeiramente, fizeram mudanças para melhorar a qualidade da pizza, incorporando ingredientes de melhor qualidade e propondo novas e inspiradoras receitas de pizza. No final de 2009, a Domino's lançou um anúncio em forma de documentário para contar tudo isso, uma peça que entrou para a história da publicidade – e da transparência corporativa. Nele, admitia que sua pizza, uma receita de 49 anos, já não era boa e que os ingredientes usados também não eram bons. E informava os clientes sobre as mudanças que estavam sendo feitas para solucionar o problema. A campanha foi um sucesso tão grande que os concorrentes começaram a imitar. Tão ou mais importante, contudo, foi basear a estratégia em dados obtidos a partir de testes comparativos monitorados e centralizados no site. Eles foram vendo a reação dos clientes, e os clientes foram percebendo que a mudança era para valer.

Com a qualidade da pizza recuperada, e a reputação em recuperação, J. Patrick Doyle, que estava desde 1997 na empresa, assumiu como o novo presidente da rede no começo de 2010 e liderou a sequência do turnaround com a seguinte premissa: o produto mais importante da empresa deixou de ser a pizza e passou a ser a tecnologia, que podia oferecer a melhor experiência ao cliente final e ampliar a taxa de sucesso do franqueado. Em 2017, a Domino's ultrapassou a Pizza Hut em delivery, tornando-se a líder de seu mercado. Em julho de 2018, Doyle deu seu lugar a Richard Allison, que, desde 2011, atuava na empresa responsável pelas operações internacionais da Domino's e que manteve o foco em desenvolvimento tecnológico e expansão acelerada.

Em 2020 e 2021, mesmo com a pandemia de Covid-19, tanto a expansão como a inovação continuaram aceleradas na Domino's, como já vimos. Um símbolo dessa inovação foi um experimento feito no Reino Unido, o Turkey Panic Button, o botão antipânico do peru. Uma pesquisa feita pela Domino's britânica revelou que, todo ano, por volta do dia 27 de dezembro, os súditos da rainha já não aguentavam mais comer as sobras da ceia de Natal, como o peru ressecado e outras. Então, a Domino's UK criou um botão igualzinho aos botões antipânico para o cliente ter em casa provisoriamente, conectado à sua central de pedidos: basta a pessoa apertar e um entregador estará logo tocando a campainha com a pizza. Consumidores voluntários fizeram o teste do botão no Natal de 2020 e esperava-se que fosse implementado no Natal de 2021.

Seis Building Blocks

A Domino's é um exemplo de que mesmo uma empresa com apenas um produto (ou quase isso) pode ser muito mais do que apenas um produtor. A mercadoria é somente metade do negócio; a outra metade é como o consumidor a encontra, encomenda, recebe e opina sobre ela. A totalidade da experiência do consumidor é o foco da Domino's, que, para isso, recorre ao que chamamos de Gestão do Amanhã, alinhada à quarta revolução industrial. Vamos analisar, em detalhes, os Building Blocks do seu sistema organizacional, a saber: (1) estratégia adaptativa/ inovação constante; (2) customer centricity; (3) agilidade; (4) gestão baseada em dados; (5) cultura organizacional; e (6) liderança.

Então, vamos repassar os seis blocos construtores de Gestão do Amanhã na maior pizza company do mundo:

ESTRATÉGIA ADAPTATIVA / INOVAÇÃO CONSTANTE

Como o leitor viu, a Domino's dos Estados Unidos estava testando um carrinho-robô em Houston, em 2021. Esse não foi o primeiro teste do tipo. Em 2017, a empresa testou um carro autônomo – um Ford Fusion híbrido – para entregar pizzas a clientes escolhidos aleatoriamente, em Ann Arbor, Michigan. Em 2013, testou a entrega de pizza via drone no Reino Unido. Esses testes, assim como o do Turkey Panic Button, revelam um pouco da cultura de experimentação que caracteriza a Domino's. Na verdade, experimentos são a característica-chave da empresa que inova continuamente, e a inovação contínua, por sua vez, é uma característica-chave da organização que tem estratégia adaptativa.

Quando olhamos para a operação da Domino's, vemos que há inovações constantes, começando pelas tecnológicas, embora mais limitadas ao mercado americano. O que está por trás disso? Certamente, um propósito transformador massivo (PTM). No caso da Domino's americana, não é raro ver escrito em suas paredes algo como isto: "Queremos ser a maior pizzaria do mundo e também a melhor pizzaria do bairro". Ser as duas coisas só parece possível com inovação.

Bem antes de inaugurar a Innovation Garage em sua sede em Ann Arbor, Michigan, em 2019, a Domino's já tinha o hábito de inovar. Em

2008, ela lançou o primeiro sistema de rastreamento de pedidos, o Domino's Tracker, causando uma revolução no mercado de delivery – que, hoje, toda empresa de delivery utiliza. Porém a Domino's fez outra inovação de rastreamento que ainda não está tão disseminada, utilizada nas pizzas retiradas na loja. Por meio do monitoramento do carro do cliente por GPS, a pizzaria consegue, ao menos nos EUA, garantir que a pizza fique pronta no exato momento em que o cliente está chegando.

Em 2014, possibilitou que houvesse pedido por voz por meio da aplicação DOM – e DOM virou o nome do seu bot. Em 2015, lançou a tecnologia AnyWare, o que fez crescer as maneiras de pedir pizza Domino's online: por SMS; pelo aplicativo dos carros Ford; por Smart TVs como as da Samsung; por assistentes virtuais como Amazon Echo (a Alexa) e Google Home; por smartwatches Apple e Android; por apps de mensagem instantânea, como o Facebook Messenger; por redes sociais corporativas como Slack, etc. No Twitter, para fazer o pedido, basta digitar o emoji de pizza (essa funcionalidade já está disponível no Brasil). No início de 2020, um americano conseguia pedir Domino's de 15 maneiras diferentes.

Em 2015, outra inovação foi o programa de fidelidade, intitulado Piece of the Pie Rewards, também um impulsionador do crescimento, com seus bônus e descontos exclusivos para os associados. Nesse caso, não se trata de uma inovação tecnológica em si, mas do programa, que é muito amplificado pela tecnologia. Vale observar que, em 2019, quando a inteligência artificial foi incorporada ao negócio e ao marketing, o programa de fidelidade ficou ainda mais valioso, criando um círculo virtuoso de recomendações. Por exemplo, os clientes passaram a poder postar fotos de suas pizzas nas redes sociais que, detectadas por inteligência artificial, geravam o acúmulo automático de pontos no programa de fidelidade. A exposição dessa dinâmica impactava novos clientes que, encorajados pela ação, adquiriam suas pizzas, resultando no círculo virtuoso.

Foi também em 2015 que a Domino's lançou seu carro de entregas DXP, que é uma história à parte. Adaptado de uma frota de Chevy Spark pela montadora Local Motors, o veículo é conduzido por um delivery expert da Domino's (delivery expert é o motorista-entregador). O veículo é capaz de transportar 80 pizzas ao mesmo tempo, em condições similares às de um forno a 60 graus de temperatura. O detalhe é que foi redesenhado para dar todo o conforto e eficiência ao motorista, e fazer com que suas entregas fluam mais rapidamente.

Em 2016, os clientes puderam realizar pedidos pelo celular sem nenhum clique, apenas abrindo o aplicativo da Domino's (e pensar que, no início do aplicativo, eram de 25 a 27 cliques para fazer um pedido). Isso torna o ato de pedir pizza algo mais fácil, poupa os consumidores do dilema da escolha (algo que incomoda um número crescente de pessoas) e customiza a pizza.

Em 2018, utilizando tecnologia GPS em parceria com franqueados e seus milhares de entregadores, a Domino's possibilitou que os pedidos nos Estados Unidos fossem feitos de qualquer lugar público, incluindo parques e praias – são os Domino's Hotspots. No início de 2020, antes de a Covid-19 ser declarada uma pandemia, a empresa anunciou a tecnologia do Pie Pass, que permite aos clientes que encomendam e pagam a pizza online retirarem suas pizzas sem pegar fila, como se fosse um "tapete vermelho". O cliente chega à loja, seu nome aparece no vídeo, ele pega a caixa e vai embora. A lista de inovações poderia continuar, mas já ficou claro que inovar tecnologicamente é algo levado muito a sério na empresa.

Essa premissa ficou clara em um artigo de autoria do CDO (Chief Digital Officer) da empresa, Dennis Maloney, publicado no projeto Think With Google, no qual compartilha uma indagação: se a Domino's é mesmo uma empresa de pizza que usa tecnologia ou uma empresa de tecnologia que entrega pizzas. O próprio autor responde a indagação: provavelmente, a organização assegura as duas coisas ao mesmo tempo.

Para além das inovações tecnológicas, um aspecto importante da estratégia adaptativa da Domino's é sua plataforma tecnológica e o ecossistema que se apoia nessa estrutura, composto das lojas franqueadas que vendem pizza e dos clientes que compram pizzas. Na verdade, podemos falar em duas plataformas, porque, além da interface com o cliente, há o Pulse, um sistema de gerenciamento das lojas implantado em 80% da rede da Domino's Internacional, inclusive no Brasil.

Aqui é preciso destacar dois aspectos importantes dessa mentalidade de plataforma existente na Domino's: o entendimento de que a plataforma é multicanal e o modo como essa plataforma materializa o conceito de economia compartilhada.

Sobre a plataforma ser multicanal, é simples: nem todo mundo quer baixar mais um aplicativo em seu smartphone – se a plataforma também está na Smart TV, isso faz diferença. Toda a inovação da empresa tem a ver com isso.

Já a materialização da economia compartilhada é mais complexa e passa pela apropriação vanguardista do conceito de cloud kitchen – que é o correspondente da cloud computing para comidas, o que está em alta no mundo inteiro, inclusive no Brasil.

Aparentemente um conceito surgido na Índia, a cloud kitchen (também conhecida como dark kitchen ou ghost kitchen) é similar a um coworking autogerido de cozinhas diferentes. Em um mesmo espaço físico, estações de trabalho variadas oferecem um tipo de comida diferente, mas colaboram, compartilhando a compra dos ingredientes, o aluguel do imóvel e outros custos de manutenção e segurança, e até mão de obra. Por exemplo, uma cloud kitchen pode abrigar uma pizzaria, um restaurante de culinária mineira, um vegetariano e um tailandês. Para isso funcionar, é importante que os pratos feitos sejam simples, padronizados e repetíveis. Nessa configuração, fica mais fácil para os players fazerem as adaptações necessárias diante dos desafios emergentes.

Alguns empreendedores famosos, como o cofundador da Uber, Travis Kalanick, estão investindo em cloud kitchens, apostando que os restaurantes vão aderir em massa ao modelo, assim como aderiram aos aplicativos de delivery do tipo iFood. Cloud kitchens são plataformas físicas em vez de digitais.

Pois um artigo publicado no *Medium*, de autoria de Adam Kiesling, sugere que o sucesso da Domino's se deve ao fato de ela usar a "plataforma cloud kitchen" há muito tempo, antes mesmo de o conceito existir com esse nome. Eis as semelhanças que o autor aponta: as lojas privilegiam o delivery, e não o fluxo de clientes em mesas; a localização tem a ver com a lógica dos carros (dos entregadores), e não de pessoas a pé; e a escolha do produto é de algo barato, fácil de produzir e de transportar. Os centros de distribuição da Domino's – mais de 18 nos Estados Unidos – também funcionam como mais uma estação de trabalho, de certo modo: a massa é pré-preparada ali, bem como os ingredientes para as coberturas, os equipamentos e outros itens dos restaurantes. As franquias são obrigadas, por contrato, a comprar tudo diretamente nesses centros de distribuição que, por sua vez, os compram de um grupo bem-definido de fornecedores. Isso é comum no mundo das franquias, mas o controle de qualidade que a Domino's faz com que isso, talvez, seja menos comum.

É como se a Domino's fosse uma grande cloud kitchen distribuída e como se as lojas fossem as estações de trabalho. Os franqueados são comparáveis aos proprietários dessas estações que dividem os custos, com a vantagem que o produto é ultrassimples, ultrapadronizável e ultrarrepetível.

Kiesling, que é um investment banker de San Francisco, e que faz análises estratégico-financeiras em seu blog, diz mais: a Domino's é a cloud kitchen platônica do futuro, porque tem uma marca forte e uma logística proprietária.

Isso nos leva ao motor 2 de crescimento da Domino's: como ela se prepara no tempo presente para crescer no futuro. No caso da Domino's, a tentação é ficar pensando que o futuro passa mais por inovações em experiências de consumo de pizza do que em produtos. Todas as inovações testadas, como a da entrega com o carrinho-robô, são o motor 2 em ação. Isso é verdade, mas há mais.

Primeiramente, a empresa calculou que existem mais de 34 milhões de maneiras de combinar os ingredientes para criar uma pizza Domino's – o próprio fato de calcular isso abre uma janela de possibilidades para que o cliente monte sua própria pizza algum dia.

Segundo, a Domino's entendeu, também, que está no negócio de delivery de alimentos, e não só no delivery de pizzas. Ela vem diversificando sua oferta de pratos (o cálculo é que 90% do cardápio da empresa foi reinventado entre 2010 e 2019; nos Estados Unidos, há macarrão, frango, e não só pizzas. No Brasil, há sanduíches, por enquanto). E, com sua frota própria (num futuro, composta, também, por veículos autônomos), ela acredita que pode levar vantagem sobre os apps de delivery de alimentos. Os executivos da rede parecem ter dúvidas sobre se a taxa que os restaurantes pagam aos aplicativos de delivery é sustentável no longo prazo.

CUSTOMER CENTRICITY

Não se pode dizer que a Domino's Pizza nasceu orientada ao cliente; ela fez uma reviravolta rumo ao cliente em 2009, após os resultados da já citada pesquisa de satisfação, que apontava que a pizza da Domino's era considerada pior que as outras. Esse susto fez com que a empresa corresse atrás para reconquistá-lo e fizesse todo um turnaround em cima disso. A Domino's começou um plano ousado para reconquistar o público. Primeiro, o comercial histórico já citado, em que admitia vender uma pizza ruim por conta dos ingredientes de baixa qualidade, e o que estava sendo feito para melhorar. Simultaneamente, a tecnologia usada para aumentar a satisfação do consumidor – nesse caso, durante toda a jornada de compra –, mais do que para aumentar uma eficiência em custos. Ficou claro para a Domino's que qualquer tipo de inconveniência ou atrito para o cliente o afastava da marca.

Foi o CEO Doyle que conduziu o turnaround a partir de 2010 e puxou o movimento do foco total no cliente, como ele o chamava. Ele fez isso trabalhando em duas direções. No front office, cuidou para que a pizza se adequasse às preferências e à qualidade que os clientes exigiam, e deu mais liberdade para que os funcionários resolvessem problemas mais rapidamente, construindo uma cultura de colocar o cliente em primeiro lugar. Isso significava aceitar erros pequenos e rápidos, permitindo o aprendizado. No back office, conseguiu unir tecnologia e delivery como nenhuma outra empresa fez no mundo, mudando radicalmente a cultura corporativa – sobre a qual falaremos em breve – e fazendo a empresa adaptar-se muito mais rapidamente às mudanças do cliente.

Hoje o lugar central dado ao cliente pode ser observado, por exemplo, na estratégia de implantação de lojas e nos detalhes da operação da Domino's.

A empresa vai na contramão da estratégia de expansão da maioria das redes de fast food: enquanto os competidores tentam aumentar as vendas ampliando a área geográfica de atuação, a Domino's adota a estratégia de fortaleza, ou "fortressing", em inglês, que consiste em abrir mais lojas em áreas que já possuem a franquia, em vez de buscar lugares novos. O "fortressing strategy" funciona de duas maneiras: a primeira é a diminuição no tempo de espera do delivery, já que é a maior causa de desistência dos pedidos (e os veículos de entrega têm que se locomover menos); A segunda é a proximidade com os clientes – com mais pizzarias numa região, aumentam as chances de o consumidor estar perto o suficiente para buscar a própria pizza, o que o auxilia (e no desafogamento das entregas). A fortaleza não só é um artifício para diminuir a espera do cliente para comer, como também contribui por incentivar indiretamente que o cliente retire o pedido na loja mais próxima. Para aprimorar essa experiência, a Dominos's tornou suas unidades mais bonitas e agradáveis.

Quanto aos detalhes, são variados. Por exemplo, existe uma VP de Marketing especificamente para o público hispânico dos Estados Unidos. Durante a pandemia, para não enjoarem das pizzas, foram criados outros sabores, como pizza de cheeseburger, pizza de taco de frango, além de duas novas vegetarianas e uma versão vegana do famoso molho de alho e ervas (que leva maionese) da rede. Mais variedade de pizzas para pedirem com mais frequência.

O outro cliente no qual a Domino's se concentra são os franqueados, os donos de lojas da marca. De acordo com o presidente Richard Allison, o lucro do franqueado está no centro de todas as decisões da empresa. É necessário que haja um rápido retorno do dinheiro investido por quem abrir uma de suas lojas. Uma franquia Domino's é planejada para ser simples de administrar e para ter o menor investimento inicial possível – a praxe é o franqueado recuperar o capital investido em menos de três anos.

Até a estratégia de fortressing, que pode parecer beneficiar o cliente final em detrimento do franqueado, olha para o franqueado também. Não há, segundo diversos relatos, saturação ou canibalização, pelo fato de as entregas serem por delivery e carryouts (retiradas pelos próprios clientes no restaurante). Um mesmo franqueado de Las Vegas, dono de quatro pizzarias próximas entre si, ao acrescentar a quarta loja, teve um aumento de faturamento médio de US$ 42 mil por ano em vendas por loja. Grande parte desse crescimento se dá devido aos pedidos retirados nas lojas. Vale destacar que um benefício atrelado a essa estratégia é o aumento no tráfego de clientes nas lojas.

O tráfego nas lojas é um indicador importante da Domino's, o que comprova a customer centricity também do cliente franqueado. A empresa pensa em suas estratégias de preço, valor e fidelidade, sempre levando em conta se elas vão aumentar o tráfego de clientes em lojas ou não.

AGILIDADE

Esse movimento de customer centricity que Doyle iniciou em 2010 foi acompanhado por uma arrumação da casa. A Domino's foi reconfigurando muitas equipes de trabalho para serem multidisciplinares, fazendo com que as operações online e off-line, TI e marketing, trabalhassem juntas para atingir um objetivo em comum.

Como Doyle e outros líderes da Domino's Pizza já declararam publicamente, um dos principais motivos pelos quais sua organização tem sido capaz de vencer a concorrência é o investimento na construção de uma área de tecnologia da informação (TI) mais responsiva, ou seja, que se apoie muito nas práticas recomendadas de Lean, Agile e DevOps (integração das equipes de desenvolvimento e operações), uma vez que isso permite melhores experiências aos clientes em relação aos seus negócios. Entre os exemplos do que a TI responsiva pode fazer está o chamado DEM (Digital Experiente Monitoring – Monitoramento de Experiência Digital), em que as equipes se concentram nas jornadas do cliente e no desempenho da web como os principais sinais para analisar a integridade do software, e não em métricas tradicionais de "tempo de carregamento da página".

A Domino's priorizou a adoção de metodologias ágeis em suas áreas de marketing e TI, os dois departamentos que têm de conversar mais para prover a customer centricity. O Chief Digital Officer da Domino's, Maloney, contou, no blog da Adobe, que o relacionamento muito próximo entre essa TI e a área de marketing constitui um dos maiores segredos do sucesso da maior pizzaria do mundo. Segundo ele, os profissionais dessas áreas se reúnem, pelo menos, a cada duas semanas, para garantir que o alinhamento permaneça forte.

No entanto, foi preciso existir uma enorme mudança nas mentalidades e nos processos. "Agora, as pessoas não pensam mais em projetos como processos longos ou demorados; pensam nas coisas quebradas em etapas e processos realmente curtos, rápidos e em constante evolução", disse Maloney.

A empresa entendeu logo que precisava aprender, iterar, lançar e testar o tempo todo, mas fazer as pessoas ficarem confortáveis com o fracasso foi um desafio em particular – e a imperfeição é inevitável, quando tudo acontece tão rápido. A pandemia deu visibilidade à agilidade contida na operação da Domino's, com inovações como o Carside e o pedestal da pizza, entre outras. A Innovation Garage, criada em 2019, intensificou todo o trabalho de agilidade.

Vale mencionar que o processo de "tecnologização" da Domino's a transformou numa rede cada vez mais complexa de sistemas e infraestrutura, com uma rede ainda mais complexa e distribuída, com agentes monitorando tudo isso. Como as equipes de DevOps (desenvolvimento e operações) veem o que está acontecendo em toda essa rede em tempo real e corrigem os problemas antes que eles aumentem? Com a agilidade, que depende de ferramentas, e os dados para gerar um dashboard transparente. E a empresa se certifica de ter tais recursos.

Vale dizer que ser ágil sempre foi algo necessário na Domino's. Isso acontecia tradicionalmente quando os pedidos de pizzas davam um salto no domingo de Super Bowl, por exemplo – a final de futebol americano que enlouquece os Estados Unidos. Contudo, esse era um salto previsível. Agora, a Domino's se encontra preparada para os saltos – e as quedas também – imprevisíveis.

GESTÃO BASEADA EM DADOS

Uma experiência ruim do cliente na plataforma digital é considerada na Domino's como uma das piores coisas que podem acontecer, e um dos ápices de experiência ruim é quando o sistema fica fora do ar. O Gartner Group já estimou que a perda média das empresas por minuto, nesse caso, é de US$ 5.600, sem incluir custos adicionais como queda de produtividade dos funcionários e desengajamento por não poderem executar suas tarefas. Pois a chave para isso não acontecer, como a Domino's aprendeu, está na habilidade de coletar, correlacionar e contextualizar os dados sobre o software.

Quisemos começar com isso, porque os dados em que os gestores normalmente pensam de imediato são os relativos a clientes, existentes e potenciais, a fim de satisfazê-los. Porém, os dados de performance dos sistemas tecnológicos são cada vez mais importantes também para manter esses clientes satisfeitos. Está tudo interligado. Na Domino's, a ciência de dados e a inteligência artificial são combinadas para a equipe de TI fazer predições, seja de um problema de sistema ou de quando um pedido ficará pronto. Em 2019, a equipe de TI, que responde pelos trabalhos com dados e com inteligência artificial, e a que ocupa mais metros quadrados na sede da empresa em Ann Arbor – contabilizava mais de 400 funcionários.

É interessante entender como os dados dos clientes, especificamente, são capturados e utilizados. Essas informações são recebidas por todas as pizzarias da rede por meio do sistema Domino's AnyWare, que centraliza dados de todos os canais digitais – eles são de exclusividade da Domino's, já que reúnem todas as suas tecnologias, diferencial que é visto como uma das maiores vantagens competitivas da marca, que tem à disposição dados de mais de 90 milhões de usuários únicos. Dan Djuric, o vice-presidente de infraestrutura e informações da Domino's, enfatizou a relevância do AnyWare no processo: "Com ele, começamos a construir essa visão unificada do cliente, medindo informações consistentes em nossas camadas operacionais e analíticas." Segundo o VP, a Domino's tem, com isso, a capacidade de não apenas olhar para um consumidor como um indivíduo e avaliar seus padrões de compra, mas também de perceber os vários consumidores de uma família, entender quem é o comprador dominante, quem reage às promoções e, acima de tudo, como reagem ao canal pelo qual estão chegando à pizza.

Sejam de clientes individuais, sejam de residências inteiras, esses dados podem ser apresentados com filtros diversos para os executivos na hora de estes tomarem decisões com base em modelos estatísticos. E os dados são enriquecidos com um grande número de fontes de terceiros, como o Serviço Postal dos Estados Unidos, com informações geográficas, demográficas e dados de concorrentes, para permitir a segmentação detalhada dos clientes – ao todo, mais de 85.000 fontes de dados, tanto estruturadas como não estruturadas, transmitidas ao sistema todos os dias.

Com esse acervo, Djuric garante que todas as decisões são orientadas por dados. Na visão dele, a Domino's está liderando o caminho dos dados entre as empresas. "Eu acho que estamos liderando ao menos no que estamos fazendo com as redes sociais e o que estamos fazendo com nossas plataformas digitais", afirma o VP. Para enfatizar a importância do analytics e do big data sobre a empresa, o gerente de data warehouse da Domino's, Cliff Miller, conta que cada unidade de negócios sob o guarda-chuva Domino's está permanentemente procurando alavancar dados para tornar a operação mais rápida e interessante economicamente, o que resulta da oferta da melhor experiência ao cliente. Puxando a sardinha para a própria brasa, Miller acrescenta que, se fosse para escolher apenas uma chave para o sucesso da Domino's, seria o fato de ter dados e analytics adequados.

CULTURA ORGANIZACIONAL

Como fazer uma empresa, então com 8 mil funcionários, mudar seu foco e sua cultura na direção dos avanços tecnológicos? Foi esse o desafio que J. Patrick Doyle encarou ao assumir o comando da empresa, em 2010. Não foi fácil, mas Doyle entendeu que não devia falar das tecnologias em si, mas de todos trabalharem com um só objetivo: melhorar a experiência do cliente em toda a sua jornada de compra.

Para mudar a mentalidade da empresa, Doyle fez o movimento mais importante de todos, aquele que ainda é bastante raro no Brasil: começou por baixo, no chão de loja. Pouco tempo depois de assumir o cargo, fez com que todas as lojas e franquias capacitassem seus funcionários da linha de frente para, então, dar-lhes autonomia e autoridade para resolver qualquer problema que envolvesse um cliente – ou seja, se um pedido atrasasse, o atendente não precisava mais procurar o gerente para resolvê-lo; podia ele mesmo oferecer soluções que julgasse cabíveis para a situação. Foi desse modo que a satisfação do consumidor virou prioridade em todos os níveis da empresa e se tornou uma segunda pele, uma cultura organizacional.

Podemos dizer, ainda, que a cultura da Domino's se fortalece de outras maneiras. Uma muito importante é a história do turnaround, que faz as vezes de uma jornada de herói: "Nossa pizza chegou a ser comparada com papelão", contam os líderes, para depois dizerem como a empresa foi transparente e humilde, vindo a público admitir os erros e se desculparem. É uma história realmente poderosa para uma cultura organizacional.

O propósito que a empresa declara ter também tem impacto. Não é ser a maior pizzaria do mundo e a melhor do bairro, mas o de buscar "trazer as pessoas para mais perto, conectando-as através da melhor comida do mundo: pizza". O argumento central tem grande apelo, especialmente no mundo atual: "Nossa pizza aproxima as pessoas. Neste mundo dividido, estamos determinados a quebrar as barreiras entre nossos clientes e a comida que eles adoram partilhar".

Fica fácil perceber que o grande artefato da cultura Domino's é a própria pizza, certo? E que os rituais têm a ver com os momentos em que as pessoas se encontram para comer pizza.

Por fim, a cultura organizacional dessa rede de pizzarias se fortalece bastante, e também tem seus valores. Selecionamos três que demonstram essa perspectiva: "ser generoso e proporcionar experiências alegres" (um elogio à informalidade que remete à cultura da diversão), "derrubar convenções" (o que remete à cultura da inovação) e "ajudar as pessoas a crescerem e prosperarem" (o que remete às culturas de aprendizado e do cuidado).

LIDERANÇA

Começando pelas pessoas, as duas principais razões de Patrick Doyle ter conseguido empoderar os funcionários e pivotar a cultura da empresa com rapidez na década de 2010 foram: todos os funcionários são internos – nenhum terceirizado – e a gestão de pessoas da rede já embutia uma promessa da carreira. A força de trabalho própria é constantemente destacada com orgulho pelos porta-vozes da empresa como um diferencial em relação a aplicativos de delivery de comida em geral. A pizzaria sempre ofereceu – e continua a oferecer – oportunidades de carreira para jovens, adultos e qualquer um que queira trabalhar e crescer, sem exigir experiência prévia.

Segundo a empresa, mais de 95% dos cerca de 760 franqueados dos Estados Unidos são ex-entregadores e funcionários de loja da Domino's e, por meio das oportunidades recebidas, conseguiram abrir sua própria loja, fato que por si só já mostra como a rede funciona. Esse é um volume considerável, já que responde por 94% das lojas. Essa prática evidencia a visão do líder como responsável pela construção de ecossistemas, já que integra o desenvolvimento de talentos com a expansão sustentável do negócio.

A preponderância de ex-colaboradores como franqueados parece mais uma característica de uma cooperativa do que de uma empresa listada em bolsa, certo? De fato, a Domino's oferece muitas oportunidades de treinamento para quem quer acelerar o seu crescimento na empresa, de programas de liderança à flexibilidade dos horários de trabalho, o que compatibiliza horas de trabalho com estudo.

A empresa também é conhecida, desde 2010, por buscar garantir o bem-estar de todos os seus funcionários, além do desenvolvimento, o que inclui o fato de oferecer diversas opções de seguro de saúde, algo que não é a praxe nos Estados Unidos. Antes da Covid-19, ela já tinha um programa denominado Blueprint for Wellness, que fornece uma análise abrangente do estado geral de saúde de cada funcionário – os dados. Apenas por aceitar participar da análise, ele já recebe mais benefícios do seu plano de saúde. A empresa ainda oferece um programa para aqueles que querem parar de fumar e dá suporte para a gestão de uma vida saudável para os membros e suas famílias. A relevância dos dados é muito presente na cultura Domino's e não poderia deixar de estar presente na sua visão de liderança, que apresenta contornos do que intitulamos como o Líder Algorítmico, que tem como uma das faces mais características a tomada de decisões baseadas em dados (nesse caso, dos colaboradores).

Ao menos nos Estados Unidos, esses três fatores – o empoderamento dos funcionários na linha de frente, o que viabilizou a mudança cultura; a real possibilidade de qualquer um fazer carreira; e o investimento no desenvolvimento e no bem-estar do pessoal – ajudaram os líderes a engajar suas equipes na causa da experiência do cliente, e levá-las a adotar a mentalidade de rapidez associada à tecnologia. A promessa de prover bem-estar e o valor cultural da generosidade foram postos à prova durante os piores períodos da pandemia, mas a Domino's parece ter mantido a coerência: além de não demitir ninguém – ela até contratou – ainda deu um bônus especial para os motoristas e membros da equipe e da cadeia de fornecimento, num investimento total de mais de US$ 9,6 milhões. Sensível ao movimento Black Lives Matter, a Domino's estabeleceu um fundo para dar bolsas de estudos universitárias a alunos negros. No campo ambiental, tem reciclado embalagens e incorporado bicicletas elétricas para os entregadores. A rede de pizzarias doou milhões de pizzas para as comunidades em que se insere, a fim de ajudar pessoas em dificuldade.

Como temos enfatizado em nossos estudos sobre o líder exponencial, o alinhamento das pautas associadas à evolução da sociedade deve estar no topo da agenda de todo líder empresarial, e a Domino's demonstra essa perspectiva.

Agora, falemos dos líderes da maior pizzaria do mundo. Jacob Morgan, especialista em liderança, futuro do trabalho e experiência de funcionário, lançou, em novembro de 2020, o livro *The Future Leader – 9 Skills and Mindsets to Succeed in the Next Decade,* feito com base em pesquisas e entrevistas com 140 CEOs de empresas globais e 14.000 funcionários que estariam estabelecendo os parâmetros do futuro. Entre colegas de companhias como Oracle, MasterCard, Audi e Unilever, está o CEO da Domino's, Richard "Ritch" Allison, que confirma o que já escrevemos: a pizzaria, em todos os níveis, contrata funcionários com o objetivo de transformá-los em líderes nos próximos 10 a 15 anos – a proposta é sempre desenvolver os líderes internamente, em vez de ter que contratá-los externamente. Allison diz que seu foco como CEO está nos funcionários, e não nas tecnologias, foco esse cascateado por toda a organização.

E o motivo para ser assim é uma genuína preocupação em tornar as pessoas melhores, mas é prático também: todos os dias, essas pessoas tomam decisões de como usarão seu tempo e para onde dirigirão sua atenção – e é isso que direcionará o desempenho da Domino's. Se elas não estiverem alinhadas em torno da visão corporativa, essas decisões não beneficiarão os negócios. O foco de Allison nas pessoas pode ser resumido em quatro pontos: providenciar para que se desenvolvam continuamente; garantir-lhes os recursos e capacidades para que façam bem o seu trabalho; estar realmente aberto e disponível para a comunicação; e desenvolver-se (ele mesmo) continuamente.

Morgan destaca que, além de ter uma grande variedade de treinamentos para funcionários das lojas e da área administrativa, e também da cadeia de fornecimento, a Domino's formatou, para o desenvolvimento de seu pessoal, o programa Gold, acrônimo em inglês para Programa de Desenvolvimento de Liderança das Operações Globais da Domino's, uma experiência imersiva de quatro anos para formar os líderes futuros da empresa, combinando as hard skills de gerenciar um negócio com as soft skills – o currículo, inclusive, é constantemente atualizado.

Um dos pontos valorizados por Allison chama atenção por estar integrado a um dos atributos mais valiosos da estratégia da organização: a comunicação. Essa perspectiva foi evidenciada no momento de turnaround da empresa com a campanha publicitária que se tornou histórica ao assumir a realidade da empresa, e serve como um dos guias de seus líderes, que são orientados a adotarem o papel do Líder Comunicador.

Todo o sistema de gestão da Domino's tem como fundamento a implantação de métodos ágeis, conforme demonstrado no Building Block "Agilidade". Para que todas as engrenagens funcionem de forma articulada e interdependente, seus líderes preservam e estimulam a colaboração entre todos os colaboradores da organização, zelando pela construção de um ambiente colaborativo, destruindo zilos e feudos. O líder Domino's é um dos principais guardiões de seu modelo de gestão ágil.

O TURNAROUND DA PIZZA DE PAPELÃO

Em 2009, a pizza da Domino's tinha fama de ter má qualidade, de ser pior do que pizza de micro-ondas, de ter gosto de papelão. E resolveu fazer um turnaround – não financeiro, como normalmente acontece, mas de qualidade e reputação. Tanto os problemas de ingredientes e processos de preparação, que deixavam os consumidores insatisfeitos, como os esforços para corrigi-los e melhorar as pizzas foram expostos publicamente pela empresa, numa das maiores demonstrações de transparência de que se tem notícia na economia digital. Esse fato transmitiu, para o público externo e interno, a mensagem de que o cliente estava, efetivamente, no centro das decisões, como manda a gestão na quarta revolução industrial, e justificou o redirecionamento da empresa para a tecnologia, pois só ela poderia melhorar ao máximo a experiência do consumidor como um todo. Em 2020, 90% das unidades dos mercados internacionais tiveram a opção de fazer pedido online e, nos Estados Unidos, 70% das vendas foram iniciadas no meio digital.

O turnaround se tornou, de certa maneira, o espírito da Domino's. E os consumidores mostraram entender isso, em várias partes do globo. Um ano antes, em 2019, aconteceu algo ao mesmo tempo estranho e simbólico na franquia russa da Domino's. Ela fez uma promoção em que se comprometeu a dar 100 anos de pizzas gratuitas – no limite de 100 pizzas por ano – para quem tatuasse o famoso logo dos dados no corpo. A adesão foi tanta que a empresa teve de limitar sua oferta a 350 pessoas.

A Domino's parece estar fazendo um bom trabalho, não só pelo crescimento de vendas apresentado nos últimos anos (em especial, em 2020, já que cerca de 600 lojas ficaram fechadas por longos períodos); como pelo bom trabalho, que também é reconhecido pelos investidores, haja visto o desempenho de suas ações na bolsa de valores, que subiram 9,9%, em 2020. O valor de mercado da empresa é estimado, agora, em US$ 16,35 bilhões. Contudo, não é simples manter a coerência em todos esses conceitos de Gestão do Amanhã tratados aqui, quando se vendem 3 milhões de pizzas por dia ao redor do mundo. Tanto não é simples que a relação entre pizza e inovação da *Wired*, citada na abertura deste texto, por exemplo, foi retirada de uma reportagem sobre uma ação na justiça americana impetrada por uma pessoa cega contra a Domino's, devido à dificuldade de pedir pizza pelo aplicativo. A *Wired* cobrava inovação da Domino's – e as interfaces de voz vêm ao encontro disso.

No Brasil, pizza não é uma comida associada à inovação. Temos até a expressão "vai acabar em pizza", para dizer que determinado problema não será resolvido, pois os responsáveis confraternizarão. Porém, ainda assim, também na operação brasileira da rede há tentativas de inovar em torno da pizza. Pode-se observar isso por meio da evolução da franqueada local, uma operação que, em 2019, faturou R$ 450 milhões. Os investimentos agressivos previstos em tecnologia – R$ 250 milhões até 2025 – e os planos de expansão, detalhados no *Brazil Journal*, criam expectativas. De certa maneira, o mercado brasileiro é um laboratório, ainda muito pulverizado e artesanal – redes como Domino's, Pizza Hut e Patroni respondem, juntas, por menos de 10% das vendas; existem mais de 11 mil pizzarias em São Paulo e 36 mil é a quantidade estimada no Brasil inteiro. Trata-se de um mercado promissor – do 1 milhão de pizzas consumidas diariamente no Brasil, mais da metade somente na cidade de São Paulo, que é a segunda maior em consumidores de pizzas do mundo depois de Nova York. Uma projeção feita em 2017 pelo Sebrae – Serviço Brasileiro de Apoio às Micro e Pequenas Empresas – aponta que as famílias brasileiras estariam gastando, em 2020, cerca de 45% da renda destinada à alimentação com comida feita fora de casa. Boa parte dessa receita é destinada ao consumo de pizzas. Será que esse é um mercado que pode ser disruptado por uma empresa que faz Gestão do Amanhã?

Tenha acesso ao Talk que realizamos com Sérgio Simões, um dos maiores especialistas em inovação do Brasil, com larga experiência em projetos digitais em diversos setores e segmentos. Neste Talk, Simões nos traz sua perspectiva pessoal e complementar sobre o caso Domino's Pizza.

Não é ser a maior pizzaria do mundo e a melhor do bairro, mas o de buscar "trazer as pessoas para mais perto, conectando-as através da melhor comida do mundo: pizza". O argumento central tem grande apelo, especialmente no mundo atual: "Nossa pizza aproxima as pessoas. Neste mundo dividido, estamos determinados a quebrar as barreiras entre nossos clientes e a comida que eles adoram partilhar".

J. Patrick Doyle

QUESTÕES ESTRATÉGICAS PARA REFLEXÃO

Estruture um grupo de estudo onde todos os participantes deverão ler e estudar o caso. A partir dessa leitura, organize reuniões de cerca de 60 minutos com, no máximo, 8 participantes, para aprofundar discussões como:

1 Uma das características marcantes da Plataforma Domino's é sua multicanalidade. A lógica dessa visão está centrada na perspectiva de que cada cliente deseja se relacionar com a companhia de uma forma específica, e a organização deve prover as condições para que isso ocorra. Uma das expressões dessa visão são as 15 formas através das quais é possível pedir uma pizza da empresa. Faça um diagnóstico de todas as formas que seu cliente pode se relacionar com sua empresa. Promova uma reflexão para definir quais seriam possibilidades adicionais de incrementar seus canais de relacionamento com seus clientes, visando criar uma plataforma multicanal em seu negócio.

2 A reinvenção da Domino's teve início em 2009, a partir da identificação, por meio de pesquisas, de que a satisfação de seus clientes com seu produto era baixa. Essa visão foi essencial para a organização migrar seu foco exclusivo em eficiência de custos para a satisfação do cliente. Identifique quais são as ferramentas que sua organização utiliza para mensurar e monitorar a satisfação dos clientes com seu produto ou serviço. É possível desenvolver novas ferramentas que tragam transparência para a empresa sobre a qualidade desse relacionamento? Como esses indicadores podem ser adotados para servirem como um guia para a evolução de sua organização?

3 A estratégia de aproximação das áreas de Marketing e TI foi essencial para que a empresa tivesse mais agilidade, a partir da visão da centralidade no cliente. Faça uma reflexão sobre como acontece a integração entre os departamentos funcionais da sua organização.

Promova uma discussão sobre como acontece o fluxo de informações e decisões entre áreas e como esse processo pode ser incrementado, visando uma maior agilidade para a empresa.

4 A centralização de todos os dados gerados na Plataforma Domino's por meio do sistema AnyWare é fundamental para uma visão única do cliente, como demonstrado no comentário do VP de Infraestrutura e Informações da empresa: "Com ele, começamos a construir essa visão unificada do cliente, medindo informações consistentes em nossas camadas operacionais e analíticas". Faça um diagnóstico sobre como acontece a gestão e centralização dos dados gerados em seu negócio (começando pelos dos clientes). Promova uma reflexão sobre como é possível gerar um espaço único e centralizado onde todos possam acessar às informações mais críticas de seu negócio.

5 A mudança de mentalidade da organização na construção de uma cultura orientada ao cliente teve como principal foco empoderar os profissionais de contato com o ele. Com esse objetivo, foram desenvolvidas ações de capacitação constante com esse público, que tem autonomia para tomada de decisões. Como é o processo de engajamento com a sua cultura em todas as camadas da organização, sobretudo junto aos profissionais da base da pirâmide? Realize uma discussão para a geração de iniciativas concretas que promovam um maior engajamento desse público com sua cultura desejada e que resulte em um maior empoderamento de todos os colaboradores do negócio.

6 Uma das estratégias mais evidenciadas pela liderança da Domino's é sua orientação no desenvolvimento de líderes. Como referência dessa estratégia bem-sucedida, a organização cita a alta preponderância de ex-funcionários como franqueados, além do objetivo de contratar colaboradores para serem líderes nos próximos 10 a 15 anos. Reflita sobre como é o processo de desenvolvimento de líderes em seu negócio. Qual é o fluxo que um colaborador segue em sua evolução na empresa e quais iniciativas concretas podem ser realizadas visando incentivar, cada vez mais, o surgimento de novos líderes em toda a organização?

SUGESTÃO DE DINÂMICA SOBRE O CASO

7 Etapas do Mapeamento da Jornada do Cliente

Um dos pontos centrais da reinvenção da Domino's foi a transformação na sua relação com seus clientes. A origem da formulação de uma estratégia com essas características passa pela identificação de oportunidades para aprimorar a experiência do cliente com o negócio, a partir do Mapeamento da Jornada do Cliente.

Esse processo pode ser viabilizado por meio de uma reflexão estratégica promovida na sua organização seguindo as seguintes etapas:

1 – MAPEIE TODAS AS ETAPAS DA JORNADA QUE SEU CLIENTE TEM COM SEU NEGÓCIO. Identifique todas as etapas em detalhes. Exemplos: o momento em que o cliente entra em contato com meu negócio; a interação com o cliente para o esclarecimento de dúvidas; a retirada ou entrega de meu produto e serviço, etc.

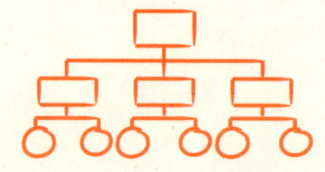

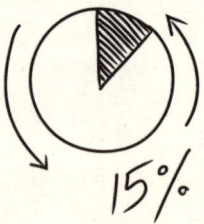

2 – IDENTIFIQUE AS ETAPAS MAIS CRÍTICAS EM TODA JORNADA. As etapas críticas são aquelas com maior potencial de oportunidade de gerar uma experiência que será valorizada pelo cliente ou, então, aquelas com maior risco de destruir valor na percepção do cliente se sua experiência for malsucedida.

3 SELECIONE 2 OU 3 ETAPAS PARA SEREM DESENVOLVIDAS. Para priorizar essas etapas, você pode utilizar a Matriz de Priorização apresentada na sugestão de Dinâmica do Caso Best Buy (ver Matriz de Priorização na página 178).

4 REALIZE UM EXERCÍCIO DE IDEAÇÃO, refletindo sobre todas as possibilidades de desenvolvimento de iniciativas que visem levar a experiência do cliente nesse processo a um nível superior (a sugestão é que você se dedique a pensar em soluções exponenciais, e não apenas em melhorias incrementais).

5 SELECIONE 2 OU 3 INICIATIVAS com alto potencial de resultados (aqui você pode utilizar, também, a Matriz de Priorização).

6 DESENVOLVA UM PLANO DE AÇÕES com atividades concretas para implementar as melhorias nas iniciativas selecionadas de acordo com o planejamento.

7 A PARTIR DAS EXPERIÊNCIAS REALIZADAS INICIALMENTE, expanda o exercício para mais iniciativas e etapas da jornada do seu cliente, até ter uma nova visão de toda a experiência do cliente com seu negócio.

BIBLIOGRAFIA

GERAL:

MAGALDI, Sandro; NETO, José Salibi. Gestão do Amanhã – Tudo o que você precisa saber sobre gestão, inovação e liderança para vencer na 4ª revolução industrial. São Paulo: Editora Gente, 2018.

MAGALDI, Sandro; NETO, José Salibi. O Novo Código da Cultura – Transformação organizacional na gestão do amanhã. São Paulo: Editora Gente, 2018.

CASE MAGALU

E-REFERÊNCIAS:

"AÇÕES da Magazine Luiza já caíram 24% em 2021". Monitor do Mercado, 11 maio 2021. Disponível em: https://monitordomercado.com.br/noticias/18575-acoes-do-magazine-luiza-ja-cairam-24perc. Acesso em: 15 jun. 2021.

ARAUJO, Leonardo. "Como a tecnologia revolucionou o Magazine Luiza". PROPMARK, 18 jul. 2019. Disponível em: https://propmark.com.br/digital/como-a-tecnologia-revolucionou-o-magazine-luiza/. Acesso em: 01 jun. 2021.

BARBIERI, Cristiane. "Ele chegou lá 'fazendo medo'". Época Negócios, 25 mar. 2014. Disponível em: https://epocanegocios.globo.com/Informacao/Visao/noticia/2014/03/ele-chegou-la-fazendo-medo.html. Acesso em: 01 abr. 2021.

"CASE Magalu: uma transformação movida por dados". Ilumec, [s.d.]. Disponível em: https://ilumeo.com.br/todos-posts/2020/11/09/case-

-magalu-uma-transformacao-movida-por-dados. Acesso em: 25 jul. 2021.

CIW TEAM. "China's online retail sales grew 22% from jan to july in 2021". China Internet Watch, 18 ago. 2021. Disponível em: https://www.chinainternetwatch.com/30910/retail-sales/. Acesso em: 20 ago. 2021.

COLUNA DO BROADCAST. "Com oferta multimilionária, Luiza deve reforçar serviço, como faz a Amazon". Estadão, 01 nov. 2019. Disponível em: https://economia.estadao.com.br/blogs/coluna-do-broad/com-oferta-multibilionaria-luiza-deve-reforcar-servico-como-faz-a-amazon/. Acesso em: 02 fev. 2021.

COUTINHO, André; GAMBOA, Fernando. "A crise e os diferentes efeitos nos setores". KPMG, [s.d.]. Disponível em: https://d335luupugsy2.cloudfront.net/cms/files/69324/1592240304impactos-covid-no-setor-de-consumo-varejo.pdf. Acesso em: 01 jul. 2021.

"DEPOIS do Magazine Luiza, o CEO Frederico Trajano quer digitalizar o varejo brasileiro". Iamcham Brasil 100, 01 jan. 2019. Disponível em: https://www.amcham.com.br/noticias/gestao/depois-do-magazine-luiza-o-ceo-frederico-trajano-quer-digitalizar-o-varejo-brasileiro. Acesso em: 05. mar. 2020.

DIAS, Gabriel. "Como a metodologia ágil afetou os projetos do Magazine Luiza". Instituto Mestre GP, 31 jul. 2019. Disponível em: https://www.mestregp.com.br/2019/07/31/como-a-metodologia-agil-afetou-os-projetos-do-magazine-luiza/. Acesso em: 04 fev. 2021.

DOS PASSOS, Ana Paula Pereira; MENEGHINI, Eleandra Maria Prigol; GAMA, Marina Amado Bahia & LANA, Jeferson. "Tem no Magalu: estratégias sociais, políticas e de mercado durante a Covid-19". Scielo Brasil, 30 abr. 2021. Disponível em: https://www.scielo.br/scielo.php?script=sci_arttext&pid=S1415-65552021000700806&tlng=pt. Acesso em: 02 maio 2021

ESTADÃO CONTEÚDO. "Magazine Luiza deve apostar em moda, beleza e delivery de comida, diz Frederico Trajano". Seu Dinheiro, 10 mar. 2021. Disponível em: https://www.seudinheiro.com/2021/empresas/magazine-luiza-deve-apostar-em-moda-beleza-e-delivery-de-comida-diz-frederico-trajano/. Acesso em: 21 mar. 2021.

FONSECA, Mariana. "7 empresas vão sobreviver ao apocalipse do varejo – e só uma é brasileira". Exame, 09 ago. 2018. Disponível em https://exame.abril.com.br/negocios/7-empresas-vao-sobreviver-ao-apocalipse-do-varejo-e-so-uma-e-brasileira/. Acesso em: 20 jan. 2021.

FREITAS, Tainá. "Visitamos o LuizaLabs, o laboratório de inovação do Magazine Luiza". StartSe, 12 jan. 2018. Disponível em: https://www.startse.com/noticia/nova-economia/corporate/visitamos-o-luiza-labs-o-laboratorio-de-inovacao-do-magazine-luiza. Acesso em: 11 fev. 2021.

LISBOA, Ana Paula. "Entrevista: Luiza Trajano sobre a pandemia, o varejo e o país". Eu Estudante, 14 ago. 2020. Disponível em https://www.correiobraziliense.com.br/euestudante/trabalho--formacao/2020/08/4868634-as-licoes-de-uma-executiva-na-pandemia.html. Acesso em: 18 set. 2020.

"MAGAZINE Luiza está aberto a aquisição 'de qualquer empresa, não se surpreendam', diz presidente". Folha de S. Paulo, 18 ago. 2020. Disponível em: https://www1.folha.uol.com.br/mercado/2020/08/magazine-luiza-esta-aberto-a-aquisicao-de-qualquer-empresa-nao-se-surpreendam-diz-presidente.shtml. Acesso em: 18 dez. 2020.

MA, Yihan. "E-commerce share of total retail sales in consumer goods in China from 2014 to 2020". Statista, 27 jan. 2021. Disponível em: https://www.statista.com/statistics/1129915/china-ecommerce-share-of-retail-sales/#. Acesso em: 10 fev. 2021.

MANZONI JR., Ralphe. "Frederico Trajano avisa: o Magalu compete com Rappi e iFood e até com o Google". NeoFeed, 08 mar. 2021. Disponível em: https://neofeed.com.br/blog/home/frederico-trajano-avisa-o-magalu-agora-compete-do-rappi-e-ifood-a-publicidade-digital/. Acesso em: 02 abr. 2021.

MASSON, Celso. "Criando o futuro do varejo brasileiro". Istoé Dinheiro, 02 dez. 2019. Disponível em: https://www.istoedinheiro.com.br/criando-o-futuro-do-varejo-brasileiro/. Acesso em: 03 jan. 2021.

MENDES, Luiz Henrique; TECCHIO, Manuela. "Por que Fred Trajano trocou a Amazon por Tencent e Alibaba como benchmark". Valor Econômico, 03 maio 2021. Disponível em: https://pipelinevalor.globo.com/negocios/noticia/por-que-fred-trajano-trocou-a-amazon-por-tencente-e-alibaba-como-benchmark.ghtml. Acesso em: 25 maio 2021.

MENDONÇA, Camila. "6 estratégias que fizeram o Magazine Luiza ser um negócio digital". Novarejo, 09 ago. 2017. Disponível em: https://portalnovarejo.com.br/2017/08/estrategias-fizeram-magazine-luiza-ser-negocio-digital/. Acesso em: 10 set. 2020.

MENDONÇA, Camila. "7 estratégias do Magazine Luiza para gerir e reter pessoas". Novarejo, 23 nov. 2017. Disponível em: https://portalnovarejo.com.br/2017/11/7-estrategias-do-magazine-luiza-para-gerir-e-reter-pessoas/. Acesso em: 14 set. 2020.

"MOST Innovative Companies – Magazine Luiza". Fast Company, [s.d.]. Disponível em: https://www.fastcompany.com/company/magazine-luiza. Acesso em: 21 jan. 2021

"O que é um super aplicativo e por que vale a pena baixar o SuperApp Magalu". Canaltech, 26 nov. 2020. Disponível em: https://canaltech.com.br/apps/vale-a-pena-baixar-superapp-magalu-175101/. Acesso em: 10 dez. 2020.

PASSARO, Juliano. "Magazine Luiza quer crescer além do varejo, diz presidente da empresa". Suno Notícias, 04 jul. 2019. Disponível em: https://www.sunoresearch.com.br/noticias/magazine-luiza-quer-crescer-alem-do-varejo-diz-presidente-da-empresa/. Acesso em: 20 jun. 2020.

REDAÇÃO DC. "Magazine Luiza é apontado como melhor empresa para trabalhar no varejo". Diário do Comércio, 15 ago. 2018. Disponível em: https://dcomercio.com.br/categoria/gestao/magazine-luiza-e-apontado-como-melhor-empresa-para-trabalhar-no-varejo. Acesso em: 22 set. 2020.

"RELAÇÕES com Investidores". Magazine Luiza, [s.d.]. Disponível em: https://ri.magazineluiza.com.br/ShowCanal/Nossa-Cultura--Missao-e-Valores?=+-CrwIdegGsV6bHjz6j8IdA==. Acesso em: 21 dez. 2020.

RIVAS, Teresa. "The retailers that won out in 2020 aren't done yet. Here's why". Barroon's, 08 jan. 2021. Disponível em: https://www.barrons.com/articles/the-retailers-that-won-out-in-2020-arent-done-yet-heres-why-51610135109. Acesso em: 09 fev. 2021.

RIVEIRA, Carolina. "Trajano, do Magalu: supermercado não era foco no ano, mas virou prioridade". Exame, 26 abr. 2020. Disponível em: https://exame.com/negocios/fred-trajano-do-magalu-brasileiro-e-mal-servido-em-supermercado-online/. Acesso em: 10 ago. 2020.

ROGENSKI, Renato. "Estudo revela marcas mais lembradas na pandemia". Meio & Mensagem, 13 maio 2020. Disponível em: https://www.meioemensagem.com.br/home/marketing/2020/05/13/estudo-revela-marcas-mais-lembradas-na-pandemia.html. Acesso em: 23 jul. 2020.

RYNGELBLUM, Ivan. "Magazine Luiza reverte lucro e tem prejuízo de R$ 64,5 mi no 2º trimestre". Valor Econômico, 17 ago. 2020. Disponível em: https://valor.globo.com/empresas/noticia/2020/08/17/magazine-luiza-reverte-lucro-e-tem-prejuizo-de-r-645-mi-no-2o-trimestre.ghtml. Acesso em: 20 out. 2020.

SCHELLER, Fernando. "'Não vou esperar empresa estrangeira ser protagonista digital', diz Fred Trajano". CNN Brasil, 22 dez. 2020. Disponível em: https://www.cnnbrasil.com.br/business/2020/12/22/nao-vou-esperar-empresa-estrangeira-ser-protagonista-digital-no-brasil. Acesso em: 05 jan. 2021.

SERRENTINO, Alberto. "O que o Magazine Luiza quer com o Jovem Nerd e outras aquisições; leia análise". Estadão, 14 abr. 2021. Disponível em: https://economia.estadao.com.br/noticias/geral,o-que-o-magazine-luiza-quer-com-o-jovem-nerd-e-outras-aquisicoes-leia-analise,70003681257#. Acesso em: 15 maio 2021.

SPS CONSULTORIA. "Magazine Luiza: a transformação digital mais bem sucedida do Brasil". G1, 29 jan. 2021. Disponível em: https://g1.globo.com/sp/vale-do-paraiba-regiao/especial-publicitario/sps-consultoria/tecnologia-e-inovacao/noticia/2021/01/29/magazine-luiza-a-transformacao-digital-mais-bem-sucedida-do-brasil.ghtml. Acesso em: 20 mar. 2021.

TECCHIO, Manuela. "Magalu é a ação mais rentável do mundo, segundo o BCG". Valor Econômico, 24 maio 2021. Disponível em: https://pipelinevalor.globo.com/mercado/noticia/magalu-e-a-companhia-que-mais-remunera-investidores-no-mundo-diz-bcg.ghtml. Acesso em: 25 maio 2021.

TINTI, Simone. "Como surgiu e o que faz o lab de inovação do Magazine Luiza. São 110 pessoas à caça de disrupção". Draft, 12 dez. 2016. Disponível em:https://www.projetodraft.com/como-surgiu-e-o-que-faz-o-lab-de-inovacao-do-magazine-luiza-sao-110-pessoas-trabalhando/. Acesso em: 12 jun. 2020.

TOLOTTI, Rodrigo. "As ações que subiram mais de 5.000% na Bolsa brasileira e outros destaques dos últimos 50 anos de Ibovespa". InfoMoney, 25 nov. 2020. Disponível em: https://www.infomoney.com.br/mercados/as-acoes-que-subiram-mais-de-5-000-na-bolsa-brasileira-e-outros-destaques-dos-ultimos-50-anos-de-ibovespa/. Acesso em:

TUON, Ligia. "Ao impulsionar renda em até 70%, auxílio escancara pobreza no Brasil". Exame, 29 jul. 2020. Disponível em: https://exame.com/economia/ao-impulsionar-renda-em-ate-70-auxilio-escancara-pobreza-no-brasil/. Acesso em:

ZOGBI, Paula. "Magazine Luiza passa Carrefour e Renner e se torna a varejista mais valiosa do Brasil". InfoMoney, 17 out. 2018. Disponível em: https://www.infomoney.com.br/negocios/magazine-luiza-passa-carrefour-e-renner-e-se-torna-a-varejista-mais-valiosa-do-brasil/. Acesso em: 02 maio 2021.

VÍDEO:

E-COMMERCE BRASIL. "Atendimento automatizado e humanizado com Frederico Trajano". YouTube, 12 ago. 2020. Disponível em: https://www.youtube.com/watch?v=RiU1lPZchUQ. Acesso em: 20 ago. 2020.

CASE NUBANK

LIVRO:

MAGALDI, Sandro; SALIBI Neto, José – Gestão do Amanhã: tudo o que você precisa saber sobre gestão, inovação e liderança para vencer na 4ª Revolução Industrial – São Paulo, Editora Gente, 2018.

E-REFERÊNCIAS:

"BANCOS e fintechs miram desbancarizados com novos negócios". Noomis CIAB FEBRABAN, 21 set. 2020. Disponível em: https://noomis.febraban.org.br/noomisblog/bancos-e-fintechs-miram-desbancarizados-com-novos-negocios\. Acesso em: 17 dez. 2020.

BIGARELLI, Barbara; OLIVEIRA, Darcio & SÔNEGO, Dubes. "Até onde vai o Nubank". Época Negócios, 08 fev. 2017. Disponível em: https://epocanegocios.globo.com/Empresa/noticia/2017/02/ate-onde-vai-o-nubank.html. Acesso em: 15 fev. 2020.

DANTAS, Yuri. "O que a cultura do Nubank tem a ver com foco no cliente?" Blog Nubank, 06 jul. 2018. Disponível em: https://www.google.com/amp/s/blog.nubank.com.br/cultura-do-nubank-foco-no-cliente/. Acesso em: 05 mar. 2020.

DESIDÉRIO, Marian. "Nubank chega a 5 milhões de clientes e já é um dos maiores do mundo". Exame, 27 set. 2018. Disponível em: https://exame.abril.com.br/negocios/nubank-chega-a-5-milhoes-de-clientes-no-cartao-de-credito/. Acesso em: 03 mar. 2020.

KINAST, Priscilla. "5 contas digitais com mais benefícios para os desbancarizados e baixa renda". Seu Crédito Digital, 13 out. 2020. Disponível em: https://seucreditodigital.com.br/fintechs-que-mais-oferecem-beneficios/. Acesso em: 15 jan. 2021.

_____. "5 contas digitais com mais benefícios para os desbancarizados e baixa renda". Seu Crédito Digital, 13 out. 2020. Disponível em: https://seucreditodigital.com.br/fintechs-que-mais-oferecem-beneficios/. Acesso em: 11 dez. 2020.

MOREIRA NETO, Rodolpho. "O Nubank pegou. Mas por quê?" Administradores.com, 08 set. 2016. Disponível em: http://www.administradores.com.br/artigos/negocios/o-nubank-pegou-mas-por-que/98012/. Acesso em: 03 mar. 2020.

"NUBANK prepara abertura de capital nos EUA, dizem fontes". Estadão, 26 abr. 2021. Disponível em: https://einvestidor.estadao.com.br/mercado/nubank-prepara-ipo-nasdaq. Acesso em: 26 abr. 2021.

OLIVEIRA, Bruno. "Atração de talentos através da cultura organizacional". Administradores.com, 07 nov. 2016. Disponível em: http://www.administradores.com.br/artigos/negocios/atracao-de-talentos-atraves-da-cultura-organizacional/99566/?desktop=true. Acesso em: 15 fev. 2020.

PATI, Camila. "Como é trabalhar no inovador Nubank, segundo 10 funcionários". Exame, 07 nov. 2016. Disponível em: https://exame.abril.com.br/carreira/como-e-trabalhar-no-inovador-nubank-segundo-10-funcionarios/. Acesso em: 04 mar. 2020.

REDAÇÃO. "Nubank anuncia fundo de R$ 20 mi e parceria de serviços para clientes". Estadão, 24 mar. 2020. Disponível em: https://link.estadao.com.br/noticias/empresas,nubank-anuncia-fundo-de-r-20-mi-e-parcerias-de-servicos-para-clientes,70003246046. Acesso em: 29 mar. 2020.

REDAÇÃO. "Nubank lança programa de formação de 400 jovens negros em SP". TI INSIDE, 28 abr. 2021. Disponível em: https://tiinside.com.br/28/04/2021/nubank-lanca-programa-de-formacao-de-400-jovens-negros-em-sp/. Acesso em: 06 maio 2021.

REDAÇÃO. "Nubank levanta U$ 400 milhões e atinge valuation de gigantes". Forbes Money, 28 jan. 2021. Disponível em: https://forbes.com.br/forbes-money/2021/01/nubank-levanta-us-400-milhoes-e-atinge-avaliacao-de-gigantes/. Acesso em: 16 fev. 2021.

REDAÇÃO NUBANK. "6 lições de negócio que os fundadores do Nubank deram nesta semana". Blog Nubank, 24 abr. 2020. Disponível em: https://blog.nubank.com.br/nubank-cristina-junqueira-david-velez-licoes-negocio/. Acesso em: 06 maio 2021.

REDAÇÃO NUBANK. "Conheça o método Nubank para traçar objetivos e veja como ele pode te ajudar em 2020". Blog Nubank, 01 jan. 2020. Disponível em: https://blog.nubank.com.br/como-okr-pode-te-ajudar-tracar-objetivos-realistas/. Acesso em: 02 fev. 2020.

REDAÇÃO NUBANK. "Pagamentos pelo WhatsApp com Nubank: tudo o que você precisa saber". Blog Nubank, 04 maio 2021. Disponível em: https://blog.nubank.com.br/pagamentos-pelo-whatsapp-com-nubank-tudo-sobre/. Acesso em: 25 maio 2021.

ROMANI, Bruno. "Após aporte, Nubank é a sétima startup mais valiosa do mundo". Estadão, 16 jun. 2021. Disponível em: https://link.estadao.com.br/noticias/inovacao,apos-aporte-nubank-e-a-setima-startup-mais-valiosa-do-mundo,70003745776. Acesso em: 18 jun. 2021.

SALOMÃO, Karin. "Por dentro da sede roxa e inovadora do Nubank". Exame, 16 jun. 2016. Disponpível em: https://exame.abril.com.br/negocios/por-dentro-da-sede-roxa-e-inovadora-do-nubank/. Acesso em: 05 jan. 2020.

TREVISANI, Paulo. "Berkshire Hathaway to Buy $500 Million Stake in Brazil's Nubank". The Wall Street Journal, 8 jun. 2021. Disponível em: https://www.wsj.com/articles/berkshire-hathaway-to-buy-500-million-stake-in-brazils-nubank-11623153600. Acesso em: 06 ago. 2021.

CASE IFOOD

E-REFERÊNCIAS:

ABRAMOVICH, Giselle. "Domino's CDO Shares his secrets sauce for innovation". Adobe Blog, 01 abr. 2018. Disponível em: https://blog.adobe.com/en/publish/2018/04/01/dominos-cdo-right-internal-structure-to-be-digital-innovator.html#. Acesso em: 05 jan. 2020.

AGHINA, Wouter; DE SMET, Aaron; WEERDA, Kirsten. "Companies can become more agile by designing their organizations both to drive speed and create stability". McKinsey Quartely, 1 dez. 2015. Disponível em: https://www.mckinsey.com/business-functions/organization/our-insights/agility-it-rhymes-with-stability. Acesso em: 16 mar. 2020.

BERTÃO, Naiara. "Com apetite de unicórnio, iFood quer se reinventar". Exame, 14 dez. 2017. Disponível em: https://exame.abril.com.br/revista-exame/com-apetite-de-unicornio/. Acesso em: 02 fev. 2020.

BENVENISTE, Alexis. "Nos EUA, Domino's lança carro-robô para entregar pizzas". CNN Brasil, 13 abr. 2021. Disponível em: https://www-cnnbrasil-com-br.cdn.ampproject.org/c/s/www.cnnbrasil.com.br/amp/business/2021/04/13/nos-eua-dominos-lanca-carro-robo-para-entregar-pizzas. Acesso em: 14 mar. 2021.

BLOOMBERG. "Prosus negocia compra de fatia da Just Eat no iFood". Money Times, 01 jul. 2020. Disponível em: https://www.moneytimes.com.br/prosus-negocia-compra-de-fatia-da-just-eat-no-ifood/. Acesso em: 01 jul. 2020.

"BRAZILIAN food tech's behemoth iFood delivers 60 million monthly orders amid the pandemic". LABS, 09 abr. 2021. Disponível em: https://labsnews.com/en/articles/business/ifood-60-million-monthly-orders-amid-the-pandemic/. Acesso em: 10 abr. 2021.

BROWING, Jonathan; Chen, Lulu Yilun. "China's Meituan Agrees to $15 billion dianping merger". Bloomberg, 07 out. 2015. Disponível em: https://labsnews.com/pt-br/artigos/negocios/servicos-de-delivery-cresceram-300-na-america-latina-nos-ultimos-5-anos/. Acesso em: 08 mar. 2020.

CAIMI, Greg. "The inner game: why culture Trumps code in digital innovation". Bain & Company, 08 nov. 2017. Disponível em: https://www.bain.com/insights/the-inner-game-why-culture-trumps-code-in-digital-innovation?. Acesso em: 05 jan. 2020.

CALATAYUD, Adria; ORRU, Mauro. "Delivery Hero, Just Eat Takeaway Heat Up Delivery Fight in Germany – Update". MarketWatch, 22 maio 2021. Disponível em: https://www.marketwatch.com/story/delivery-hero-just-eat-takeaway-heat-up-delivery-fight-in-germany-update-271620819663. Acesso em: 23 maio 2021.

CANGUÇU, Raphael. "O crescimento de aplicativos de delivery como o iFood". Codificar, 18 jun. 2018. Disponível em: https://codificar.com.br/blog/o-crescimento-de-aplicativos-de-delivery-como-o-ifood/. Acesso em: 20 ago. 2020.

CAPELLI, Fernanda. "iFood adiciona Pix como forma de pagamento; saiba usar". IG, 18 maio 2021. Disponível em: https://economia.ig.com.br/1bilhao/2021-05-18/ifood-adiciona-pix-como-forma-de-pagamento--saiba-como-usar.html. Acesso em: 20 maio 2021.

"COM alta no e-commerce, Mercado Livre manterá investimento de R$ 4 bilhões no Brasil em 2020". STARTUPI, 06 de maio de 2020. Disponível em: <https://startupi.com.br/2020/05/mercado-livre-anuncia-resultados-do-primeiro-trimestre-e-principais-tendencias-relacionadas-a-covid-19/>. Acesso em: 07 ago. 2020.

"CONQUER e iFood lançam curso gratuito para ajudar serviço de iFood Service durante pandemia". BLOG NOAR, [s.d.]. Disponível em: https://noar-comunicacao.com/conquer-e-ifood-lancam-curso-gratuito-para-ajudar-servico-de-food-service-durante-pandemia/. Acesso em: 05 maio 2021.

DELL BLASI, Bruno Gal. "Uber Eats Premium é lançado no Brasil como resposta ao iFood Gourmet". Tecnoblog, 23 abr. 2021. Disponível em: https://tecnoblog.net/435569/uber-eats-premium-e-lancado-no-brasil-como-resposta-ao-ifood-gourmet/. Acesso em: 25 abr. 2021.

DE SOUZA, Felipe. "iFood quer aumentar presença de mulheres e negros nos cargos mais altos". Uol, 20 maio 2021. Disponível em: https://

economia.uol.com.br/noticias/redacao/2021/05/20/ifood-meta-mulheres-negros.htm. Acesso em: 29 maio 2021.

"DOMINO'S Pizza Desacelera abertura de lojas". SBVC, [s.d.]. Disponível em: http://sbvc.com.br/dominos-desacelera-abertura-lojas/. Acesso em: 05 jun. 2021.

DOWN JONES NEWSWIRES. "Dona do iFood faz oferta pelo aplicativo de entregas Just Eat". Valor Econômico, 22 out. 2019. Disponível em: https://valor.globo.com/empresas/noticia/2019/10/22/dona-do-ifood-faz-oferta-pelo-aplicativo-de-entregas-just-eat.ghtml. Acesso em: 05 abr. 2020.

DRSKA, Moacir. "Atualização no aplicativo do iFood expõe dados de usuários". NEOFEED, 19 jun. 2020. Disponível em: https://neofeed.com.br/startups/atualizacao-no-aplicativo-do-ifood-expoe-dados-de-usuarios/. Acesso em: 03 ago. 2020.

EDITOR CM. "iFood mantém liderança entre aplicativos de delivery, mas concorrência cresce". Novarejo, 08 dez. 2020. Disponível em: https://www.consumidormoderno.com.br/2020/12/08/ifood-mantem-lideranca-entre-aplicativos-de-delivery-mas-concorrencia-cresce/. Acesso em: 12 jan. 2021.

EQUIPE ACE. "Lançamento do foguete: 5 lições do crescimento astronômico da iFood". ACE, 18 nov. 2014. Disponível em: https://acestartups.com.br/lancando-o-foguete-5-licoes-crescimento-astronomico-da-ifood/. Acesso em: 05 abr. 2020.

"EXEMPLO de logística: iFood". Blog Logística, 25 maio 2016. Disponível em: https://www.bloglogistica.com.br/mercado/exemplo-de-logistica-ifood/. Acesso em: 20 mar. 2020.

FILIPPE, Marina. "Enquanto restaurantes sofrem, Domino's prevê dobrar o número de lojas". Exame, 01 abr. 2021. Disponível em: https://exame.

com/negocios/enquanto-restaurantes-sofrem-dominos-preve-dobrar-o-numero-de-lojas/?amp. Acesso em: 05 abr. 2021.

FIORAVANTI, Reinaldo." iFood delivers great results in Brazil going beyond connecting restaurants with customers". DIGITAL INITIATIVE, 24 mar. 2020. Disponível em: https://digital.hbs.edu/platform-digit/submission/ifood-delivers-great-results-in-brazil-going-beyond-connecting-restaurants-with-customers/. Acesso em: 02 abr. 2020.

FONSECA, Mariana. "Como será o futuro do delivery, na visão do iFood". Pequenas Empresas & Grandes Negócios, 23 ago 2020. Disponível em: https://revistapegn.globo.com/Startups/noticia/2020/08/como-sera-o-futuro-do-delivery-na-visao-do-ifood.html. Acesso em: 08 set. 2020.

_____. "Guerra nas entregas: startups captam megarodatas para dominar o Brasil". Exame, 18 out. 2018. Disponível em: https://exame.abril.com.br/pme/guerra-entregas-startups-brasil/. Acesso em: 05 mar. 2020.

GIGANTE DO DELIVERY, "iFood chega a um novo marco: 60 milhões de pedidos por mês". LABS, 09 abr. 2021. Disponível em: https://labsnews.com/pt-br/artigos/negocios/ifood-chega-a-um-novo-marco-60-milhoes-de-pedidos-por-mes/. Acesso em: 10 maio 2021.

GRANDI, Guilherme. "Conheça ADA, a robô entregadora do iFood e outras novas tecnologias do delivery". Bom Gourmet, 30 jan. 2020. Disponível em: https://www.gazetadopovo.com.br/bomgourmet/mercado-e-setor/conheca-a-robo-ada-entregadora-do-ifood/. Acesso em: 02 fev. 2020.

"IFOOD anuncia aquisição de empresa para acelerar entregas de mercado e conveniência". STARTUPI, 16 set. 2020. Disponível em: https://startupi.com.br/2020/09/ifood-anuncia-aquisicao-de-empresa-para-acelerar-entregas-de-mercado-e-conveniencia/. Acesso em: 16 set. 2020.

"IFOOD: como funciona a maior foodtech da América Latina". Movile, [s.d.]. Disponível em: https://movile.blog/ifood-como-funciona-a--maior-foodtech-da-america-latina/. Acesso em: 05 mar. 2021.

"IFOOD compra operação da concorrente Pedidos Já no Brasil". Folha de S. Paulo, 02 ago. 2018. Disponível em: https://www1.folha.uol.com.br/mercado/2018/08/ifood-compra-operacao-da-concorrente-pedidos-ja-no-brasil.shtml. Acesso em: 05 mar. 2020.

"IFOOD entregando resultado: faturamento cresce 234%". Snaq, [s.d.]. Disponível em: https://www.snaq.co/news/ifood-entregando-resultado-faturamento-cresce-pandemia. Acesso em: 05 mar. 2020.

"IFOOD lança soluções para mercado corporativo". STARTUPI, 29 jul. 2019. Disponível em: https://startupi.com.br/2019/07/ifood-lanca-solucoes-para-mercado-corporativo/https://oanapolis.com.br/2021/03/31/rappi-ou-ifood-entenda-as-diferencas-dos-apps/. Acesso em: 19 mar. 2020.

"IFOOD recebe aporte de US$500 milhões". Saipos, 15 jan. 2020. Disponível em: https://blog.saipos.com/ifood-recebe-aporte-de-us500-milhoes/. Acesso em: 17 fev. 2020.

"JET Skis para testar manobras que o navio não consegue fazer: o modelo ambidestro do iFood". Endeavor, 09 set. 2019. Disponível em: https://guia.folha.uol.com.br/restaurantes/2020/06/80-dos-restaurantes-que-trabalham-com-aplicativos-estao-insatisfeitos-diz-pesquisa.shtml. Acesso em: 05 jan. 2020.

MENDES, Felipe; VALIM, Carlos. "Batalha entre Rappi e iFood está no começo e vai envolver mais gente". Veja, 13 nov. 2020. Disponível em: https://veja.abril.com.br/economia/batalha-entre-rappi-e-ifood-esta--no-comeco-e-vai-envolver-mais-gente/. Acesso em: 14 dez. 2020.

MENEZES, Gabrielli; YASSUDA, Saulo. "Como o delivery de comida mudou a rotina da cidade". Veja São Paulo, 13 mar. 2020. Disponível em: https://vejasp.abril.com.br/comida-bebida/delivery-comida/. Acesso em: 15 abr. 2020.

NOVICIO, Trish. "15 largest food delivery companies n the world". Yahoo! Finance, 14 dez. 2020. Disponível em: https://finance.yahoo.com/news/15-largest-food-delivery-companies-200341284.html. Acesso em: 07 jan. 2021.

OLIVEIRA, Débora. "Nosso maior concorrente é o fogão", diz CEO do iFood. ItMídia, 01 out. 2018. Disponível em: https://computerworld.com.br/2018/10/01/nosso-maior-concorrente-fogao-diz-ceo-ifood/. Acesso em: 05 mar. 2020.

PATI, Camila. "iFood abre 100 vagas e recruta gente de qualquer área de formação". Exame, 23 jan. 2018. Disponível em: https://exame.com/revista-exame/crescer-sem-perder-a-mao/https://www.salesforce.com/br/customer-success-stories/ifood/. Acesso em: 07 mar. 2020.

POMPEO, Carolina. "From Disk Cook to the largest food-tech company in Latin America: iFood Brazil". LABS, 11 mar. 2021. Disponível em: https://labsnews.com/en/articles/business/from-disk-cook-to-the-largest-food-tech-in-latin-america-ifood-brazil/. Acesso em: 15 mar. 2021.

PUBLIEDITORIAL. "iFood divulga números inéditos de crescimento". E-commerce Brasil, 09 nov. 2018. Disponível em: https://www.ecommercebrasil.com.br/noticias/ifood-divulga-numeros-ineditos-de-crescimento/. Acesso em: 05 mar. 2020.

"QUAIS produtos o iFood oferece para restaurantes?" iFood [s. d.]. Disponível em: https://institucional.ifood.com.br/abrindo-a-cozinha/produtos-para-restaurantes. Acesso em: 05 mar. 2020.

REDAÇÃO. "Clientes iFood, Uber e Bradesco já podem usar Alexa em português". Itforum, 04 out. 2019. Disponível em: https://itforum.com.br/noticias/clientes-ifood-uber-e-bradesco-ja-podem-usar-alexa-em-portugues/. Acesso em: 07 mar. 2020.

RIVEIRA, Carolina. "iFood, Rappi, Uber Eats: qual é o delivery mais bem-visto pelos clientes?" Exame, 21 jun. 2020. Disponível em: https://exame.com/pme/ifood-rappi-ubereats-preferido-consumidor/. Acesso em: 03 jul. 2020.

RIBEIRO, Gustavo. "Brazilian iFood takes the first step to deploy drones for meal delivery". LABS, 25 ago. 2020. Disponível em: https://labsnews.com/en/articles/technology/brazilian-ifood-takes-the-first-step-to-deploy-drones-for-meal-delivery/. Acesso em: 26 ago. 2020.

REDAÇÃO. "NPS: iFood é melhor e mais popular app de delivery, diz pesquisa". Exame, 19 dez. 2020. Disponível em: https://exame.com/negocios/nps-ifood-e-melhor-e-mais-popular-app-de-delivery-diz-pesquisa/. Acesso em: 07 jan. 2021.

ROMANI, Bruno. "Governo tomou medidas sábias em relação a pequenos restaurantes no início da pandemia, diz iFood". Estadão, 21 abr. 2021. Disponível em: https://link.estadao.com.br/noticias/inovacao,na-pandemia-governo-tomou-medidas-sabias-em-relacao-a-pequenos-restaurantes-diz-ifood,70003687854. Acesso em: 28 abr. 2021.

SALOMÃO, Karin. "Conheça o novo escritório descolado o iFood em Campinas". Exame, 11 abr. 2018. Disponível em: https://exame.com/negocios/em-forte-crescimento-ifood-inaugura-novo-escritorio-em-campinas/. Acesso em: 05 mar. 2020.

_____. "Por dentro do delicioso escritório do iFood em São Paulo". Exame, 10 nov. 2017. Disponível em: https://exame.abril.com.br/negocios/por-dentro-do-delicioso-escritorio-do-ifood-em-sao-paulo/.

Acesso em: 05 mar. 2020.

"SER empreendedor é executar bem, diz o criador do iFood". Pequenas Empresas & Grandes Negócios, 09 maio 2016. Disponível em: https://revistapegn.globo.com/Empreendedorismo/noticia/2016/05/ser-empreendedor-e-executar-bem-diz-criador-do-ifood.html. Acesso em: 07 maio 2020.

"SOARES, Lucas. "Robô autônomo do iFood realiza entregas de ovos de páscoa no Brasil". It, 25 mar. 2021. Disponível em: https://www.techtudo.com.br/noticias/2021/03/robo-autonomo-do-ifood-realiza-entregas-de-ovos-de-pascoa-no-brasil.ghtml. Acesso em: 27 mar. 2021.

SPINA, Felipe. "Último fundador do iFood a vender sua participação na empresa, Guilherme Bonifácio revela bastidores da jornada". Distrito, 18 fev. 2020. Disponível em: https://distrito.me/guilherme-bonifacio-ifood/. Acesso em: 05 abr. 2020.

TIENGO, Gustavo. "Onboarding de tecnologia: como fazemos no foguete iFood". Movile, [s.d.]. Disponível em: https://medium.com/ifood-tech/entrando-pro-time-de-design-do-ifood-ec6d73f5d4fb. Acesso em: 05 mar. 2020.

VALENTI, Graziella. "Rappi perde usuários ativos em 2020 e pós-pandemia desafia plataformas". Exame, 19 dez. 2020. Disponível em: https://exame.com/exame-in/rappi-perde-usuarios-ativos-em-2020-e-pos-pandemia-desafia-plataformas/. Acesso em: 17 jan. 2021.

VEROTTI, Angelo. "Muito mais que entregar comida". Istoé Dinheiro, 30 abr. 2021. Disponível em: https://www.meioemensagem.com.br/home/marketing/2018/02/15/ifood-mescla-humor-e-agilidade-em-receita-de-engajamento.html. Acesso em: 05 maio 2021.

CASE DOMINO'S PIZZA

E-REFERÊNCIAS:

"5 números importantes sobre o segmento de pizzarias no Brasil. Ultragaz, 04 de set. de 2017. Disponível em: <https://www.ultragaz.com.br/residencial/ultradicas/5-numeros-importantes-sobre-o-segmento-de-pizzarias-no-brasil>. Acesso em: 05 mar. 2020.

CONTRIBUTOR. "Agile and innovative teams are key to outstanding customer experiences". IT Brief, 16 dez. 2020. Disponível em: https://itbrief.com.au/story/agile-and-innovative-teams-are-key-to-outstanding-customer-experiences. Acesso em: 08 fev. 2021.

HOLDERITH, Peter. "The Fascinating Design History of the Domino's DPX Pizza Delivery Vehicle". The Drive, 07 de jul. de 2020. Disponível em: https://www.thedrive.com/news/34640/the-fascinating-design-history-of-the-dominos-dxp-pizza-delivery-vehicle. Acesso em: 08 fev. 2021.

"INVESTOR Relations". Domino's Pizza, [s.d.]. Disponível em: https://ir.dominos.com/investor-overview. Acesso em 08 fev. 2021.

IP, Greg; LOTEN, Angus. "Most Businesses Were Unprepared for Covid-19. Domino's Delivered". The Wall Street Journal, 04 set. 2020. Disponível em: https://www.wsj.com/articles/most-businesses-were-unprepared-for-covid-19-dominos-delivered-11599234424. Acesso em: 05 set. 2020.

KEESLING, Adam. "How Domino's Pizza won the pandemic. Marker, 25 maio 2020". Disponível em: https://publicrelationssecurity.com/dominos/. Acesso em: 28 set. 2020.

KLEIN, Danny. "Domino's spent $ 11 million on Covid-19 protocols".

QRS, [s.d.]. Disponível em: https://www.qsrmagazine.com/fast-food/dominos-spent-11-million-covid-19-protocols. Acesso em: 05 mar. 2021.

KOLLEWE, Julia. "Domino's Pizza plans more outlets as Covid-19 lockdown fuels are". The Guardian, 09 mar. 2021. Disponível em: https://edition.cnn.com/2020/10/08/business/dominos-pizza-pandemic/index.html. Acesso em: 09 mar. 2021.

LIMA, Kaique. "Domino's Starts Delivering Pizza with Autonomous Cars in the United States". Olhar Digital, 14 abr. 2021. Disponível em: https://olhardigital.com.br/en/2021/04/14/pro/dominos-delivers-pizzas-with-autonomous-cars/. Acesso em: 17 abr. 2021.

LLEWELYN, Tracy; SCHOLZ, Nathan. "Domino's delivers global sales of $ 3,27 b (+12.8%) record fully year ebitda1 $303.OM". Domino's Newsroom, [s.d]. Disponível em: https://newsroom.dominos.com.au/media/2020/8/19/dominos-delivers-global-sales-of-327b-128-record-full-year-ebitda1-3030m-73. Acesso em: 05 mar. 2021.

MARR, Bernard. "Dominos: Data-driven dicision making at the world's largest pizza delivery chain". Bernard Marr & CO, 23 jul. 2021. Disponível em: https://www.bernardmarr.com/default.asp?contentID=1264. Acesso em: 23 jul. 2021.

REDAÇÃO. "Mercado de Servidores atingirá US$ 76 bilhões em 2021, Domino's, Duolingo & muito mais". Forbes, 4 mar. 2021. Disponível em: https://forbes.com.br/forbes-tech/2021/03/mercado-de-servidores-atingira-us-76-bilhoes-em-2021-dominos-duolingo-muito-mais/. Acesso em: 06 mar. 2021.

REDAÇÃO. "Mercado Livre escolhe Google Cloud para suportar sistema de missão crítica em SAP". Tiinside, 13 jan. 2021. Disponível em: https://tiinside.com.br/13/01/2021/mercado-livre-escolhe-google-cloud-para-suportar-o-sistema-de-missao-critica-em-sap/. Acesso em: 15 jan. 2021.

SAMOR, Geraldo. "40 anos em 5: o plano (e a fome) da Domino's no Brasil". Brazil Journal, 31 out. 2019. Disponível em: https://braziljournal.com/40-anos-em-5-o-plano-e-a-fome-da-dominos-no-brasil. Acesso em: 05 fev. 2020.

WOHL, Jessica. "How Domino's has adapted to Covid, from carside delivery to cheeseburguer pizza". AdAge, 23 set. 2020. Disponível em: https://adage.com/article/podcast-marketers-brief/how-dominos-has-adapted-covid-carside-delivery-cheeseburger-pizza/2283056. Acesso em: 08 out. 2020.

CASE MERCADO LIVRE

E-REFERÊNCIAS:

AGUILHAR, Ligia. "Para fundador do Mercado Livre, e-commerce brasileiro é o mais desenvolvido da América Latina". Estadão, 01 abr. 2012. Disponível em: https://pme.estadao.com.br/noticias/noticias,para-fundador-do-mercadolivre--e-commerce-brasileiro-e-o-mais-desenvolvido-da-america-latina,1658,0.htm. Acesso em: 05 mar. 2020.

"APLICATIVO do Mercado Livre é o 8º mais baixado no Brasil". Mercado e Consumo, 25 jan. 2019. Disponível em: https://www.mercadoeconsumo.com.br/2019/01/25/aplicativo-do-mercado-livre-e-o-8o-mais-baixado-no-brasil/. Acesso em: 05 fev. 2020.

"BEYOND Borders 2020/2021 Study". LABS, [s.d.]. Disponível em: https://business.ebanx.com/en/resources/beyond-borders-2020. Acesso em: 05 mar. 2021.

BIGARELLI, Barbara. "'Não tem preço investir em pessoas', afirma fundador do Mercado Livre". Época Negócios, 19 set. 2014. Disponível em: https://epocanegocios.globo.com/Inspiracao/Empresa/noticia/2014/09/nao-tem-preco-investir-em-pessoas-afirma-fundador-do-mercado-livre.html. Acesso em: 06 abr. 2021.

"DESENVOLVIMENTO Pessoal Artigos Day1 Histórias de Empreendedores Histórias de Empreendedores". Endeavor, [s.d.]. Disponível em: https://endeavor.org.br/desenvolvimento-pessoal/day1-faca-poucas-coisas-nota-10-em-vez-de-muitas-nota-6-hernan-kazah-mercado-livre/. Acesso em: 08 fev. 2021.

DRSKA, Moacir. "No pacote do Mercado Livre, a logística é a bola da vez". Neofeed, 20 ago. 2020. Disponível em: https://neofeed.com.br/blog/home/no-pacote-do-mercado-livre-a-logistica-e-a-bola-da-vez/. Acesso em: 08 set. 2020.

EMARKETER Editors; CEURVELS, Matteo. "Mercado Libre will surpass $20 billion in e-commerce sales in 2020". eMarketer, 20 dez. 2020. Disponível em: https://www.emarketer.com/content/mercado-libre-will-surpass-20-billion-ecommerce-sales-2020. Acesso em: 05 jan. 2021.

GAVIOLI, Allan. "Mercado Livre anuncia 5 novos centros de distribuição no Brasil, com foco em agilidade nas entregas. InfoMoney, 12 nov. 2020. Disponível em: https://www.infomoney.com.br/negocios/mercado-livre-anuncia-5-novos-centros-de-distribuicao-no-brasil-com-foco-em-agilidade-nas-entregas/. Acesso em: 05 jan. 2021.

GOMES, Wagner. "Vale é empresa mais valiosa da América Latina; no top 10, 5 são brasileiras". Estadão, 27 abr. 2021. Disponível em: https://economia.uol.com.br/noticias/estadao-conteudo/2021/04/27/mineradora-vale-e-a-mais-valiosa-da-america-latina.htm. Acesso em: 27 abr. 2021.

GONÇALVES, Wesley. "Mercado Livre vai contratar 2,5 mil profissionais negros até o fim do ano". Estadão, 15 abr. 2021. Disponível em: https://economia.estadao.com.br/noticias/geral,mercado-livre-vai-contratar-2-5-mil-profissionais-negros-ate-o-fim-do-ano,70003683062. Acesso em: 17 abr. 2021.

GUIMARÃES, Leonardo. "A estratégia do Mercado Livre para entrar no setor de supermercados". Novarejo, 02 jul. 2020. Disponível em: https://www.consumidormoderno.com.br/2020/06/02/estrategia-mercado-livre-entrar-supermercados/. Acesso em: 08 ago. 2020.

IPROFESIONAL. "MercadoLibre se une a chicas em tecnología en iniciativa de capacitación para jóvenes de la región". iProfessional, 26 abr. 2021. Disponível em: https://www.iprofesional.com/management/337899-mercado-libre-lanza-iniciativa-para-chicas-en-tecnologia. Acesso em: 07 maio 2021.

JORGE, Jonathan. "Mercado Livre – uma história de sucesso". CTRl Zeta, 04 abr. 2017. Disponível em: https://www.ctrlzeta.com.br/mercado-livre-uma-historia-de-sucesso/. Acesso em: 05 mar. 2021.

LIMA, ANNA; MENEZES, Fabiane Ziolla. "Set to be the fatest-growing market globally, e-commerce in Latin America is likely to get closer to $200 billion in volume". LABS, 31 dez. 2020. Disponível em: https://labsnews.com/en/articles/business/set-to-be-the-fastest-growing-market-in-the-world-e-commerce-in-latin-america-hits-usd-200-billion-in-volume/. Acesso em: 06 fev. 2021.

LIMA, Vitor. "Quais são os 10 maiores marketplaces do Brasil em 2021: lista definitiva". MAGIS5, 19 jan. 2021. Disponível em: https://magis5.com.br/ranking-maiores-marketplaces-do-brasil/. Acesso em: 08 ev. 2021.

LUNA, Jenny. "Marcos Galperín and MercadoLibre: pursue the contrarian view". Stanford Business, 15 jan. 2020. Disponível em: https://

www.gsb.stanford.edu/insights/marcos-galperin-mercadolibre-pursue-contrarian-view. Acesso em: 09 fev. 2020.

LUSTIG, Nathan. "How MercadoLibre dominates Latin America's e-commerce industry". Blog Nathan Lustig, 12 ago. 2018. Disponível em: https://www.nathanlustig.com/how-mercadolibre-dominates-latin-americas-e-commerce-industry/. Acesso em: 15 ago. 2020.

MANZONI JR., Ralphe. "Quem encara o Mercado Livre?". Revista Isto É Dinheiro, 05 maio 2017. Disponível em: https://www.istoedinheiro.com.br/quem-encara-o-mercado-livre/. Acesso em: 20 set. 2020.

"MARKETPLACE: características e previsões do mercado para ficar atento". Tray Corp, abr. 2018. Disponível em: https://www.traycorp.com.br/conteudo/marketplace-caracteristicas-e-previsoes-para-ficar-atento/. Acesso em: 08 mar. 2020.

MARIO, Gabriele. "The Six Stories of MercadoLibre". The Generalist, 16 maio 2021. Disponível em: https://www.readthegeneralist.com/briefing/meli. Acesso em: 20 jun. 2021.

"MERCADO LIBRE business overview". Mercado Libre, [s.d.]. Disponível em: https://investor.mercadolibre.com/static-files/fb4f68cb-480d-493b--9722-8da85d7338f0. Acesso em: 15 mar. 2021.

"MERCADO LIVRE lança nova operação inédita no Brasil". Exame, 06 set. 2017. Disponível em: https://canaltech.com.br/negocios/mercado-livre-lanca-nova-operacao-inedita-no-brasil-100102/. Acesso em: 05 mar. 2020.

"MERCADO LIVRE lidera operações de comércio eletrônico na América Latina". Destino Negócio, [s.d.]. Disponível em: https://destinonegocio.com/br/casos-de-sucesso/mercado-livre-lidera-operacoes-de-comercio-eletronico-na-america-latina/. Acesso em: 05 abr. 2021.

"MERCADO LIVRE Registra Crescimento de 84% em vendas no 1º trimestre no Brasil". ECBR, 06 maio 2021. Disponível em: https://www.ecommercebrasil.com.br/noticias/mercado-livre-crescimento-trimestre-brasil/. Acesso em: 07 maio 2021.

"MERCADOLIBRE selects AWS as its primary cloud provider to accelerate growth and transformation into a data-driven company". Businesswire, 24 nov. 2020. Disponível em: https://www.businesswire.com/news/home/20201124005282/en/Mercado-Libre-Selects-AWS-as-Its-Primary-Cloud-Provider-to-Accelerate-Growth-and-Transformation-into-a-Data-Driven-Company. Acesso em: 12 dez. 2020.

"MERCADOLIBRE to launch its fifth technology center in Latin America". LABS, 12 jun. 2020. Disponível em: https://labsnews.com/en/news/technology/mercado-libre-tech-center/. Acesso em:

MIOZZO, Júlia. "Mercado Livre lança cartão de crédito e tem novos planos para sua maquininha". InfoMoney, 06 dez. 2018. Disponível em: https://www.infomoney.com.br/negocios/grandes-empresas/noticia/7797572/mercado-livre-lanca-cartao-de-credito-e-tem-novos-planos-para-sua-maquininha. Acesso em: 05 mar. 2020.

"MISÍON visión y valores de MercadoLibre". MercadoLibre, [s. d.]. Disponível em: https://mercadoeconsumo.com.br/2021/03/02/mercado-livre-planeja-investir-r-10-bilhoes-no-brasil-em-2021/. Acesso em: 06 mar. 2021.

NUGENT, Ciara. "Mercado Livre CEO Marcos Galperin Sees an e-commerce revolution coming". The Great Reset, 21 out. 2020. Disponível em: https://time.com/collection/great-reset/5900749/mercado-libre-ceo-marcos-galperin-sees-an-e-commerce-revolution-coming/. Acesso em: 15 dez. 2020.

"RECEITA líquida do Mercado Livre fica em US$ 1,3 bilhão no 4T20".Último Instante, 02 mar. 2021. Disponível em: https://www.ultimoinstante.

com.br/ultimas-noticias/economia/empresas/receita-liquida-do-mercado-livre-fica-em-us-13-bilhao-no-4t20/350044/#axzz6voNH2mEH. Acesso em: 05 mar. 2021.

REITAS, Tainá. "Como o Mercado Livre investe em inteligência artificial para melhorar entregas". Startse, 07 ago. 2019. Disponível em: https://www.startse.com/noticia/nova-economia/mercado-livre-logistica-inteligencia-artificial. Acesso em: 08 set. 2020.

REUTERS. "Mercado Livre tem melhor trimestre da história no Brasil". Exame, 23 fev. 2017. Disponível em: https://exame.abril.com.br/negocios/mercado-livre-tem-melhor-trimestre-da-historia-no-brasil/. Acesso em: 05 mar. 2020.

SALOMÃO, Karin. "Com 50 milhões de entregas, Mercado Envios quer crescer mais". Exame, 20 maio 2016. Disponível em: https://exame.com/negocios/com-50-milhoes-de-entregas-mercado-envios-quer-crescer-mais/. Acesso em: 26 abr. 2020.

SANCHES, Cleiton. "Os 5 maiores marketplaces do comércio online brasileiro". MAGAZORD, 29 jan. 2021. Disponível em: https://www.magazord.com.br/maiores-marketplaces/. Acesso em: 05 fev. 2021.

SCHNAIDER, Amanda. "Mercado livre quer normalizar beijos LGBTQIA+". Meio&Mensagem, 04 jun. 2021. Disponível em: https://www.meioemensagem.com.br/home/comunicacao/2021/06/04/mercado-livre-quer-normalizar-beijos-lgbtqia.html. Acesso em: 05 ago. 2021.

SUN, Leo. "Where will MercadoLibre be in 5 years?". The Motley Fool, 13 nov. 2020. Disponível em: https://www.fool.com/investing/2020/11/13/where-will-mercadolibre-be-in-5-years/. Acesso em: 15 nov. 2020.

TORMENA, Henrique. "3 Diferenciais que fizeram do Mercado Livre o maior marketplace do mundo". Negócios & Gestão Empreendedor,

11 jun. 2015. Disponível em: https://empreendedor.com.br/conteudo/86009-2. Acesso em: 05 mar. 2021

"TUDO o que você precisa saber sobre o Mercado Livre". Mercado Livre, [s.d]. Disponível em: https://ideias.mercadolivre.com.br/sobre-mercado-livre/tudo-o-que-voce-precisa-saber-sobre-o-mercado-livre/. Acesso em: 05 mar. 2021.

WAIKAR, Sachin. "Mercado Libre Founders: It Takes Patience and Resilience". Stanford Business, 18 nov. 2019. Disponível em: https://www.gsb.stanford.edu/insights/mercado-libre-founders-it-takes-patience-resilience. Acesso em: 03 fev. 2020.

GONZALO, Manuel; FEDERICO, Juan; DRUCAROFF, Sergio & KANTIS, Hugo. Conferencia Internacional LALICS 2013. 11-12 nov. 2013. Disponível em: 06 mar. 2020. http://s1.redesist.ie.ufrj.br/lalics/papers/08_PostInvestment_Trajectories_of_Latin_American_Young_TechnologyBased_Firms__An_Exploratory_Study_ab.pdf. Acesso em:

WIECZNER, Jen. "Best Buy CEO on how to lead a corporate turnaround (without making employees hate you). Fortune, 29 out. 2015. Disponível em: https://fortune.com/2015/10/29/best-buy-ceo-turnaround-tips/. Acesso em: 26 abr. 2020.

VÍDEO E PODCASTS:

MEIO & MENSAGEM. "Conectando o Mercado: Stelleo Tolda, COO do Mercado Livre". YouTube, 29 jul. 2020. Disponível em: https://www.youtube.com/watch?v=XbnrWqYUMJ0. Acesso em: 19 ago. 2020.

MELICAST. "MELIcast#5 Fury – A PaaS do Mercado Livre". YouTube, 10 set. 2020. Disponível em: http://www.melicast.com.br/2020/09/10/melicast-5-fury-a-paas-do-mercado-livre/. Acesso em: 06 dez. 2020.

FATEC GARÇA. "Webinar: Tecnologia e Metodologia do Mercado Livre". YouTube, 17 de maio de 2021. Disponível em: https://www.youtube.com/watch?v=fFxNxmi4Hls. Acesso em: 25 maio 2021.

CASE BEST BUY

E-REFERÊNCIAS:

BARISO, Justin. "Amazon almost killed Best Buy. Then, Best Buy did something completely brilliant". INC, 04 mar. 2019. Disponível em: https://www.inc.com/justin-bariso/amazon-almost-killed-best-buy-then-best-buy-did-something-completely-brilliant.html. Acesso em: 05 abr. 2020.

BELIC, Dusan. "Best Buy launches lively wearable2 and new mobile app". M+lealthSpot, 01 mar. 2020. Disponível em: https://mhealthspot.com/2020/03/best-buy-launches-lively-wearable2-and-new-mobile-app/. Acesso em:BERTHIAUME, Dan. "Best Buy teams with accenture to accelerate tech innovation; increase diversity". CSA, 19 out. 2020. Disponível em: https://chainstoreage.com/best-buy-teams-accenture-accelerate-tech-innovation-increase-diversity. Acesso em: 25 out. 2020.

BERFIELD, Susan; BOYLE, Matthew. "Best Buy would be dead, but it's thriving in the age of Amazon". Bloomberg BusinessWeek, 19 jul. 2018. Disponível em: https://www.bloomberg.com/news/features/2018-07-19/best-buy-should-be-dead-but-it-s-thriving-in-the-age-of-amazon. Acesso em: 20 abr. 2020.

BURDAKIN, Anne. "Best Buy's healthcare strategy: 5 million seniors in 5 years". The Motley Fool, 01 out. 2019. Disponível em: https://www.fool.com/investing/2019/10/01/best-buys-healthcare-strategy-5-million-seniors-in.aspx. Acesso em: 07 out. 2020.

CHENG, Andria. "Healthcare may eventually become A bigger business for Best Buy than selling electronics". Forbes, 24 set. 2019. Disponível em: https://www.forbes.com/sites/andriacheng/2019/09/24/this-business-may-eventually-be-bigger-for-best-buy-than-selling-electronics/. Acesso em: 06 mar. 2020.

CLIFFORD, Stephanie. "Best Buy chief executive resigns amid Inquiry". The New York Times, 10 abr. 2012. Disponível em: https://www.nytimes.com/2012/04/11/business/dunn-resigns-as-best-buys-chief-executive.html. Acesso em: 07 out. 2020.

COGGINS, Becca. "Transformation and resilience: an interview with Best Buy's executive chairman Hubert Joly". McKinsey & Company, 25 jun. 2020. Disponível em: https://www.mckinsey.com/business-functions/strategy-and-corporate-finance/our-insights/transformation-and-resilience-an-interview-with-best-buys-executive-chairman-hubert-joly. Acesso em: 19 ago. 2020.

COMPANY NEWS. "Best Buy: named to Forbes' best large employers list". MarketScreener, 02 set. 2021. Disponível em: https://www.macrotrends.net/stocks/charts/BBY/best-buy/market-cap. Acesso em: 03 nov. 2021.

CROSBY, Jackie. "Best Buy ranked among top workplaces for women by Forbes". Star Tribune, 12 jul. 2019. Disponível em: https://www.startribune.com/best-buy-ranked-among-top-workplaces-for-women-by-forbes/512655132/. Acesso em: 15 ago. 2020.

_____. "Women's warrior at Best Buy". StarTribune, 18 dez. 2017. Disponível em: https://www.startribune.com/women-s-warrior-at-best-buy/11980251/. Acesso em: 05 mar. 2020.

CUOFANO, Gennaro. "How Best Buy business model transformation saved it from sure failure". Four Week MBA, [s.d.]. Disponível em: https://taskandpurpose.com/career/best-buy-military-veterans-jobs/. Acesso em: 21 mar. 2021.

DEL REY, Jason. "Best Buy's new weapon against Amazon: a try-before-you-buy option". Vox, 12 jun. 2017. Disponível em: https://www.vox.com/2017/6/12/15771838/best-buy-drone-camera-rental-trial-try-before-buy-lumoid. Acesso em: 21 mar. 2021.

DENMAN, Tim. "Best Buy CEO discusses the retailer's 3 biggest Covid-Induced disruptions". Blog RIS, 15 jan. 2021. Disponível em: https://risnews.com/best-buy-ceo-discusses-retailers-3-biggest-covid-induced-disruptions. Acesso em: 17 jan. 2021.

FARR, Christina. "Best Buy's health chief to step down, will remain an advisor as company pursues long-term ambitions". CNBC, 06 ago. 2020. Disponível em: https://www.cnbc.com/2020/08/06/best-buys-health-chief-asheesh-saksena-to-step-down.html#. Acesso em: 06 ago. 2020.

GRATTON, Lynda. "Mais equidade em três passos". MIT Sloan, [s.d]. Disponível em: https://mitsloanreview.com.br/post/mais-equidade-em-tres-passos. Aceso em: 05 mar. 2021.

HENSEL, Anna. "How Best Buy is preparing for post-pandemic shopping trends". ModernRetail, 25 fev. 2021. Disponível em: https://www.modernretail.co/retailers/how-best-buy-is-preparing-for-post-pandemic-shopping-trends/. Acesso em: 27 fev. 2021.

JONES, Bianca. "Best Buy commits more than $44 million to diversity, inclusion and Community efforts". Best Buy, 09 dez. 2020. Disponível em: https://corporate.bestbuy.com/best-buy-commits-more-than--44-million-to-diversity-inclusion-and-community-efforts/. Acesso em: 10 dez. 2020.

MEYERSOHN, Nathaniel. "Best Buy closed down stores in the pandemic. But people kept shopping". CNN Business, 29 set. 2020. Disponível em:

https://edition.cnn.com/2020/09/29/business/best-buy-retail-electronics/index.html. Acesso em: 03 out. 2020.

MILLER, Tonya. "35 years ago today, a tornado transformed Best Buy". Best Buy, 14 jun. 2016. Disponível em: https://corporate.bestbuy.com/35-years-ago-today-a-tornado-transformed-best-buy/. Acesso em: 05 mar. 2020.

NASSAUER, Sarah. "Best Buy steps up digital overhaul as slowdown looms". The Wall Street Journal, 25 fev. 2021. Disponível em: https://www.wsj.com/articles/best-buy-workers-powered-through-covid--19-pandemic-then-they-lost-their-jobs-11614256495. Acesso em: 26 fev. 2021.

PAL, Pratik; R, Rajashee. "How retail CEOs can drive agile to grow their business". TCS, [s.d.]. Disponível em: https://www.tcs.com/perspectives/articles/how-retail-ceos-can-drive-agile-to-grow-their-business. Acesso em: 05 mar. 2021.

PISANI, Joseph. "Best Buy cut 5.000 jobs even as sales soared during pandemic". AP NEWS, 25 fev. 2021. Disponível em: https://apnews.com/article/coronavirus-pandemic-66784fa33b62e8cc5d884bb2e59326d9. Acesso em: 27 fev. 2021.

RIVAS, Teresa. "Why Best Buy's Boost won't end When the pandemic is over". Barroon's, 08 fev. 2021. Disponível em: https://www.barrons.com/articles/why-best-buys-boost-wont-end-when-the-pandemic-is-over-51612820551. Acesso em: 10 fev. 2021.

SAMPAH, Uday. "Best Buy aumenta previsão de vendas para o ano". Reuters, 27 maio 2021. Disponível em: https://economia.uol.com.br/noticias/reuters/2021/05/27/best-buy-aumenta-previsao-de-vendas--para-o-ano.htm. Acesso em: 07 abr. 2021.

STARTUP HEALTH. "Stacie Ruth: How Best Buy Health is bringing care closer to home". Startup+health, [s.d.]. Disponível em: https://health-transformer.co/stacie-ruth-how-best-buy-health-is-bringing-care-closer-to-home-c2970e4f5656. Acesso em: 05 mar. 2021.

VERDON, Joan. "Six reasons why Best Buy will continue to dominate". Forbes, 26 set. 2019. Disponível em: https://www.forbes.com/sites/joanverdon/2019/09/26/a-better-best-buy-six-reasons-to-bet-on-it/. Acesso em: 08 fev. 2021.

VOMHOF, John. "Best Buy at 50: A Q&A with founder dick Schulze and CEO Hubert Joly". Best Buy, 22 ago. 2016. Disponível em: https://corporate.bestbuy.com/best-buy-at-50-a-qa-with-founder-dick-schulze-and-ceo-hubert-joly/. Acesso em: 08 fev. 2021.

VOMHOF JR., John. "Best Buy CEO talks pandemic, importance of diversity at CES. Best Buy, 12 jan. 2021. Disponível em: https://corporate.bestbuy.com/best-buy-ceo-talks-pandemic-importance-of-diversity-at-ces/. Acesso em: 15 jan. 2021.

WHALTON, Cris. "How Best Buy used its retail smarts to stand out in 2020 – and set itself up for success in shopping's new world. Forbes, 15 dez. 2020. Disponível em: https://www.forbes.com/sites/christopherwalton/2020/12/15/best=-buy-is-the-smartest-retailer-of2020-/?sh-7d73b57e48f9. Acesso em: 18 dez. 2020.

BEST BUY FISCAL YEAR 2020. "Doing a world of good". Disponível em: https://corporate.bestbuy.com/wp-content/uploads/2020/06/Best-Buy--Fiscal-2020-ESG-Report.pdf. Acesso em: 05 jan. 2021.

**CONFIRA NOSSOS
LANÇAMENTOS AQUI!**

Camelot
EDITORA

CamelotEditora